ESPERA LO INESPERADO

LAS DOCE PUERTAS LIBRO 7

Vicente Raga

addvanza books

Vicente Raga

Nacido en Valencia, España, en 1966. Actualmente residiendo en Irlanda, pero mañana ¿quién sabe? Jurista por formación, político en la reserva, ávido lector, escritor por pasión, guionista, articulista de prensa, viajante impenitente y amante de su familia. Viviendo la vida intensamente.
Carpe diem.

Autor superventas de la serie de éxito mundial de *«Las doce puertas»*, traducida a varios idiomas. Número 1 en los Estados Unidos, México y España. TOP 25 en Europa, Canadá, Australia y Nueva Zelanda.

AVISO IMPORTANTE

Esta novela es el séptimo libro de la colección de *Las doce puertas*

Para poder disfrutar de una mejor experiencia, **es necesario respetar el orden de lectura de las novelas:**

LIBRO 1 LAS DOCE PUERTAS

LIBRO 2 NADA ES LO QUE PARECE

LIBRO 3 TODO ESTÁ MUY OSCURO

LIBRO 4 LO QUE CREES ES MENTIRA

LIBRO 5 LA SONRISA INCIERTA

LIBRO 6 REBECA DEBE MORIR

LIBRO 7 ESPERA LO INESPERADO → LIBRO ACTUAL

LIBRO 8 EL ENIGMA FINAL

LIBRO 9 MIRA A TU ALREDEDOR

LIBRO 10 LA REINA DEL MAR

En cada una de las novelas se desvelan hechos, tramas y personajes que afectan a las posteriores. Si no respeta este orden, a pesar de que hay un breve resumen de los acontecimientos anteriores, es posible que no comprenda ciertos aspectos de la trama.

Primera edición, marzo de 2020
Segunda edición, enero de 2022
Tercera edición, marzo 2022
Cuarta edición, febrero de 2023

© 2020 Vicente Raga
www.vicenteraga.com

© 2020 Addvanza Ltd.
www.addvanzabooks.com

Fotocomposición y maquetación: Addvanza
Ilustraciones: Leyre Raga y Cristina Mosteiro

ISBN: 978-84-1201896-7

En esta ocasión quiero dedicar la séptima entrega de mi saga a mis padres, **Vicente y Carmen**, a mi hermana **Silvia**, a Carlos, y en especial a mis sobrinos **Vi y Marc**. Todos formáis parte del universo de *Las doce puertas*.

ÍNDICE

NOTA DEL AUTOR

En la parte histórica de la presente novela, correspondiente al siglo XVI, todos los personajes que aparecen son reales y existieron en su exacto contexto histórico. No obstante, los hechos que se narran son ficticios y no tuvieron por qué ocurrir de la manera descrita. En la parte actual de la novela, todos los personajes y los hechos narrados son ficticios. Los acontecimientos históricos que se describen en ambas partes se corresponden con la realidad.

En toda la novela se utilizan las fechas de acuerdo con el calendario gregoriano. A efectos de claridad y homogeneidad no se usa el calendario hebreo.

o RESÚMEN DE LOS LIBROS ANTERIORES DE LA SERIE «LAS DOCE PUERTAS»

NOTA DEL AUTOR: Si ya has leído las seis novelas anteriores de la saga de *Las doce puertas*, no es necesario que leas este capítulo. Tan solo es un breve resumen de todo lo acontecido hasta ahora, aunque nunca viene mal recordar ciertos detalles. Yo mismo lo recomiendo. Igual reparas en alguna cuestión que se te puede haber escapado.

Los judíos de finales del siglo XIV en la península ibérica habían acumulado una ingente cantidad de conocimientos en multitud de materias, pero los tenían dispersos en diferentes lugares. Ante el cariz que estaba tomando su relación con los cristianos en aquella época, y ante el temor de perder ese gran tesoro, decidieron protegerlo, reuniéndolo y escondiéndolo en un único emplazamiento. Eligieron la judería de Valencia. No era tan importante como las de Sevilla, Córdoba o Toledo, por ejemplo, pero precisamente por ello la escogieron. Tenía un tamaño medio, no era demasiado conflictiva y estaba bien comunicada. En definitiva, era discreta en comparación con otras mayores. Crearon una especie de confraternidad, formada por diez personas, cuya misión era preservar ese tesoro a través de los siglos, y lo llamaron Gran Consejo. El tesoro era conocido entre ellos por el nombre de «el árbol».

Sin duda fue una idea muy oportuna, ya que poco más de un año después de completar la tarea, en 1391, se produjo el asalto y la destrucción de más de sesenta juderías por todos los territorios del reino de Castilla y de la corona de Aragón, que supusieron la muerte de decenas de miles de judíos. La mayoría de las aljamas no se recuperaron jamás y desaparecieron para siempre. Afortunadamente los miembros del Gran Consejo tenían un plan de escape preparado, que habían llamado *Las doce puertas*, que hacia referencia a las doce puertas que se abrían en la muralla medieval de Valencia a finales del siglo XIV. Su objeto era ponerse a salvo y preservar su tesoro cultural. Una vez ejecutado dicho plan, pasaron a designarse a ellos mismos *puertas*.

Por si todas aquellas desgracias no hubieran sido suficientes, cien años después de aquel desastre, en concreto el 31 de marzo de 1492, Isabel I de Castilla y Fernando II de Aragón, conocidos posteriormente como los Reyes Católicos, ordenaron la expulsión de los judíos de todos los reinos que dominaban, deportación que se completó en el mes de agosto de aquel fatídico año.

El Gran Consejo que protegía el tesoro judío estaba compuesto por diez personas, pero en realidad había un undécimo miembro, que no participaba de las reuniones, cuya identidad permanecía secreta y que tan solo era conocida por el número uno. El Gran Consejo se organizaba a semejanza del árbol *sefirótico* de los cabalistas. Aunque aparentemente dicho árbol contenía diez esferas o *sefirot*, en realidad, existía una undécima *sefiráh*, que es el singular de la palabra *sefirot*. Esa undécima *sefiráh*, llamada *Daat*, permanecía invisible y representaba la conciencia. Era otra forma, en este caso no material y oculta, del *Keter*, de la raíz del Gran Consejo, de su número uno, que en estos momentos era Blanquina March. En consecuencia, tan solo Blanquina conocía la verdadera identidad de la undécima puerta. Su función era ser una especie de copia de seguridad. Entre el número uno y el número once tenían dividido un mensaje propio, que una vez unido, conducía a la localización del árbol. En caso de cualquier eventualidad, como la desaparición de un miembro o del Gran Consejo en su totalidad, tenían la responsabilidad de reconstruirlo, para la preservación de su gran tesoro durante los siglos venideros.

En marzo de 1500 se produjo un hecho de extraordinaria gravedad. El Santo Oficio de la Inquisición española descubrió una reunión del Gran Consejo e irrumpió en mitad de su celebración, provocando la desbandada de todos sus miembros e incluso la captura del número cuatro, Miguel Vives, y su posterior relajación y muerte en la hoguera.

Blanquina March, que era la puerta número uno, decidió, por seguridad, trasladar el árbol a otro emplazamiento diferente y encargó el trabajo a la undécima puerta, que era el maestro cantero Johan Corbera, ya que no era ni conocido ni perseguido por la Inquisición. Tomó otra decisión de gran calado, disolver el Gran Consejo. No sabía qué conocimientos podría tener la Inquisición y no se quiso arriesgar a poner en peligro la propia existencia del árbol, el gran tesoro judío.

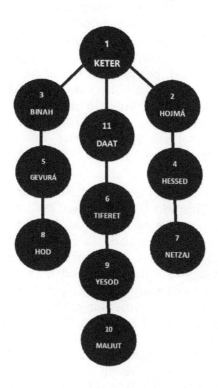

Blanquina March falleció muy joven a consecuencia de la peste negra y heredó su puesto en el Gran Consejo, como nuevo número uno, su hijo Luis Vives, el gran humanista valenciano, español y europeo, que en aquel momento histórico tenía tan solo dieciséis años. Entre él y Johan Corbera escondieron ese tesoro cultural en una nueva ubicación. Poco después Luis Vives abandonaría España, debido a la presión de la Inquisición sobre su familia. Su padre quiso ponerlo a salvo de su saña, que ya había conducido hasta la hoguera a buena parte de sus primos y tíos.

Luis Vives se convirtió en una figura de fama mundial y sus amigos en España intentaban que retornara con seguridad, a salvo del Santo Oficio, para poder retomar sus funciones como número uno del Gran Consejo, desconociendo la decisión que había tomado Blanquina de disolverlo. Luis Vives da a entender que quiere volver a su país de origen, pero en realidad no se atreve. Sabe que no estaría a salvo de la Inquisición española, a pesar de los poderosos amigos que tenía, incluyendo al rey y emperador Carlos I, al papa de Roma e incluso al mismísimo Inquisidor General de España. No olvidemos que habían quemado en autos de fe a gran parte de su familia, primos y padre incluidos. Luis hace creer, por motivos de seguridad personal, que acepta la cátedra que había dejado vacante en la Universidad de Alcalá de Henares el gran Antonio de Nebrija, cuando en realidad había aceptado la propuesta de la cátedra que le había ofrecido el cardenal Thomas Wosley en Oxford, Inglaterra, donde reside, casado con Margarita Valldaura, natural de Brujas y de origen valenciano.

En Valencia, en el primer cuarto del siglo XVI, el hijo de Johan Corbera, llamado Batiste, hace amistad en la escuela con Amador, cuyo padre es don Cristóbal de Medina y Aliaga, que trabaja para el Tribunal de la Inquisición como receptor del Santo Oficio. También hace amistad con Jerónimo, un extraño niño de nueve años cuyo padre es nada más y nada menos que don Alonso Manrique de Lara y Solís, arzobispo de Sevilla, pero sobre todo, inquisidor general de España. Por eso Jerónimo vive en el ala del Palacio Real de Valencia que ocupa el tribunal local del Santo Oficio de la ciudad. Unen a su grupo a Arnau, amigo de su escuela. Tanto Amador como Arnau desconocen quién es el padre de Jerónimo. Ni se lo imaginan, creen que es un poderoso noble sevillano. nada más.

Al final de la cuarta novela de la saga, *Lo que crees es mentira*, se descubre que, precisamente, don Alonso Manrique era el número uno del Gran Consejo, puesto que ha cedido a su joven hijo Jerónimo, coloquialmente llamado Jero. En consecuencia, dado que Johan Corbera también ha cedido su puesto, el número uno del Gran Consejo tiene nueve años, y el número once, trece. ¡Menuda pareja! Sin embargo, según palabras del propio don Alonso Manrique, son la mejor dupla de la historia y la más adecuada para hacer frente a los graves problemas que se avecinan para el árbol judío del saber milenario. No dice nada más. Todos desconocen a qué se puede referir.

Don Alonso Manrique les anuncia que ambos, Batiste (que ya lo era) y que su hijo Jero, se iban a convertir en undécimas puertas, y que, por seguridad, ambos serían los portadores, cada uno de una mitad, del mensaje que conducía al emplazamiento del árbol judío del saber milenario. Que nombraría a otro número uno, el conde de Ruzafa, pero que ningún miembro del Gran Consejo sería portador de una décima parte del mensaje, como había ocurrido desde el siglo XIV. Lo hace por pura distracción para los siglos venideros. Mientras la inquisición o los futuros peligros que la Historia pudiera deparar para el pueblo hebreo se mantuvieran distraídos, investigando o vigilando al Gran Consejo, el verdadero conocimiento del mensaje estaría en posesión de los dos números once, desconocidos y ocultos. Batiste y Jero serían los primeros, pero irían trasmitiendo su mitad del mensaje a sus descendientes a lo largo de los siglos de una manera secreta, sin que nadie supiera de su existencia, ni siquiera se conocieran entre ellos. El Gran Consejo quedaba vacío de contenido desde ese momento.

Mientras tanto, las hermanas vivas de Luis Vives, Beatriz y Leonor, reclaman a la inquisición la injusta incautación de la dote que su madre, Blanquina, que jamás fue condenada. Se encuentran con la firme oposición del receptor, don Cristóbal de Medina, padre de Amador, que, bajo ningún concepto, está dispuesto a devolver los 10.000 sueldos reclamados. Amenaza a las hermanas con repasar todas las notas del Santo Oficio sobre su madre Blanquina, e incluso abrir un proceso contra ella, a pesar de llevar muerta casi dieciséis años. Esto supone un peligro, ya que el Gran Consejo desconoce qué es lo que sabe la inquisición de ellos, y desenterrar un tema antiguo puede ser muy peligroso, como quizá lo sea. El receptor consigue que los inquisidores locales del tribunal de Valencia le entreguen toda la documentación que disponen acerca de Blanquina March, Busca datos en su contra para evitar tener que devolver a sus hijas, Beatriz y Leonor, la dote incautada, incluso las llega a amenazar de forma personal.

Jero y Batiste se asustan. También desconocen qué sabe la inquisición de Blanquina y de su existencia, así que a Jero se le ocurre la genial idea de crear un «tribunal juvenil de la inquisición» para jugar con sus tres principales amigos de la escuela, el propio Batiste, Amador y Arnau. No es casualidad que sea Jero el que proponga como su primer caso a estudiar el de Luis Vives Valeriola, padre del humanista Luis Vives pero, sobre todo y lo que les interesa de verdad, esposo de Blanquina March. Abren una supuesta causa contra la fama y memoria de ella, ya fallecida. En realidad, es tan solo un pretexto para que Amador sustraiga del despacho de su padre, el receptor don Cristóbal de Medina, la documentación de los expedientes que el Santo Oficio tiene de Blanquina.

En la sexta novela ocurren una serie de acontecimientos que alteran todo lo que creíamos conocer. ¿Cuál es el verdadero papel de Amador? Después de mentirles, ¿es un amigo o un enemigo para Batiste y Jero? Por otra parte, los alguaciles tienen evidencias de que su compañero de la escuela, Arnau, ha fallecido de forma violenta, probablemente asesinado. ¿Por qué y por quién? ¿Qué significa todo este aparente sinsentido? Parece que su universo se está derrumbando delante de ellos.

Ni Batiste ni Jero comprenden nada, pero tienen una cosa clara. Ya que no pueden contar con ninguna ayuda, deciden hacerlo por su cuenta, accediendo furtivamente a la biblioteca secreta del tribunal del Santo Oficio de la ciudad, para intentar localizar documentos que hagan referencia a Blanquina March y que no estén en poder del receptor. Hallan cierta documentación, desconocida, pero muy interesante.

Posteriormente quedan para hablar en la habitación de Jero, en el Palacio Real. Batiste, por accidente, descubre un pasadizo secreto que conduce a una especie de gran despacho, con libros y legajos. De repente, la puerta se cierra, dejándolos en su interior. Sospechan que alguien los quiere muertos, como a su amigo Arnau. Nadie sabe que se encuentran en aquel lugar secreto, dónde ninguna persona ha accedido en muchos años, por lo que se preparan para morir, abrazados.

Mientras tanto, ya en la época actual, en pleno siglo XXI, Rebeca Mercader es una joven de veintidós años, recién graduada en Historia y estudiante de un máster. Para sufragarse sus estudios trabaja a tiempo parcial en el periódico *La Crónica*, estando a cargo de la sección de relatos históricos. Para su absoluta sorpresa, ha sido nominada a un Premio Ondas al mejor *podcast* del año, por unas grabaciones que dejó cuando se fue de vacaciones, con el objeto de que fueran trascritas para su columna semanal en el periódico.

Las escucharon sus compañeros de la emisora de radio y las difundieron, sin el conocimiento de Rebeca. Para sorpresa de todos, tuvieron muchísimo éxito. Ha firmado un nuevo contrato con una gran cadena de radio nacional y se ha convertido en colaboradora habitual de un programa de gran éxito. Ha pasado del anonimato a la fama. Es reconocida allá dónde va, incluso le han propuesto un programa propio en la emisora de radio local.

Los padres de Rebeca fallecieron en un accidente de tráfico cuando apenas tenía ocho años de edad. En aquel momento se fue a vivir con el que creía que era su único familiar vivo, su tía Margarita Rivera, a quién todo el mundo conoce por el diminutivo de Tote. Es comisaria de policía y, hasta hace unos meses, su pareja era Joana Ramos, profesora de Rebeca en la Facultad de Geografía e Historia. Debido a todos los acontecimientos que ocurrieron durante el mes de mayo, se vio obligada a trasladarse a Estados Unidos. Las tres formaban una familia muy feliz que, ahora mismo, estaba rota. Ni Tote ni Rebeca se habían acostumbrado a su ausencia.

Rebeca estudió en el colegio Albert Tatay. Desde que el grupo de amigos terminaron sus estudios hacía cuatro años, y antes de que cada uno de ellos partiera hacia una Facultad diferente para continuar su formación o al mercado laboral, Rebeca y sus compañeros se confabularon para no perder el contacto. Se habían criado unidos durante muchísimos años y no querían perder esa complicidad tan sana. Así, decidieron institucionalizar una reunión semanal, todos los martes, en un lugar fijo, en este caso en el *pub* irlandés Kilkenny's en la plaza de la Reina. Cada uno acudía cuando podía, pero con el paso del tiempo, incluso se habían ido incorporando al grupo personas ajenas al colegio. Fue el camarero inglés del *pub*, llamado Dan, el que les bautizó como el *Speaker's Club*, porque, según él, «mucho hablar y poco beber».

Charly, piloto de línea aérea, era el cachondo del grupo, junto a Fede, que acababa de terminar el doble grado de Derecho y Ciencias Políticas. Pertenecía a una familia muy rica y conocida. En ocasiones se les unía a los dos el antisistema de Xavier, que era comercial de una empresa. Los tres formaban el trío calavera. Tenían mucho peligro. Almu era la amiga del alma de Rebeca, llevaban estudiando juntas desde los seis años hasta la universidad. Bonet estudiaba robótica y todos pensaban que podría pasar por uno de ellos. Carlota era la más impredecible de todo el grupo, una mente privilegiada cuyas reacciones le daban miedo hasta la propia Rebeca, aunque eran grandes amigas. Su madre había fallecido, después de una larga enfermedad.

Se acababa de reincorporar, después de un año de ausencia por estudios en el extranjero, Carolina Antón, cuyo padre era un diplomático francés que trabaja en la embajada de Madrid. Para completar el grupo, se habían unido, ajenos al colegio, Carmen, una mujer divorciada de cuarenta y seis años que trabajaba en el archivo del ayuntamiento de Valencia y su jefe Jaume, algo mayor que ella y con un parecido asombroso a Harry Potter, según Rebeca. También se había unido al grupo Álvaro Enguix, propietario de una joyería y pareja no oficial de Carlota, aunque cada vez es más «oficial».

El día 1 de mayo se presentó en el periódico dónde trabaja Rebeca la condesa de Dalmau, dos veces grande de España y lectora habitual de la sección de Rebeca. Le hace entrega de dos extraños dibujos que ha encontrado en una caja fuerte oculta, que pertenecía a su difunto marido, el conde de Ruzafa. Le pide que resuelva su significado, ya que ella lo desconoce. Al día siguiente la condesa es encontrada muerta en su palacio.

Después de muchas vicisitudes y gracias a la ayuda del historiador Abraham Lunel, descubren que los dibujos son de procedencia judía y datan de 1391, año en que se produjo el asalto y la destrucción de la judería de Valencia. En realidad, los dibujos representaban un plan de escape del Gran Consejo denominado *Las doce puertas*, que hacía referencia a las doce puertas de la muralla medieval de Valencia. Lo que todos los miembros del *Speaker's Club* desconocen es que Rebeca es la actual undécima puerta. Hace todo lo posible para hacer creer a sus amigos que aquel árbol judío, oculto desde hace seis siglos, ya no existe en la actualidad. Quiere que se le deje de buscar y así se pueda preservar para los siglos venideros.

Posteriormente, Rebeca es convocada a un Gran Consejo, formado tan solo por seis miembros. Todos acuden con la tradicional capa negra con capucha, que no permite reconocer a sus portadores. Para su absoluta sorpresa, Rebeca reconoce la voz de dos personas. De una ya se lo esperaba, la puerta número siete, miembro del *Speaker's Club* y amiga de ella, pero se sorprende muchísimo al reconocer también la voz de la puerta número cinco, que no se lo esperaba jamás. No revela su identidad, pero nos da una pista muy importante, el significado de la *sefiráh* número cinco del árbol *sefirótico* cabalístico, llamada **Gevurá**, la justicia.

Al final del tercer libro, la madre de Carlota le revela, en su lecho de muerte, que es adoptada, y en el final del cuarto, se está a punto de descubrir una gran sorpresa que puede cambiar todo el futuro de Rebeca y Carlota y, quién sabe, quizá también del misterio de *Las doce puertas*. Resulta que ambas son hermanas gemelas, hecho que desconocían, ya que fueron separadas al nacer, y se borró todo el rastro de Carlota. Ni siquiera su tía común y hermana de su madre, Tote, en aquel momento inspectora jefe del Cuerpo Nacional de Policía, fue capaz de averiguar nada.

Ahora, ambas se explican muchas cosas. Su parecido físico, su extraordinaria inteligencia y que su cumpleaños fuera el mismo día. Como queda muy poco para la efeméride, deciden celebrarlo de forma conjunta, y a mitad de fiesta, anunciar que son hermanas gemelas, delante de todos los invitados. A Rebeca no le hace demasiada gracia, pero lo acepta. Se lo comenta a su tía Tote, que se espanta en cuanto su sobrina se lo comunica. Muy seria, le prohíbe asistir a esa fiesta, salvo que las tres. Carlota, Rebeca y ella misma, pasen el siguiente fin de semana juntas, además en Madrid. ¿Por qué en Madrid?

Rebeca y Carlota descubren quiénes eran en realidad sus padres. No eran comerciales de unos laboratorios farmacéuticos, como siempre había creído Rebeca y cuestionado Carlota. Eran los dueños, ellos mismos lo crearon desde el principio, junto con los padres de su amiga del colegio Carol Antón, Carmen y Jacques. Catalina Rivera y Julián Mercader, sus padres, se conocieron en Madrid, mientras ella era la jefa de la unidad de análisis del entonces llamado CESID, ahora Centro Nacional de Inteligencia (CNI) y Julián Mercader un diplomático que trabajaba en la embajada rusa. Catalina, coloquialmente llamada Cata, se ofrece a regalar medicinas a la todavía existente, aunque ya agonizante, Unión Soviética, ante la absoluta sorpresa de sus socios en la empresa, los padres de Carol, ya que no iban sobrados de fondos y era un riesgo financiero muy elevado. Gastaban sus reservas en un proyecto que no les iba a proporcionar beneficios.

Sorprendentemente la idea funciona de maravilla. Se hacen con el control del mercado ruso del medicamento genérico, y cuando definitivamente se desintegra la Unión Soviética y se da paso a la Federación Rusa, les empiezan a pagar por los productos que fabrican, que antes les regalaban. Se convierten en millonarios, con laboratorios radicados hasta en Estados Unidos. «Cuando haces lo que debes, recibes lo que mereces», esa era la frase preferida de Catalina Rivera.

El sentido del viaje a Madrid, aparte de conocer sus raíces, también era otro. Carmen y Jacques habían acordado la venta de los laboratorios a una multinacional suiza del sector. Ya no era lo mismo desde el fallecimiento de Cata y Julián. Ninguna de sus hijas iba a continuar con el negocio, así que pensaron que era la mejor solución, su venta en vida. Cuando Carlota y Rebeca ven el importe de la compraventa en la escritura notarial y les entregan un cheque bancario con una cantidad indecente a cuenta, son plenamente conscientes de que son millonarias. Ya se podrían jubilar sin trabajar más en toda su vida. Su universo ha dado todo un vuelco. Rebeca se asusta y le pide a Carlota que retrasen la celebración conjunta de su cumpleaños, prevista para el martes que viene. Carlota no solo se niega, sino que advierte a su hermana de que se prepare para la que se avecina.

En la vuelta del viaje de Madrid, ya en el AVE, se produce un hecho muy sorprendente. Tanto Rebeca como Carlota descubren que son convocadas a un Gran Consejo. En el caso de Rebeca se podría comprender, porque aunque tan solo ha ocurrido en una ocasión en toda la historia, es la puerta número once, pero, ¿por qué convocan a Carlota también? Rebeca se destapa y le revela a Carlota que ella es la undécima puerta y Tote interviene en la conversación haciendo una revelación absolutamente sensacional. Sus padres eran, los dos, las undécimas puertas. Cuando se conocieron, ni siquiera cuando se casaron, lo sabían. Se enteraron apenas después de que Catalina Rivera se quedara embarazada de gemelas. Ese pudo ser el motivo de su separación al nacer y de la desaparición de Carlota de todos los registros, para protegerla si eran descubiertos.

Entonces, ¿es Carlota la segunda undécima puerta oculta? Rebeca se lo pregunta directamente, y en el final de la quinta entrega, se limita a responder con una sonrisa incierta, aunque en la sexta novela lo desmiente categóricamente.

Jamás ha sido iniciada ni tiene ni la más remota idea de grandes consejos ni de tesoros ocultos.

Rebeca se queda mirando a su hermana fijamente, y tiene el pleno convencimiento que de no le ha mentido. Entonces si Carlota no es la segunda undécima puerta, ¿quién lo será? El Gran Consejo tiene nuevo número uno, y está decidido a reconstruirlo con sus diez miembros y que recupere la función para la que fue creado, en el siglo XIV. Para ello necesita a las dos segundas undécimas puertas y a las mitades de los mensajes que custodian, que una vez unidos, conducirían al emplazamiento del árbol judío del saber milenario.

El número uno cree que la segunda undécima puerta es Carlota, y la convoca, por error, a un Gran Consejo. A pesar de que Rebeca la convence para que no acuda. Rebeca insiste, una vez más, en que ella no custodia ninguna parte del mensaje y que no sabe quién es la segunda undécima puerta, aunque no sabe si es creída por el nuevo conde de Ruzafa, el Keter del Gran Consejo, al que Rebeca reconoce perfectamente por su voz.

Mientras tanto, Rebeca y Carlota han celebrado sus cumpleaños por todo lo alto, anunciando a todo el mundo que son hermanas gemelas, sin ser conscientes de lo que ocurre a su alrededor.

El sexto libro termina en un momento dramático. Al igual que en la parte histórica, Batiste y Jero se preparan para morir, encerrados en una estancia secreta del Palacio Real, en la actualidad Rebeca es asaltada por un desconocido, que le corta el cuello. También es consciente de que le restan pocos minutos de vida, mientras piensa que, quizá, si el cielo existe, se reúna con sus padres.

Curiosamente, en los últimos momentos de su vida, es feliz.

I 9 DE MARZO DE 1525

—Tengo frío —dijo Jero, hecho un ovillo en los brazos de su amigo Batiste.

Estaban encerrados en una estancia secreta, a la que habían accedido a través de un falso panel de madera, en la habitación de Jero, en el Palacio Real de Valencia. Se encontraban por debajo del nivel del suelo, a la misma profundidad que la biblioteca. La habitación disponía de dos puertas, una de ellas, precisamente la que accedía al archivo y biblioteca, estaba cegada por el otro lado por un mueble grande y pesado. Era imposible moverla. La otra puerta, por la que habían entrado ellos, después de descender cuatro o cinco plantas desde la habitación de Jero, se había cerrado por motivos que no conocían, y la cerradura estaba bloqueada. Tampoco la podían abrir. En resumen, estaban encarcelados entre aquellos muros, sin saber bien qué hacer.

—Acércate más a mí —dijo Batiste, arropando a su amigo todo lo que podía.

—¿Cuánto nos queda de vida?

—No me gusta que hagas esas preguntas, Jero.

—Me interesaría saberlo, nada más. Además de por curiosidad, quiero estar preparado para recibir al Señor, cuando llegue el momento.

—Supongo que, sin alimentos, pero, sobre todo, sin agua, entre dos y tres días. Siendo optimistas, quizá cuatro, pero lo dudo. No olvides que somos niños, no adultos.

—Es triste morir así, pero si es lo que Dios ha querido para nosotros, lo aceptaré con resignación cristiana.

—Pues yo lo no pienso hacer —le respondió Batiste, en un tono que sorprendió a Jero.

—En estos momentos terminales de nuestra vida, ¿te atreves a insultar a Dios y a sus designios? Deberíamos rezar por nuestras almas.

—No pienso hacerlo. Para empezar, me niego a creer que sea un momento terminal de nuestra vida, y para continuar, no insulto a Dios, insulto a nuestra inteligencia.

—¿Qué dices?

—¿Acaso te crees más cristiano por estar dispuesto a morir rezando? Voy más allá, ¿te parece acaso que ese es un pensamiento cristiano? Desde luego a mí no, y a ti te debería dar vergüenza pensar así. Mientras me quede un hilo de vida, no me voy a rendir. Y de los designios del Señor, mejor no hablo, que seguro que me riñes.

Jero se sorprendió por la contundencia de su amigo. No se esperaba semejante vehemencia, dada la situación desesperada en la que se encontraban.

—Pues ya me contarás qué piensas hacer, encerrados en una habitación cuya ubicación nadie conoce y abandonada durante años, sin que nadie sepa nuestro paradero. Te lo confieso, ahora mismo, no creo ni en los milagros.

—No necesitamos ningún milagro para salvarnos y salir de aquí. Necesitamos reflexionar y poner nuestras mentes en marcha. Quizá seamos dos niños, pero no unos cualquiera. Acabas de recitar una copla extraordinaria de tu abuelo, el gran poeta Jorge Manrique, fallecido hace poco más de cincuenta años. Pues ahora acuérdate de las más recientes palabras de tu padre, Alonso Manrique.

—No te entiendo —dijo Jero, que estaba asustado. No quería morir, y menos así.

—¿No las recuerdas? Dijo que éramos la mejor dupla de número uno y número once de la historia del Gran Consejo, desde su fundación en el siglo XIV. Incluso mejores que los primigenios, que no te olvides que fueron los grandes Jacob Abbu y Samuel Perfet, en la desaparecida aljama de la ciudad.

—No lo olvido.

—Pues ahora, resulta que nosotros somos las dos undécimas puertas. No nos podemos rendir. No podemos abandonar el árbol. Toda la gente que dio su vida por él, nos estará observando con atención, ahora mismo. ¿Qué quieres que vean? ¿A dos niños asustados y acobardados que se rinden, ante el primer problema al que se enfrentan? ¿No sientes que tienes algo de responsabilidad frente a ellos?

—No es el primer problema al que nos enfrentamos y lo sabes, pero quizá sí que sea el último. Por otra parte, dices hermosas palabras, pero siendo práctico, ¿acaso se te ocurre alguna idea, por absurda que sea, para abandonar esta cárcel y salir de aquí?

—La verdad es que no, pero no me rindo, aún no estamos muertos. Mientras permanezcamos vivos y unidos, debemos mantener la esperanza y nuestras mentes en estado de permanente alerta.

—¿Y de qué nos servirá eso?

—No lo sé, ya te lo he dicho, pero reflexiona un poco, No moriremos de inmediato. Tenemos tiempo de pensar. Tú, Jero, posees una mente prodigiosa. No te rindas, simplemente ponla a funcionar.

—Te vuelvo a preguntar, ¿de qué me sirve ahora mismo esa mente, aquí encerrado en esta estancia subterránea y desconocida para todo el mundo?

Batiste se giró hacia Jero, con un gesto de claro cariño reflejado en su rostro.

—En esta situación tan desesperada, te voy a reconocer una cosa que jamás haría fuera de estos muros. Y, si por una de aquellas, salimos vivos de aquí, negaré haberlo dicho, ni bajo tortura.

—¿Cuál? —preguntó Jero, con curiosidad.

—Eres la persona más inteligente que he conocido en mi vida. Tu mente, con tan solo nueve años, es claramente superior a la mía, con trece. No tienes que rendirte. Tan solo tienes que utilizarla. Dios que haga su trabajo, pero nosotros tenemos que hacer el nuestro. Eres un buen conocedor de las escrituras sagradas, y sabrás que lo que se narra en el capítulo 2 del Éxodo, en concreto el tercer versículo, cuando la madre de Moisés salva a su hijo, escondiéndolo en una cestilla de junco y dejándolo en el río Nilo. Ella no se resignó ni esperó a Dios, tomó sus propias decisiones. No me negarás que consiguió su objetivo.

—Esa es tu particular interpretación del Éxodo, que no comparto, pero aunque te aceptara el argumento y me sienta halagado por tus palabras, ¿qué quieres que haga? Mira a tu alrededor. Tan solo nos queda morir en paz con nosotros mismos. Aceptar la realidad y los designios del Señor. No nos queda otra opción.

—¡Ni hablar! Tan solo me rendiré cuando me muera, y eso aún no se ha producido, ni ocurrirá mañana ni pasado mañana, aunque, eso sí, nos vayamos debilitando poco a poco, pero mientras me quede un hilo de vida, no me rendiré y seguiré luchando.

—Ahora me dirás la famosa frase «Ayúdate que yo te ayudaré». Que sepas que, aunque la tradición oral afirma que se encuentra en la Biblia, es falsa.

—No lo es.

—¿Te atreves a discutirme acerca de las sagradas escrituras?

—Jamás se me ocurriría, tú sabes mucho más de eso. Esa frase es un proverbio, probablemente de origen griego, porque aparece en dos de las fábulas de Esopo. Pero que no esté escrita en la Biblia, tal cual, no significa que no pueda ser cierta.

—Aun comprando tu argumento, insisto, ¿qué quieres que haga con esa mente maravillosa que poseo, según tú? No se me ocurre nada.

—Tan solo una cosa.

—Te repito la pregunta, y ya he perdido la cuenta de las veces que te la he hecho. ¿Cuál?

—Pensar.

—¿En qué?

—En la situación en la que estamos.

—¿En serio quieres que piense en eso? Muy sencillo, estamos encerrados en una estancia sin salida, sin agua, sin comida y sin nadie que conozca nuestro paradero. ¿Te parece clara y concisa la respuesta?

—¡Así no! Hemos de analizar la situación en su conjunto, estudiar la estancia, aunque esté prácticamente a oscuras y buscar lo que sea, que nos pueda ayudar.

—¿Ayudar? ¿Aquí adentro? Pero ¿de verdad has visto dónde estamos?

—No, ni tú tampoco. Apenas llevamos unos minutos en esta especie de despacho. No lo conocemos. Deberíamos empezar por ahí.

—¿Para qué?

—Por ejemplo, estamos en un sótano. Podría haber humedad, y eso significa la presencia de agua, aunque sea en poca cantidad.

—¿Y qué conseguiríamos? ¿Hace falta que te recuerde que tampoco tenemos comida?

—No seas tan negativo. Además, ¿no pretenderás pasarte tres días sentado en este frío suelo, abrazado a mí? Conocer esta estancia no sé si nos sacará de aquí, pero por lo menos mantendrá nuestras mentes distraídas, sin pensar en la muerte ni en prepararnos para recibir a ningún Señor.

Jero permaneció en silencio. La verdad es que no se había planteado cómo quería morir ni cómo sería ese momento. Al fin y al cabo, era un niño, tenía nueve años, no era una pregunta demasiado apropiada ni adecuada para su edad.

—Tan solo estoy seguro de una cosa —le interrumpió en sus pensamientos Batiste.

—¡Toma! ¡Y yo!

—No me refiero a la muerte.

—Entonces, ¿de qué estás seguro?

—De que tú nos vas a sacar de esta lóbrega y desagradable estancia.

Jero miró incrédulo a su amigo.

—¿Cómo puedes estar tan seguro de tan absurda afirmación?

—Por dos cuestiones principales. La primera ya te la he dicho. Posees la mente más brillante que conozco. Si tú no eres capaz de sacarnos de aquí, nadie lo será.

—¡Valiente tontería! ¿Y la segunda?

—Porque me debes una comida de lujo, y no voy a permitir que no pagues la apuesta que has perdido. Quiero una gran mesa en este mismo palacio, manteles, cubiertos de plata y sirvientes por todas partes.

—Pero ¿qué te crees? Así no como ni yo —dijo Jero, que no pudo evitar reírse.

«Por lo menos le he arrancado una sonrisa», pensó Batiste, satisfecho.

2 EN LA ACTUALIDAD, LUNES 15 DE OCTUBRE

«El cielo existe», se dijo Rebeca, sorprendida, después de que un desconocido le acabara de cortar el cuello, cuando salía de hablar con el abogado de sus padres, Vicente Arús.

No se lo esperaba, le atacó por la espalda y la aferro fuertemente. Ni siquiera le pudo ver la cara, todo había ocurrido muy rápido, en dos o tres minutos a lo sumo. No tuvo tiempo ni siquiera de gritar. Aunque pensó muchas cosas en ese corto espacio de tiempo, no supo reaccionar.

Recordó que había perdido la consciencia por un momento, pero ahora parecía que la iba recuperando lentamente. Miró a su alrededor. Todo era de un blanco impoluto. Ya no había sangre por ningún sitio. Fuera donde fuera que estuviera, no parecía terrenal.

Rememoró sus últimos instantes viva, con toda su ropa y las manos rojas, mientras se ahogaba en su propia sangre, que inundaba su garganta, hasta que dejó de respirar. Era un pensamiento bastante desagradable, pero todo aquello había desaparecido como por arte de magia. Ahora se encontraba sorprendentemente bien.

«He abandonado un mundo para penetrar en otro», se dijo, con una curiosidad algo insana.

La verdad es que no había pensado demasiado en la muerte, era muy joven para ello, pero se la imaginaba parecida a lo que estaba viendo ahora. Un espacio vacío, completamente blanco y muy luminoso. «La luz blanca, de la que todo el mundo que ha vuelto de la muerte habla, existe en la realidad», pensaba. «Tenían razón, casi estoy deslumbrada».

Seguía intentando observar su entorno, pero la extrema luminosidad blanca no se lo ponía nada fácil. No estaba ciega, porque distinguía pequeños volúmenes, pero no era capaz de identificarlos.

«Veintidós años agnóstica, para ahora descubrir que estaba equivocada», siguió pensando. «Ironías de la vida... o mejor dicho, de la muerte». Hasta fallecida, Rebeca era capaz de conservar un punto de sentido de humor.

—¡Por fin!

«¿Quién ha dicho eso?», pensó, sobresaltada. Se giró hacia un costado y vio dos ángeles. No había ninguna duda.

Era extraño, le dio la impresión de que se parecían entre ellos. También iban vestidos de blanco y se camuflaban con el entorno celestial. Si no llegan a hablar, quizá ni se hubiera percatado de su presencia, y eso que se encontraban justo a su lado. Tal era la extrema luminosidad blanca.

«¡Qué curioso!», se dijo, «los ángeles no solo no tienen sexo, sino que son iguales entre sí. Menudo descubrimiento acabo de hacer, pero para lo que me va a servir...», pensó divertida. «Ya no tengo a nadie a quién contárselo. Estoy segura de que mi hermana Carlota le encontraría el lado humorístico».

Intentó dirigirse a ellos, comunicarse de alguna manera, pero no lo consiguió, a pesar de que lo intentó con todas sus menguadas fuerzas.

«Igual estoy haciendo la idiota. Los muertos no creo que puedan hablar».

Quería decirles que le llevaran con sus padres, eso era todo lo que deseaba en estos momentos, pero no le salían las palabras.

«Espero que tengan algún tipo de telepatía, al fin y al cabo estamos en el cielo. Se supone que aquí todas esas cosas deberían funcionar».

—¿Cómo te encuentras? —le preguntó uno de los ángeles, para su sorpresa.

«¡Vaya pregunta! ¡Pues muerta!», pensó. Hizo otro esfuerzo por intentar comunicarse. En vano. Las palabras no brotaban de su boca. Se sentía impotente, quería conversar más que en toda su vida, pero en su muerte no podía. Tenía millones de preguntas.

De repente, levantó su mirada. Observo como los ángeles se desvanecían de su vista, como por arte de magia. Parecía que levitaban. Quiso pensar que lo de la telepatía podía ser cierto, y que iban en busca de sus padres.

«Es curioso, no puedo hablar ni comunicarme, pero soy feliz en el cielo».

Se hizo el vacío absoluto.

Blanco.

Jamás se pudo imaginar que, a su muerte, iba a estar tan contenta y de tan buen humor como se encontraba ahora mismo. En cierta manera, le parecía incongruente. No podía hacer nada más que observar, y ella era una chica de acción. La simple posibilidad de reencontrarse con sus padres obraba milagros. «Nunca mejor dicho, milagros en el cielo», pensó, confirmando su buen humor.

De repente, le pareció observar unas formas. En cuanto se aproximaron a ella, distinguió a los ángeles que la habían acompañado anteriormente, pero, esta vez, no estaban solos. Regresaban con dos personas más. Se acercaron lentamente hacia ella.

«¡Mis padres!», pensó, emocionada. «¡Por fin!».

Ahora, todo cobraba sentido para ella.

3 9 DE MARZO DE 1525

—Venga, compro tus argumentos —dijo Jero, que ahora parecía algo más animado—. Tampoco perdemos nada por estudiar esta estancia.

—¡Así me gusta! —le respondió Batiste, sonriendo—. Esa es la actitud. Además, tampoco tenemos muchas otras cosas que hacer, ¿no? Y no repitas lo de rezar y prepararse para recibir al Señor, que te doy un capón en la cabeza.

—¿Acaso no eres cristiano? —dijo, algo escandalizado, Jero, por los constantes comentarios de su amigo—. Por tu manera de hablar, tengo serias dudas.

—¿Acaso importa eso ahora mismo? De todas maneras, no deberías tener ninguna duda, y te lo voy a demostrar con un ejemplo perfecto para la ocasión, recitando un pequeño pasaje de nuestra sagrada Biblia. ¿Sabes lo que dice el Evangelio según San Mateo?

—San Mateo habla de muchas cosas, pero, vamos, sorpréndeme.

—«Pedid, y se os dará; buscad, y hallaréis; llamad, y se os abrirá. Porque todo aquel que pide, recibe; y el que busca, halla; y al que llama, se le abrirá». San Mateo, capítulo 7, versículos 7 y 8.

—Vaya, lo confieso —dijo Jero, con una sonrisa—. Me has sorprendido. Entiendo tu intención, aunque, ahora mismo, le veo poca aplicación práctica a la Palabra de San Mateo. ¿A quién tenemos que llamar para que nos abra?

—No debería sorprenderte. Soy igual de cristiano que tú. Bueno, para serte sincero, quizá un poco menos. Pero en cuanto a la aplicación práctica, no lo sabemos. Ni siquiera hemos explorado el lugar en el que nos encontramos. Lo que sí sé es que rendirse ante la adversidad no es demasiado cristiano. Si quieres, también tengo a mano algunas citas de la Biblia, apropiadas para la ocasión.

—No hace falta, ya conozco unas cuantas.

—Sí que te hacen falta. No me sirves con la moral por los suelos. Necesito tu mente al 100 %, así que escucha con atención:

«Por tanto, no desmayamos: antes aunque este nuestro hombre exterior se va desgastando, el interior empero se renueva de día en día. Porque lo que al presente es momentáneo y leve de nuestra tribulación, nos obra un sobremanera alto y eterno peso de gloria. No mirando nosotros a las cosas que se ven, sino a las que no se ven: porque las cosas que se ven son temporales, más las que no se ven son eternas».

—Si no me equivoco, Corintios, ¿verdad?

—Exacto, y más concretamente el capítulo 4 y los versículos 16, 17 y 18. Fíjate que habla de no desmayarse ante las adversidades y de buscar las cosas que no se ven. Otra cita más que adecuada para nuestra situación.

—Una interpretación algo libre, pero te agradezco que intentes animarme.

—Lo que te agradecería de verdad es que nos levantáramos de este asqueroso suelo. Ya me empieza a dar cierto asco, está pegajoso de la suciedad. Lleva más de veinte años sin conocer el agua.

Lentamente, se incorporaron del rincón donde se encontraban agazapados y abrazados. Su vista ya se había acostumbrado a la penumbra de la sala y podían apreciar los objetos que tenían enfrente, aunque fueran meras sombras para sus ojos. Estaba claro que se encontraban en un despacho, de proporciones bastante generosas.

—¿Te das cuenta? Ahora vemos bastante mejor —dijo Batiste.

—Sí, pero no distinguimos gran cosa. Por lo menos nos servirá para movernos, sin tropezar con los muebles que tenemos alrededor, pero para poco más.

—Suficiente, por ahora. Ten en cuenta que, poco a poco, iremos ganando capacidad de visión.

Levantaron la vista y miraron al frente. La estancia parecía cuadrada, quizá ligeramente rectangular, con lo que parecían estanterías situadas en el centro.

—Podemos intentar avanzar. Iremos cogidos de la mano —dijo Batiste.

Así lo hicieron. Se fijaron que había cuatro muebles, tipo estantería, de forma alargada.

—¿Qué hacemos? Los cuatro muebles dividen la sala en cinco pasillos, contando los laterales. ¿Por dónde empezamos? —preguntó Jero.

—Lo lógico es que empecemos por uno de los extremos, y recorramos, uno a uno, todos los pasillos. Al principio, limitémonos a hacernos una idea de dónde estamos, no hace falta que nos quedemos con los detalles.

—Aunque quisiéramos, no podríamos. No sé tú, pero yo veo lo justo para no tropezarme.

Se dirigieron hacia la derecha de la estancia, justo en la parte contraria a la puerta que debía dar acceso a la sala que albergaba el archivo del Santo Oficio. Lo primero que hicieron fue acercarse hacia los muros. Aunque sus paredes eran muy similares a la gran biblioteca que habían explorado días atrás, estas se encontraban mucho más húmedas.

—¿Observas? —preguntó Jero.

—Sí, me atrevería a decir que esta estancia pertenecía a la biblioteca, pero por algún motivo que se me escapa, la tapiaron y la convirtieron en un despacho. La única diferencia en sus paredes es la extrema humedad —le respondió Batiste.

—Es curioso. Ese detalle, ¿no te dice nada? Quizá tenga mucha más importancia de lo que pueda parecer.

—No se la veo. Lo único que me dice es que no entiendo cómo se molestaron en tapiar una parte de la biblioteca, accesible por una puerta, que luego se encargaron de obstruir por un pesado mueble, haciéndola impracticable. Eso es lo extraño.

—No me refería a ese detalle, aunque reconozco que también es curioso. Ya tendremos tiempo de pensar en él más adelante. Ahora tenemos que reflexionar acerca de otra cuestión de mayor importancia.

—No te entiendo. ¿A qué te refieres? —preguntó Batiste, con cierto interés.

—Tú mismo lo has dicho, además lo has remarcado cómo la única diferencia.

—¿A la humedad de esta sala y de sus paredes?

—Exacto.

—¿Eso te parece curioso? Estamos por debajo del nivel del suelo en una ciudad en la que haces un pozo y, de inmediato, sale agua —le refutó Batiste.

—Jamás te olvides de la historia. Estamos en un palacio construido al lado de un río y rodeado de jardines, con multitud de estanques. No hace falta que te recuerde que este gran edificio fue levantado sobre la llamada «Alhambra valenciana», una finca de recreo musulmana o almunia, cuyo origen se remonta al siglo XI. —explicó Jero.

—Eso ya lo sé, lo hemos estudiado en la escuela, *listillo*. No hace falta que me lo recuerdes.

—Pero lo que no sabrás, porque eso no lo hemos aprendido en la escuela, es que el actual Palacio Real, cuyo nombre más apropiado sería Palacio del Real, tiene dos cuerpos arquitectónicos bien diferenciados. De hecho, los sirvientes los llaman, de forma coloquial, palacio viejo y palacio nuevo, para distinguirlos. El viejo se corresponde con la antigua almunia o residencia de los reyes de Taifas musulmanes.

—¿Me vas a dar una clase de historia?

—Créeme que es necesario. Cuando cayó el Califato de Córdoba, a principios del siglo XI, se creó el reino de Taifa de Valencia, o como ellos lo llamaban, la Taifa de Balansiya. Entonces se construyó el llamado palacio viejo, ordenado por el rey musulmán Abd Al Aziz. El palacio nuevo es de reciente edificación, impulsado, sobre todo, por Pedro el Ceremonioso en el siglo XIV y Alfonso el Magnánimo, más recientemente, en el siglo pasado. También encargaron a diversos *pedrapiquers* locales una reforma en profundidad de la parte vieja, para adaptarlo a los gustos de los reyes cristianos de Aragón. Cada vez que se desplazan a la ciudad, se alojan en este palacio, aunque en la parte nueva, la que no tiene ningún elemento arquitectónico musulmán.

—Muy interesante todos los conocimientos que tienes de este palacio, pero ¿qué tiene que ver toda esta clase magistral que me acabas de soltar con nuestra situación? ¿En qué nos ayuda?

—No he terminado la explicación —dijo Jero, molesto por la interrupción de su amigo Batiste.

—Perdona, adelante. Puedes seguir.

—Precisamente en la época de Alfonso el Magnánimo fue cuando este palacio vivió su época de mayor esplendor, ya que fue la residencia oficial de su esposa, la reina doña María, además durante muchos años. Hoy en día está infrautilizado, a pesar del auge de la corte virreinal de Germana de Foix. La parte vieja del palacio, dónde nos encontramos nosotros ahora, está prácticamente deshabitada, por eso la utiliza el tribunal local de la inquisición.

—Eso lo he podido comprobar por mí mismo, en las visitas que te he hecho.

—Así es, como sabes, en esta ala tan solo viven los dos inquisidores y yo. En el otro extremo del palacio viejo vive el alcaide de la ciudad y el personal de servicio. Es la única parte que conserva algunos elementos de la arquitectura primitiva musulmana, no en las partes nobles ni en las estancias del palacio, pero sí debajo de ellas. Los basamentos son originales del siglo XI, en su mayoría, al igual que numerosos pasadizos subterráneos. Supongo que nosotros acabamos de encontrar uno de ellos.

—Llevas aquí algunos años. ¿No conocías nada acerca de su existencia? —preguntó Batiste, algo extrañado.

—Siempre había escuchado a los sirvientes hablar de extraños ruidos procedentes de detrás de las paredes, pero nunca les había prestado atención. Pensaba que eran los habituales chismorreos de fantasmas imaginarios, como los tienen en todos los conventos y palacios. Durante mi estancia en Sevilla, también escuché historias parecidas. Ahora, a la vista de dónde nos encontramos, quizá tuvieran razón.

—¿Y qué? —insistió Batiste, que empezaba a impacientarse, sin comprender la explicación y el discurso que le estaba dando Jero.

—La clave está en la humedad.

—¿Por qué crees eso? Ya te había dicho que esta ciudad está al nivel del mar.

—Olvídate por un momento de la situación de la ciudad. ¿Qué es lo que les apasionaba a los árabes? El agua. No me extrañaría que todas las primitivas conducciones de agua aún se conservaran en la actualidad, ocultas, en las entrañas de la parte vieja del palacio, donde precisamente nos encontramos en este momento.

—Ahora te empiezo a comprender —dijo Batiste—. Intentas justificar la extrema humedad de esta estancia.

—Eso es lo primero que pretendía que entendieras, aunque aún te falta dar un pequeño paso en tu razonamiento.

—Ha sido una explicación muy didáctica, pero te recuerdo que hemos estado en la biblioteca, que está exactamente al mismo nivel de profundidad que esta estancia. Acuérdate, en especial, de un hecho muy significativo, cuando nos dimos cuenta de la presencia de Zomba a nuestro alrededor, el archivero asesino del Santo Oficio. De inmediato buscamos refugio y nos agazapamos contra una pared y una puerta, precisamente la que debía dar acceso a esta habitación. ¿Acaso nos mojamos? Nada de nada. Si nos apoyáramos en este muro que tenemos a nuestro lado, por ejemplo, nuestras espaldas acabarían empapadas. A eso me refiero.

—Muy bien, tu razonamiento avanza en la dirección adecuada —respondió Jero, haciendo el gesto de aplaudir con las manos. Ahora parecía de buen humor.

—Vale, ha quedado claro que hay mucha más humedad en esta estancia que en la biblioteca, ¿y qué? ¿Chupamos los muros, a ver si ganamos un día más de vida? —contestó Batiste, en un tono claramente sarcástico.

—No seas idiota, sabes que no me refiero a eso.

—Entonces, ¿qué me has querido decir con toda tu pedante demostración de conocimientos históricos?

—Veo que no me entiendes. Hace un rato te recité la primera copla de mi abuelo, el gran poeta Jorge Manrique. A ver si se te ilumina tu cerebro con la tercera copla. Es la última pista que te pienso dar:

«Nuestras vidas son los ríos
que van a dar en la mar,
que es el morir:
Allí van los señoríos,
derechos a se acabar
y consumir;
allí los ríos caudales,
allí los otros medianos
y más chicos;

y llegados, son iguales

los que viven por sus manos y los ricos».

—Insisto, ¿y qué? Ya la conocía, como comprenderás, también me las sé todas de memoria, el maestro Urraca ya se ha ocupado de eso —le respondió Batiste, que estaba empezando a perder la paciencia.

—¿No lo entiendes? En esta sala hay una excesiva humedad que no encontramos en la biblioteca. Pues ahora une esa extraña anomalía a toda la explicación histórica que te he dado y la copla de mi abuelo. No pienso ponértelo más fácil. Estruja ese cerebro que posees.

Batiste se quedó pensativo. De hecho, no decía nada. Pasaron dos o tres minutos.

—Venga, que no es tan difícil —le insistió Jero—. ¿Qué puede significar, si lo unes todo?

Batiste dio un respingo. Debía de haberlo comprendido bastante antes. Estaba abochornado. El mocoso de Jero iba un paso por delante de él.

—¿Nuestra salvación? —preguntó Batiste, que le había cambiado el semblante.

—Exactamente eso —dijo un pletórico Jero.

4 EN LA ACTUALIDAD, LUNES 15 DE OCTUBRE

—¡Papás! —exclamó Rebeca. Le pareció que unas lágrimas resbalaban por sus mejillas.

—Tranquila, no intentes hablar —le respondieron—. Te entendemos igual.

«¿Qué no intente hablar?», pensó, extrañada. «Después de catorce años, ¿solo se os ocurre decir eso? ¡Tengo tantas cosas que contaros!».

Después de un breve instante, observó cómo se alejaban de ella y hablaban con los dos ángeles, los mismos que estaban a su lado cuando recuperó la conciencia. Los cuatro sonreían. A Rebeca le hubiera gustado hacerlo también, pero, por alguna extraña razón que desconocía, no podía. Tan solo podía pensar, y tampoco con demasiada lucidez.

Sus padres se desvanecieron y vio cómo los ángeles se acercaban a ella. Se dio cuenta de que cada vez se encontraba mejor. Tenía la sensación de que ya podía comunicarse. No sabía con seguridad si era a través de su boca o su mente, pero eso no le importaba. Lo verdaderamente importante era hacerse entender.

—¿Cuánto tiempo llevo muerta? —acertó a preguntar.

—Todo ha sido muy rápido, apenas ha ocurrido hace una hora —le respondió uno de los ángeles. Su voz parecía femenina, por lo menos así lo interpretó Rebeca. Supuso que era lo que quería creer.

—Pues para estar muerta, cada vez me encuentro mejor. Es extraño.

—No lo es, de hecho, es lo normal —le contestó el otro ángel. También su voz le pareció femenina.

—¿Normal?

—Claro. Vas recuperando la conciencia poco a poco.

—¿Y eso os parece normal? —repitió Rebeca, que no terminaba de ubicarse—. ¿Qué esté muerta y cada vez me encuentre mejor?

—Es lo que suele suceder. Piensa en el hecho traumático que te acaba de ocurrir. Te tienes que recuperar y recobrar completamente la lucidez.

—¿Dónde han ido mis padres?

—Regresarán, no te preocupes. Ahora descansa un poco. En un momento también volveremos. No intentes hacer nada más que reposar. Te vendrá bien, haznos caso.

«Los ángeles parecen mujeres, no podía ser de otra manera. Al menos, así lo percibo yo». Ese pensamiento le divirtió, mientras se volvían a desvanecer y se quedaba, de nuevo, sola en el blanco más absoluto.

Cerró los ojos y volvió a perder la conciencia, y así estuvo por un tiempo indeterminado. Cuando la recuperó de nuevo, observó con más detenimiento todo lo que se vislumbraba a su alrededor. Estaba menos aturdida, suponía que ya se iba acostumbrando al cielo y su luminosidad cegadora. Pensó que hasta le hacía daño.

No podía dejar de pensar en lo extraño de la situación. Tenía razón uno de los ángeles, todo había sido rápido y traumático, quizá fuera normal que, al principio, estuviera algo confusa.

«¿Confusa?», pensó, de inmediato. «¿Esto qué es?»

Todo seguía siendo de un blanco impoluto, pero ahora podía ver más detalles a su alrededor. Se encontraba recostada, en una especie de estancia que no parecía tener paredes.

«¡Espera!», se dijo. «¡Sí que las tiene, si bien algo difusas!». Aunque intentaba centrarse, estaba claramente desorientada y confusa.

Al momento, tal y como le habían comentado, los dos ángeles volvieron a su costado.

—Ya tienes mejor cara —le dijo uno de ellos—. Te vas recuperando.

A Rebeca casi le da un vuelco el corazón.

—¡Tu voz!

LO INESPERADO – LAS DOCE PUERTAS 7

—¿Qué le pasa a mi voz?

—Qué es idéntica a la de otra persona que conocí, cuando aún estaba viva.

—Eso es buena señal.

Rebeca no entendió esa respuesta, pero supuso que su mente intentaba humanizar a aquellos entes, y los asociaba a alguien de su entorno cercano.

Su suposición tan solo le duró unos pocos segundos. No era una persona cualquiera, aunque muerta, seguía siendo Rebeca Mercader.

«¡Y un carajo!», se dijo de inmediato. Su cerebro racional se rebelaba contra sus propias sensaciones. «¿Qué es lo que está ocurriendo aquí?».

Su mente, por alguna extraña razón, le recordó a Carlota.

«¿A qué viene ahora esta asociación?» La voz que acababa de escuchar no era la de ella, sin embargo, estaba pensando en su hermana.

«Tienes todas las piezas del rompecabezas frente a ti, tan solo tienes que encajarlas». Esa frase, tan típica de Carlota, le resonaba en el interior de su cabeza. No comprendía el porqué, no le encontraba ningún sentido.

Se giró y miró a su alrededor, ahora con más atención. Cuando comprendió todo, casi se cae de la cama en la que estaba acostada. La verdad le golpeó casi como su supuesto fallecimiento.

—¡No estoy muerta! —casi gritó.

—¡No levantes la voz de esa manera! —exclamó uno de los supuestos ángeles—. Vamos a llamar la atención, y eso es lo último que nos conviene.

Ahora se quedó mirando a los dos con más detenimiento. Casi se vuelve a caer de la cama de la sorpresa. Era los últimos rostros que se esperaba ver, en estas circunstancias. La palabra pasmada se quedaba corta.

—¿Qué hago yo aquí? Y todavía más inquietante, ¿qué hacéis vosotros aquí también?

—¿No te acuerdas de nada?

—Ahora mismo, ya no estoy segura de lo que me acuerdo. No sé si estoy confundiendo la realidad con la ficción, o con un mal sueño.

—Te atacaron, casi te matan.

—Sí, eso lo recuerdo. Iba andando por el pasaje Ruzafa, cuando un individuo desconocido me agarró por la espalda y me cortó el cuello.

Los dos supuestos ángeles se quedaron mirando. A Rebeca le dio la impresión que no sabían cómo continuar la conversación.

—Es cierto que aún estás algo confundida —dijo al fin, uno de ellos.

—¿En qué? Me acuerdo perfectamente que me asaltaron por la espalda y me pusieron una navaja en el cuello. ¿Intentáis decirme que ese recuerdo no es real? ¿Es fruto de alguna extraña fantasía?

—No, no lo es. Lo del ataque es cierto. Esa parte parece que la recuerdas bien.

—Entonces no estoy confundida, no lo he imaginado. Me atacaron de verdad.

—He dicho «algo» confundida, no confundida del todo —le respondió el ángel—. Un desconocido te asaltó, pero, afortunadamente, no te llegó a cortar el cuello. Esa es la parte que no es real.

—¿Cómo qué no? —Rebeca estaba claramente sorprendida—. Si noté la sangre en mi garganta y la sensación de ahogo. Luego debí perder la conciencia.

—Supongo que te desmayarías por lo desesperado de la situación. Perdiste el conocimiento, pero tan solo tienes un pequeño rasguño en el cuello, apenas visible y sin ninguna importancia.

Rebeca estaba asombrada. Las sensaciones que tenía le parecían muy reales. No sabía qué decir.

—Para que te hagas una idea, las heridas en las palmas de tus manos son bastantes más profundas que el pequeño pinchazo que tienes en el cuello.

Rebeca recordó que intentó zafarse de su asaltante, apartándole la navaja de su cuello. Lo único que consiguió fue hacerse unos cortes en sus manos, que mancharon de sangre toda su ropa. Luego le propinó un codazo en su costado, pero tampoco funcionó. El siguiente recuerdo que tenía era que el desconocido le empezó a cortar el cuello. Nada más, hasta ahora mismo.

—¿En serio? ¿No me llegó a cortar el cuello?

—Si lo hubiera hecho, no estaríamos hablando ahora mismo, ¿no crees?

—Supongo —contestó Rebeca, pensativa—. Entonces, ¿qué es lo que ocurrió?

—Lo que ocurrió es que te salvamos.

—¿De verdad? —preguntó, con cara de profunda extrañeza—. ¿Por qué?

—No te sorprendas. Llevamos cuidando de ti durante algún tiempo. ¿No creías que estabas muerta? Pues se podría decir que somos una especie de tus ángeles de la guarda, aunque sin alas.

—Eso ya lo había pensado hace un rato, cuando creía que estaba muerta.

—Pues sigue creyéndolo.

—Me vais a disculpar, pero todo esto me suena a broma —dijo Rebeca, que ahora volvía a estar confundida. La situación le parecía *kafkiana*.

—Pues no lo es, en absoluto. Llegamos tan solo un minuto tarde. Otro minuto más que nos hubiéramos retrasado, y ahora sí que estarías difunta de verdad. Fue una torpeza imperdonable por nuestra parte. Nos va a caer una buena bronca, y, además, merecida.

—¿Torpeza?

—Claro. Se supone que teníamos que haber evitado lo que sucedió.

—¿Y qué es exactamente lo que sucedió? ¿Os importaría contarme qué es lo que pasó, después de que aquel desconocido me clavara la navaja en el cuello? Tengo la mente en blanco.

—Como te estábamos contando, aparecimos justo en el momento en que aquel bastardo se disponía a matarte. Afortunadamente, conseguimos liberarte antes de que lograra su objetivo. Se llevó un par de buenas patadas en la cara, creo que le rompimos la nariz, y quizá algo más. Todo fue muy rápido. Luego, preferimos ocuparnos de ti que perseguir al asaltante. Al advertir tanta sangre, no sabíamos si estabas malherida.

—Lo habéis llamado bastardo. ¿No le visteis la cara? ¿No lo reconocisteis?

—No. Piensa que todo ocurrió en apenas unos segundos. Se escapó corriendo por el pasaje, en dirección hacia la Gran Vía. Como te decíamos, nuestra prioridad era tu estado de salud, no el desconocido.

Rebeca no comprendía nada.

—Pero ¿quiénes sois, en realidad? Y no me digáis lo que ya conozco.

—Eso no importa demasiado. A tus efectos, digamos que llevamos protegiéndote en la sombra desde hace algún tiempo. Si no lo has advertido, es que lo hemos hecho bien, si descontamos el desafortunado descuido final.

—Cada vez entiendo menos las cosas.

—Ni necesitas hacerlo, de momento. Ya llegará el momento oportuno.

Rebeca se quedó en silencio, reflexionando. Sus protectores le estaban observando en silencio. De repente, pareció reaccionar.

—¡Qué desagradecida soy! Lo primero que tendría que haber hecho es daros las gracias. Me habéis salvado la vida y yo os estoy interrogando en un tono un tanto borde, pero entended mi gran sorpresa. Sois, con toda probabilidad, las últimas personas que me esperaba ver —dijo Rebeca, mientras su mente estaba funcionando a toda velocidad. Intentaba ganar tiempo para comprender lo que estaba sucediendo a su alrededor.

—Por eso no te preocupes. Ahora tenemos otro problema, que hemos de resolver con urgencia.

—¿Otro más?

—Después del ataque, como ya te hemos contado, sangrabas mucho. Somos expertas en *Krav magá*, no en medicina. Tus heridas no parecían importantes, pero preferimos asegurarnos y no correr ningún riesgo médico, dado que habías perdido el conocimiento. Te llevamos al Hospital Quirón, que es el más cercano al lugar del ataque, que es dónde nos encontramos ahora mismo.

—¿Estoy bien? —preguntó Rebeca, preocupada, aunque, poco a poco, iba recuperando la lucidez. Eso debía ser buena señal.

—Sí, tranquila. Estás bien, te van a dar el alta en un momento. De hecho, no te quedas ni en observación. No tienes lesiones de importancia. Ni siquiera te diste ningún golpe relevante contra el suelo, cuando caíste, fruto del desmayo.

—¿Qué demonios es el *Krav magá*? ¿Y dónde está el problema en lo que me habéis contado? Yo no lo veo —preguntó Rebeca, que aún no terminaba de comprender la situación.

—Te responderemos a la segunda pregunta, la primera es innecesaria. El problema que tenemos ahora son los propios médicos, los mismos que te han curado.

—¿Por qué?

—Ya los hemos esquivado una vez, alegando que estabas confundida por los calmantes, pero ahora ya no nos valdrá repetir ese pretexto. Es evidente que ya te has recuperado.

—¿Y no se supone que eso es bueno?

—Claro que lo es, pero ahora quieren saber qué ha sucedido y cómo te has producido esas heridas. Cuando te pregunten, tienes que convencerlos que todo ha sido un accidente doméstico.

—¿Por qué tengo que mentir? —preguntó Rebeca, sin comprenderlo.

—Invéntate lo que quieras, pero que no hagan ningún parte para la Policía. Si sospechan que puede haber sido una agresión, lo harán, y eso no debe ocurrir. Además, los médicos, con la lacra de la violencia de género, tienen unos protocolos de actuación muy estrictos. Deben asegurarse de que no eres una mujer maltratada.

—Supongo que eso será sencillo de explicar. No tengo pareja y vivo sola con mi tía, que, además, es comisaria de Policía.

—Lo de que no tienes pareja y vives con tu tía, recálcalo bien. pero a la policía ni la nombres.

—¡Pero si casi me matan! ¿Qué dirá mi tía cuando vea mis heridas en las manos? ¿No debería denunciarlo al salir del hospital?

—¡Ni se te ocurra! Ya tenemos bastantes problemas como para meternos en otros. Nada de nombrar a la Policía.

Realmente, Rebeca no sabía qué hacer, pero, sin entender muy bien el motivo, decidió hacerles caso. Se merecían un voto de confianza. No podía olvidar que le acababan de salvar la vida.

De repente, entraron en la habitación dos personas con bata blanca. Tal y como le habían advertido sus ángeles de la guarda, le preguntaron qué había ocurrido. Rebeca improvisó y les contó una historia fantástica, pero que pareció convencer a los médicos, ya que le dieron algunos consejos de seguridad en la cocina, de cómo manejar los cuchillos para que no le volviera a suceder.

—Esta vez el accidente ha sido leve, pero la próxima puede no serlo —le advirtieron.

Iban a firmar su parte de alta, ya que las heridas no eran importantes. Le explicaron cómo debía limpiárselas y curárselas todos los días. Le iban a prescribir unos calmantes para el dolor y un antibiótico, para evitar una posible infección en los cortes de la mano. Ya le habían administrado la vacuna antitetánica, como medida de precaución. También le dijeron que ahora se iban a preparar el papeleo de su alta, y le anunciaron que en un momento volverían con ella.

—Bueno, es hora de que nos vayamos. Nuestro trabajo ha terminado —dijo uno de los ángeles—. Cuando salgas del hospital, vete directamente a tu casa. Compórtate con total normalidad.

—Pero...—intentó objetar Rebeca.

—Esto no ha ocurrido, ¿queda claro? Cíñete a tu historia del accidente doméstico. A partir de ahora, no existimos para ti, aunque nos veas en alguna ocasión. Si queremos algo, ya sabemos cómo localizarte. Aunque no nos veas, muchas veces estaremos a tu lado —dijeron, mientras salían silenciosamente de aquella estancia, con el mismo halo de misterio que habían entrado.

Dicho y hecho. Rebeca se quedó sola, en las nuevas habitaciones del Hospital Quirón, completamente blancas, y con la mente hecha un lío. Seguía preocupada.

Tal y como le habían informado, apenas quince minutos después, volvieron los médicos con el alta. Le repitieron sus instrucciones y advertencias, y le dijeron que se podía ir cuando quisiera. Menos mal que los ángeles, previsores ellos, le habían traído ropa limpia, ya que la suya estaba completamente manchada de sangre. Se la puso y salió del hospital.

«¿Y ahora qué hago?», pensó. Cayó en la cuenta que se había dejado la bicicleta en el periódico, pero con ambas palmas de las manos vendadas, descartó ir a por ella. Aunque quisiera, no la podría conducir. Decidió hacer caso a las instrucciones que le habían dado y marcharse a su casa. Ya la recogería mañana. Además, el Hospital Quirón estaba apenas a unos minutos andando de *La Pagoda,* su casa. Después de todo, era lo más razonable. Además, tenía que reconocer que se encontraba bastante cansada.

Mientras iba por la calle, pensaba en lo que le había ocurrido. Tenía esa extraña sensación que siempre sacudía su cerebro, cuando había algo que no cuadraba en una historia. Tenía la luz roja de su mente encendida. Rebeca estaba pensando con toda la intensidad que podía, pero no lograba dar con ello. Aún estaba demasiado nerviosa y un poco aturdida por los calmantes.

«Algo no está bien», intentaba reflexionar. No lo podía evitar, aunque intentaba tranquilizarse, su cerebro tenía vida propia.

De repente, cayó en la cuenta de lo que le preocupaba. Dio un pequeño brinco de sorpresa.

—¡Pues claro, cómo no había caído antes en algo tan obvio! ¡Es imperdonable! —dijo, en voz alta, sin advertir de que iba andando por la calle. Algunas personas se quedaron mirándola. Era una zona muy concurrida de la ciudad.

Lo que sucedía es que aquello era sencillamente imposible. Estaba segura. La conclusión de su razonamiento es que lo que acababa de pasar no podía haber ocurrido en la realidad.

«Quizá deba hablar con Carlota, ella es especialista en desentrañar situaciones que son imposibles que ocurran, pero que, en realidad, lo han hecho», pensó Rebeca, que ahora sí que estaba preocupada de verdad. «Siempre aporta un punto de vista original».

Le llamó por teléfono y quedó mañana por la mañana para desayunar. No le quiso contar nada de lo sucedido a través del móvil.

Se quedó muy intranquila y algo asustada.

Desde luego, tenía sobrados motivos para ello.

5 9 DE MARZO DE 1525

—Crees que la extrema humedad de esta sala se debe a que se encuentra cerca de una canalización de agua subterránea, procedente del antiguo palacio musulmán —dijo Batiste, mirando a su amigo.

—Quizá sí o quizá no, pero no me negarás que es una hipótesis, o mejor dicho, una teoría a tener en cuenta —le respondió un risueño Jero.

—Podrías habérmelo dicho directamente, sin tanto relato histórico.

—Quizá, pero no solo pretendía explicarte la importancia de la extrema humedad que hay en esta estancia. También pretendía que comprendieras, con toda mi explicación, una breve pincelada acerca de la historia del palacio en el que nos encontramos.

—¿Por qué?

—Porque tengo la fuerte sensación que desempeñará un papel clave en nuestro futuro, si conseguimos salir vivos de esta cárcel. No me preguntes por qué, es tan solo una corazonada que no está basada en la razón.

—No te comprendo ni sé lo que quieres decir —le respondió Batiste—, pero si ese cerebro privilegiado que tienes te lo indica, lo doy por bueno.

—Me ha pasado en otras ocasiones, créeme. No es una sensación nueva para mí.

Mientras hablaban, ya habían llegado al extremo opuesto de la habitación. Habían recorrido el primer pasillo. A su derecha pudieron observar una mesa de trabajo y detrás de ella, un mueble. Se acercaron. Se suponía que era una librería, pero apenas había quince o veinte ejemplares. Estaba casi vacía, ya que, por lo menos, cabrían doscientos, al igual que la mesa, que no tenía ni un mísero documento.

—Aquí no parece haber nada de interés —dijo Batiste, mientras pasaba la mano por encima de la mesa. Lo único que encontró fue una gruesa capa de polvo. Sintió asco. Se acercó a la pared, y, aprovechando la humedad, se limpió las manos como pudo.

—¿Seguimos por el siguiente pasillo? —preguntó Jero, animado.

—Claro. Vamos a ver qué son esa especie de estanterías y qué contienen, aunque ahora, lo más importante, es hacernos una idea general del contenido de esta estancia.

Volvieron sobre sus pasos, pero esta vez ya no iban pegados a uno de los muros laterales, si no por uno de los pasillos que formaban esos muebles alargados.

—Aunque no sean iguales, ¿no te recuerda a la biblioteca? Parece un archivo —observó Batiste.

—Sí, pero apenas hay nada dentro de ellos. Están casi vacíos. Seguramente los utilizaría el usuario de esta estancia, para guardar sus documentos particulares de trabajo, francamente escasos. No sé para qué necesitaba estas instalaciones para tan poco expediente.

—Yo tampoco lo comprendo —respondió Batiste—, aunque, si te fijas bien, no son archivadores como en la sala del Santo Oficio. Son muebles más pequeños, unidos entre sí hasta formar estos largos pasillos. No es lo mismo.

Jero se quedó observándolos más de cerca. Se fijó en un detalle que le llamó la atención.

—La persona que utilizaba este despacho era muy meticulosa. —dijo.

—Y eso, ¿cómo lo puedes saber? ¿Acaso has averiguado quién era su ocupante?

—¿Cómo quieres que haga eso? Simplemente me he fijado que cada pasillo y cada mueble están numerados. Eso tampoco ocurre en la biblioteca. Allí clasifican los documentos de más antiguos a más recientes, sin ningún tipo de marca o señalización. Para encontrar cualquier legajo tienes que perder el tiempo buscando a qué año pertenece. ¿Lo recuerdas?

—Y tanto. Pero bueno, tampoco es que aquí haya mucho que clasificar. Apenas hay nada en ellos. Mucha instalación para tan poco contenido —le respondió Batiste—. De hecho, la mayoría de los estantes se encuentran vacíos.

—Sí, da la sensación de un proyecto inacabado. ¿Quién se toma la molestia de realizar todo este montaje, para luego abandonarlo?

—Es extraño. En realidad, toda la estancia lo es —confirmó Batiste.

Recorrieron los cinco pasillos sin encontrar nada significativo que llamara su atención, aparte de todo lo que ya habían comentado. Era extraña.

—Ahora toca hacer un segundo recorrido, pero prestando más atención a los detalles. Ya sabemos que los muebles no presentan ningún interés, fijémonos ahora en el suelo de esta estancia, ahora que nuestra vista parece más adaptada a la penumbra —dijo Jero.

—Exacto, esa es la idea —le respondió Batiste, comenzando el recorrido en sentido contrario, sin esperar a su amigo.

Jero lo siguió. Cada pocos pasos, se iba agachando, tocando el suelo con sus manos. También pisaba con fuerza el empedrado.

—Haz lo mismo que yo —le dijo Jero a su amigo—. A ver si conseguimos encontrar alguna irregularidad que pueda significar una oquedad. No tengamos ninguna prisa, cuando más lento vayamos, mejor.

—Ya lo estoy haciendo, ¿no lo ves? No se nos puede pasar nada por alto.

—De todas maneras, aunque encontráramos la canalización de agua, en caso de existir, yo estaría muerto igual —afirmó Jero—. Tan solo tendrías posibilidades tú.

—¿Por qué dices esa tontería?

—¿No lo recuerdas? No sé nadar. No sería capaz de escapar por ella, pero tú sí.

—Aún en ese caso, ¿prefieres morir ahogado que de hambre y sed?

—Prefiero no morir, a secas. Si consigues salir de aquí vía acuática, supongo que podrías buscar ayuda y, si lo haces con la rapidez necesaria, incluso podrías llegar a esta cárcel antes de que muera.

—No seas tan pesimista, lo último que hemos de perder es la esperanza y la lucidez mental —dijo Batiste, mientras zapateaba el suelo con fuerza y haciendo mucho ruido, que retumbaba en las paredes.

—¿Se puede saber qué es lo que haces? Parece que estés ahuyentando a las ratas, más que buscando agua.

—No temo a las ratas, me dan igual. Busco alguna irregularidad en el suelo, por si existiera alguna rejilla, hueco o piedra suelta, pero no encuentro nada, tal y como me has dicho hace un momento. El empedrado parece sólido y regular, sin ninguna fisura.

—Yo tengo la misma sensación. Además, en ningún momento hemos escuchado el sonido del agua en movimiento, ni a través de las paredes ni del suelo, a pesar del silencio de esta sala, excluyendo cuando zapateas —dijo Jero.

—Me parece que voy a degradar tu deducción de teoría a mera hipótesis. Aquí no parece haber nada de nada.

—Como te había dicho antes, quizá sí o quizá no —dijo Jero—. Sigamos buscando, apenas hemos empezado a recorrer el primer pasillo.

De repente, Jero pegó un grito, pero no uno cualquiera. Resonó en las paredes de aquella estancia como algo agónico.

6 EN LA ACTUALIDAD, MARTES 16 DE OCTUBRE

Rebeca había pasado una noche muy incómoda. Se había curado las heridas antes de acostarse, pero como le había indicado el médico, también se había quitado las aparatosas vendas que le cubrían las palmas de las manos. A pesar de que las heridas le parecían unos simples rasguños, le dolían cuando se rozaban con cualquier cosa.

Hoy era martes y ayer no había acudido a *La Crónica*, entre la visita al abogado de sus padres y su posterior incidente. Era el día que tenía que entregar su artículo semanal, pero, afortunadamente, ya lo tenía preparado.

La información que ayer había conocido la había sumido en un mar de dudas. En un principio no sabía qué hacer con todo lo que le había contado Vicente Arús, pero ayer por la tarde había tomado una decisión.

Debía poner las cartas sobre la mesa, ocurriera lo que ocurriera. Había decidido pasar a la acción y ser sincera. No se le daba nada bien disimular, además, necesitaba respuestas, no más interrogantes. Pero antes de partir hacia el trabajo, tenía que comentarle lo que le había ocurrido a su tía. No la había visto desde el domingo por la noche. «Además, no puedo ocultar las heridas de las manos, y todavía menos cuando me aplique los aparatosos vendajes», pensó. «Se va a dar cuenta de inmediato y las va a querer ver».

Se duchó, se vistió y salió a la cocina. Tote estaba terminando de desayunar.

—Buenos días Rebeca. ¿Has dormido mal? No tienes buena cara.

—Hola, tía. No he dormido bien, la verdad. Estos rasguños en las manos me han molestado toda la noche.

—¿Qué rasguños? —preguntó Tote.

Rebeca se los mostró. De inmediato, su tía se puso muy seria. Se quedó mirando a los ojos de su sobrina.

—No me tomes el pelo, que, además de tu tía, también soy policía.

Rebeca se lo vio venir. Quizá debía haberle contado lo que le ocurrió, nada más entrar en la cocina. Había sido una estupidez intentar que pasaran desapercibidas sus lesiones, además a una Policía experimentada.

—Eso no son simples rasguños, son heridas claramente defensivas —dijo, con su ojo profesional. Le había cambiado el semblante por completo.

Rebeca permaneció en silencio.

—¿Qué es lo que te ocurrió ayer? Si te defendiste, sería porque alguien te atacó.

Ahora sí, Rebeca le contó que había estado en el despacho de Vicente Arús, y que a la salida, había sido asaltada por un desconocido. Le contó todo lo sucedido con posterioridad, incluso su asistencia hospitalaria.

Tote la escuchaba completamente pasmada.

—Menos mal que al final quedó todo en un susto —dijo su tía—. Esto demuestra que tenía razón desde el principio.

—¿En qué tenías razón exactamente? —le preguntó extrañada Rebeca.

—Entre otras cosas, en las medidas de protección que había tomado.

—Me estás diciendo que las personas que me salvaron, ¿me protegían por instrucciones tuyas? —le preguntó Rebeca, cada vez más asombrada.

—Ya continuaremos esta conversación en otra ocasión. Ahora me tengo que ir urgentemente al trabajo —le dijo su tía, mientras se levantaba de la mesa y salía por la puerta de casa, con evidente prisa.

Rebeca se quedó con una expresión de suma idiotez en su rostro. Su tía le había dejado con la palabra en la boca. Ni siquiera le había dado tiempo a contarle lo de *Yellow Submarine*, que era lo verdaderamente importante. Estaba pensativa y preocupada.

«¡Claro!», pensó, cuando lo comprendió. De repente, se había hecho la luz en su cerebro. Ahora se podía explicar lo que vio el día de su cumpleaños, aunque eso no respondía a las cuestiones fundamentales que le atormentaban.

«¿Para qué piensa Tote que necesito protección? Y, sobre todo, ¿quién cree que debo morir y por qué?».

Por más que pensaba, no le encontraba ninguna explicación a todas sus dudas. La sensación de que algo estaba ocurriendo a su alrededor y que no lo estaba sabiendo ver, continuaba, cada vez con más fuerza. No le gustaba. Se sentía muy incómoda.

«Ahora he quedado a desayunar con Carlota. A ver si ella entiende algo», se dijo, mientras salía de casa, tomaba un taxi y se iba a la cafetería en la que se había citado con su hermana. Carlota siempre solía aportar un punto de vista diferente y original a todas las cuestiones.

«Creo que, ahora mismo, lo necesito. Estoy mentalmente bloqueada», se dijo. «Y también agobiada, y creo que se me nota».

Cuando entró en el bar, Carlota ya estaba esperándola, como solía ser habitual en ella. Era costumbre que llegara a las citas con algo de antelación. Rebeca estaba convencida que lo hacía para ganar cierta ventaja estratégica en las conversaciones. No era lo mismo recibir que ser recibido. Si lo pensaba bien, su hermana tenía detalles muy curiosos en su comportamiento diario, nada habituales en la gente normal.

Cuando la vio entrar en la cafetería, se levantó y le dio un abrazo. También era habitual esa efusividad en Carlota.

—¡Caramba! Mi hermana favorita, y con cara de preocupación. Este desayuno promete más de lo que me imaginaba, en la mañana de un aburrido martes.

—¡Idiota! No tienes otra hermana, al menos biológica. ¿Tanto se me nota mi nerviosismo?

—No sé qué te habrá pasado, pero desde luego, a juzgar por tu rostro, debe ser importante —dijo Carlota, observando a Rebeca con detenimiento.

—Más que importante, lo que me pasó ayer fue imposible en sus términos.

—«Me pasó» e «imposible» en la misma frase. Eso también es imposible, o un oxímoron, para ser más precisa —rio Carlota, con el juego de palabras.

—Deja las risas para después. Espera a escuchar mi historia e igual cambias de opinión.

—Lo dudo —respondió Carlota, desafiante.

Rebeca le contó todo lo que le ocurrió ayer, desde que salió de hablar con el abogado Vicente Arús, la agresión y que dos personas le salvaron, sin revelarle quiénes fueron. Se quería guardar esa baza, para sorprender a su hermana al final de la conversación.

Carlota había escuchado todo el relato con atención, sin interrumpir ni por un momento a su hermana.

—¡Atiza! Más que increíble, me parece muy preocupante, Rebeca. ¿Quién y por qué te quiere muerta?

—Esta mañana se lo he contado a nuestra tía, y me ha dado a entender que me había puesto vigilancia. Nadie te pone protección si no piensa que corres algún tipo de peligro. O sea, que también sabe cosas que me oculta y, por lo ocurrido, me temo que esas cosas son amenazadoras hacia mí, como así se ha confirmado.

Carlota estaba observando fijamente a su hermana.

—Me alegro mucho de que estés bien y de que todo haya quedado en un susto. Desde luego, es una historia más que alucinante.

—¿A qué sí? ¿Ves cómo tenía razón?

—No corras tanto. Te reconozco que lo que me acabas de contar parece una película de terror, pero eso no es lo que, en realidad, te preocupa, ¿verdad? No es lo que te ha hecho pasar la noche casi en vela.

Rebeca se quedó mirando a su hermana. A estas alturas, ya debía de estar acostumbrada, pero no lo conseguía.

—¿Cómo puedes saber todo eso?

—Hay algo más, porque si lo que me acabas de contar fueran todas tus preocupaciones, no hubieras empleado la palabra «imposible». Está claro que no es nada habitual que alguien te quiera atracar o matar, locos sueltos los hay por todas partes, pero eso no es «imposible». Como mucho, improbable, desconcertante e incluso alarmante. Tú hablas y escribes con mucha propiedad, jamás cometerías un desliz semántico de este calibre.

Rebeca, a pesar de la situación, no pudo evitar sonreír.

—Por un momento, una vez más, me había olvidado que eres mi hermana. Tienes razón, eso no es lo que me preocupa ahora mismo.

—¿Y qué es lo que te quita el sueño?

—Pues eso. Que lo que me pasó no fue improbable, fue directamente imposible, o sea, que no pudo suceder en la realidad. Necesito alguien que me aporte otro punto de vista, porque algo se me está escapando. Lo sé, estoy segura. Por eso te he llamado. Necesito tu ayuda.

—Para empezar, no te entiendo —le respondió Carlota, intrigada por las palabras de su hermana—. Es un hecho objetivo que sí que te ocurrió, solo tienes que mirarte las heridas de tus manos, están a la vista. No te veo creyendo en estigmas sagrados de generación espontánea y cosas por el estilo. Tú no eres muy religiosa que digamos...

—No seas idiota y no bromees con esto. Lo que quiero decirte es que las cosas no pueden ser como parecen. En realidad, tengo la sensación de que nada es lo que parece.

—Esa frase la he escuchado en alguna otra ocasión de tu boca —le respondió Carlota.

—Sí, era la advertencia que me hacía, en el pasado, el historiador Abraham Lunel. No se cansaba de repetírmela, cuando quería que estuviera alerta por alguna cuestión importante.

—No te sigo. Explícate de una vez. ¿Qué es lo que te preocupa exactamente?

—Es muy sencillo, lo vas a comprender enseguida. El asaltante, la persona que me quiso matar, me dijo que me estaba esperando porque sabía que a esa hora iba a estar en ese lugar. Resulta que mis defensores me dijeron exactamente lo mismo. ¿No te parece, cuanto menos, curioso?

—No te sigo. ¿Qué tiene eso de extraño? —preguntó Carlota, que no comprendía a su hermana.

—Ahora lo entenderás. Lo imposible es que no le dije a nadie, ni siquiera a nuestra tía, que había quedado a las diez con el abogado, en la calle Cirilo Amorós. Si nadie lo sabía, ¿cómo me podían estar esperando, tanto el asaltante como mis defensores, en ese preciso lugar? No me estaban siguiendo, me estaban esperando. Sabían dónde iba a acudir, ¿entiendes la sutil diferencia?

Ahora, por fin, Carlota comprendió lo que su hermana le quería decir.

—Buena pregunta —reflexionó—, ahora sí que te entiendo, pero como los hechos ocurrieron en la realidad, no pueden ser imposibles. Eso es una contradicción en sus términos, y las dos somos personas con mentes racionales.

—Pues búscale una explicación que no sea paranormal —le retó Rebeca.

—Allá vamos —le respondió Carlota, que le gustaban estas cuestiones detectivescas y aplicar sus dotes de deducción—. Para empezar, ¿cuándo, dónde y por qué medio concertaste la entrevista con ese abogado?

Rebeca se quedó un instante, pensativa.

—El viernes pasado. Estaba delante de mi mesa, en *La Crónica*. Fue el mismo día que vino Álvaro a visitarme a la redacción.

—¿Estaba Álvaro junto a ti cuando hablabas con el abogado?

—No. Se apartó y estuvo charlando con Tere y Fabio. De hecho, cuando vio que había terminado mi conversación, se acercó y te llamó a ti, para quedar los seis de *tardeo*.

—¿No había nadie más presente?

—No. Estaba completamente sola.

—¿Estás segura de que no se lo contaste a nadie?

—Absolutamente. Como ya te he dicho, ni siquiera a mi tía, ya que no la vi desde el domingo por la noche hasta esta misma mañana.

—Pues tengo que reconocerte que sí que es extraño de verdad —dijo Carlota.

—Eso ya te lo había dicho yo.

—Pero como las cosas sucedieron en la realidad, tiene que existir alguna explicación racional —contestó Carlota, con esos ojos brillantes que demostraban que su cerebro estaba a pleno rendimiento.

—Pues ya me la contarás, porque a mí no se me ocurre ninguna.

—¿En serio? En realidad, a mí se me ocurren hasta tres hipótesis diferentes.

—¿Tres? ¿A mí no se me ocurre ninguna y a ti tres? ¿Me tomas el pelo? —le respondió Rebeca, con gesto de sorpresa. Su hermana no dejaba de asombrarla.

—¿Me ves cara de bromear?

Rebeca la observó. Estaba muy seria. Carlota continuó con su explicación.

—Para empezar, no eras la única persona que conocía la cita, eso es un hecho irrefutable.

—¡Pero si te acabo de decir que sí! —insistió Rebeca.

—No. El abogado que visitaste también la conocía, aunque esa primera hipótesis la descarto, por confianza. No creo que un buen amigo de nuestros padres esté involucrado en algo tan turbio.

—No se me había ocurrido esa posibilidad, pero estoy de acuerdo contigo.

—La segunda posible solución al enigma también la descarto, esta vez por sofisticada, no creo que tengas pinchado tu teléfono. Así que ya sabes, tenemos que recurrir de nuevo a nuestro querido amigo sir Arthur Conan Doyle.

—¿Qué es lo que dices? —dijo Rebeca, sin comprender a su hermana.

—Ya conoces su célebre frase, «una vez descartado lo imposible, lo que queda, por improbable que parezca, debe ser la verdad».

—¿Y qué es lo que queda, después de descartado lo imposible? —preguntó Rebeca, que cada vez estaba más confundida—. No veo que quede nada.

Carlota se lo contó, en un tono muy pausado y normal, como si no acabara de soltar una verdadera bomba atómica a los pies de su hermana.

Rebeca se levantó de la mesa.

—¿Te has vuelto loca? —le respondió instantáneamente, cuyo rostro reflejaba su absoluta estupefacción.

—Eso tiene muy fácil solución. ¡Compruébalo! Lo puedes hacer cuando quieras.

Rebeca se volvió a sentar y se quedó en silencio, reflexionado acerca de la explicación de su hermana. En teoría, podría ser cierta, aunque le pareciera algo totalmente rocambolesco y enrevesado. Carlota tenía esa habilidad, siempre enfocaba los problemas de un modo diferente a ella.

Bueno, en realidad, diferente a todo el mundo. La diferencia entre la genialidad y la locura era una delgada línea roja. Ahora mismo, no sabía a qué lado de la línea estaba. Se encontraba casi más preocupada que cuando había entrado en la cafetería.

—Veo en tus ojos que, al menos, lo estás considerando —dijo Carlota, con un tono algo burlón.

—Tan solo lo estoy pensando —le respondió.

De repente, cayó en la cuenta de que su hermana no le había preguntado por la identidad de sus salvadores. Era el momento de vengarse de ella, por ir siempre dos pasos por delante en sus razonamientos.

—¡Oye! ¿No te interesa saber quiénes me salvaron la vida? Te aseguro que te sorprenderás —le preguntó Rebeca—. ¿Por qué no me lo has preguntado?

Carlota sonrió, al mismo tiempo que hacía un gesto de suficiencia.

—¡Por favor! ¿Sorprenderme? Eso ya lo sé, ¿para qué te lo voy a preguntar?

—¿Cómo lo puedes saber? —Rebeca se quedó atónita. Incluso viniendo de su hermana, esto ya le parecía demasiado. No podía ser. «Se acaba de enterar ahora mismo del asalto, ¿y ya conoce a mis salvadores? Tiene que ser un farol», pensaba, aunque con cierta curiosidad.

—Por si no lo recuerdas, yo también asistí a la fiesta de nuestro cumpleaños, y también salí a las dunas, como tú —le recalcó Carlota, mientras le guiñaba un ojo.

Rebeca se sorprendió todavía más. Ahora estaba boquiabierta. Aquello no se lo esperaba jamás.

—Entonces, ¿las viste?

—¡Pues claro!, pero estuvo muy gracioso y simpático que prefirieras desnudarte en la playa, delante de dos tíos, antes de permitirme que volviera por aquel camino, entre las dunas de El Saler.

—¿Y tú lo entiendes?

—Perfectamente —le respondió Carlota, con esa sonrisa enigmática en su rostro, tan característica en ella—. Y tú deberías comprenderlo también. Si no lo haces, no te preocupes, que ya me lo preguntarás en el momento oportuno.

—Pues no lo hago.

—De todas maneras, no nos desviemos del tema principal. Como ya te había dicho, todo lo que te acabo de contar lo puedes comprobar por ti misma. Cuando tengas la oportunidad, ¡hazlo! Igual resulta que tu extravagante hermana Carlota no va tan desencaminada con sus estrambóticas ideas como tú te crees, a juzgar por la expresión de tu rostro.

Rebeca no sabía la sorpresa que le esperaba.

7 | 9 DE MARZO DE 1525

Batiste pegó un salto, asustado por el grito de su amigo. Casi se resbala y se cae al suelo.

—¿Qué te pasa? —preguntó Batiste, asustado— ¿Te encuentras bien?

—Sí, pero mira —dijo, señalando a sus espaldas—. No se te ocurra moverte.

Batiste se giró, para fijar su mirada en la dirección hacia donde su amigo le indicaba.

—¡Ratas! —dijo, con voz de alivio—. O sea, que tú sí que les tienes miedo.

—A una sola la podría tolerar, pero observa la enorme cantidad. Lo menos hay veinte, correteando justo debajo de allí —dijo, señalando la mesa del despacho.

Para sorpresa y temor de Jero, Batiste dio la vuelta y se encaminó hacia ellas.

—¡No me dejes solo con estos engendros del demonio! —gritó Jero.

Batiste no pudo evitar reírse.

—Tranquilo, las ratas no nos matarán. Anda, vente conmigo. Están más asustadas por nuestra presencia que nosotros por la suya.

—Habla por ti —le respondió Jero—. No tengo ninguna intención de verlas más de cerca. A esta distancia ya me es suficiente. Y porque no puedo salir corriendo hacia ninguna parte, que si no, ya no estaría aquí.

—¡No seas miedoso y ven! No te van a hacer nada. En realidad, están huyendo por nuestra presencia. No son terribles monstruos ávidos de atacarnos. Esta es su casa, no lo olvides, aquí abajo los extraños somos nosotros.

Jero le hizo caso a su amigo, eso sí, a regañadientes. Prefería acercarse un poco más a las ratas que quedarse solo en el centro de la sala, en penumbra y sin ver a su amigo Batiste.

—Vale, ya estoy a tu lado. ¿Para qué quieres ver a esos bichos más de cerca?

—¿Tienes algo más qué hacer, en este momento? Haz el favor de no quejarte por todo.

Estaba claro que en aquella estancia habitaba una abundante colonia de ratas, aunque no por toda la superficie. Parecía que se concentraban en los alrededores de la mesa del despacho. Cuando advirtieron su presencia, se escaparon, con cierta parsimonia, hacia la puerta que daba acceso a la biblioteca. Se metieron por la minúscula rendija que había entre la puerta y el suelo, y desaparecieron de su vista.

—Ya sabemos de dónde proceden las ratas que vimos en el archivo del Santo Oficio —dijo Batiste—. Ratas y documentos antiguos no son una buena combinación. Por eso ni Zomba ni el notario del secreto consiguen acabar con ellas. Por muchas trampas que les pongan en la biblioteca, su origen está en esta habitación, que, por lo visto, desconocen que existe.

—Es una información muy interesante y valiosa —contestó Jero, con un claro tono irónico—. Si conseguimos salir de aquí, cosa harto improbable, podemos dirigirnos a Zomba y decirle, amablemente, que sabemos de dónde proceden esos horribles bichos que tanto empeño tiene por exterminar. Igual hasta nos perdona la vida a cambio de la información, y tan solo nos retuerce el cuello un poco.

—Anda, no seas tonto Jero —dijo Batiste, riéndose. Por lo menos no perdía el sentido del humor.

Continuaron su recorrido por los cinco pasillos que formaban los cuatro muebles alargados en forma de estantería. A pesar de que cada vez veían mejor, no apreciaban nada significativo.

Jero no se separaba ni un metro de su amigo Batiste.

—En esta zona de la estancia no hay ratas, no hace falta que andes pisándome los talones.

—No es por las ratas, no me gusta nada este lugar.

—Pues si quieres abandonarlo lo antes posible, pon tu mente a funcionar. Si ya has llegado a la conclusión que la extrema humedad de esta sala se debe a que puede existir una canalización de agua subterránea, tan solo tienes que localizarla y confirmar tu teoría —le animó Batiste.

—Me parece que me sobrevaloras. Hemos recorrido toda la estancia y no hemos encontrado ningún resquicio que pudiera ocultar una canalización. ¿Cómo piensas que escapemos de una estancia sin salidas, cuyas únicas moradoras son esas asquerosas ratas?

Batiste se quedó pensativo. De repente, se le iluminó la cara. Su expresión cambió por completo. Le dio un abrazo a Jero, que lo miraba como quién observa a un loco.

—¡Ves! Sabía que lo conseguirías —dijo, con una sonrisa de oreja a oreja.

—¿Empiezas a perder la razón? —preguntó Jero—. Yo no he conseguido nada.

—Y tanto que lo has hecho.

—¿El qué?

—Las ratas.

—¿Qué pasa con ellas?

—Que entran y salen de esta habitación.

—¡Pues claro! ¡Menuda obviedad acabas de decir! —exclamó Jero, mirando a su amigo con cara de pasmado—. Ellas pueden hacerlo por debajo de la rendija de la puerta de la biblioteca. A nosotros no nos cabría ni media mano.

—Eso es por dónde salen. No hemos encontrado por dónde entran.

—¡Ah! ¡no! ¡Eso sí que no! No pienso acercarme a su nido o como se llame.

—No creo que vivan aquí, esta estancia es un simple lugar de paso para ellas.

—Y eso, ¿cómo lo sabes? ¿Te lo ha contado alguna rata con la que has conversado?

—Deja ahora las ironías, no es el momento. La respuesta es muy sencilla. Si este fuera su hogar, que no olvidemos que lleva cerrado, por lo menos, veinte años, ¿no estaría lleno de excrementos de ratas? Desde luego que hay unos cuantos, pero muy pocos para la gran cantidad de ellas que hemos visto. Estaría infectado de heces, y no es el caso. Está claro que esta no es su casa.

—O sea, que llegas a tus razonamientos por la cantidad de mierda que hay en el suelo.

—No, el razonamiento es tuyo. Sabemos por dónde salen, busquemos por dónde entran.

—Bueno, eso parece sencillo. Cuando he visto la retahíla de ratas y he pegado ese grito, salían de debajo del mueble que se encuentra justo detrás de la mesa del despacho.

—¡Pues ahí tenemos que mirar! —exclamó Batiste.

—No me pienso ni acercar. ¿Sabes que las ratas saben nadar, saltar grandes distancias y se cuelan por rendijas imposibles? Yo no sé hacer nada de todo eso. No tengo poderes mágicos, ni tú.

—Es cierto que se adaptan a cualquier medio con mucha facilidad, pero nosotros tenemos una clarísima ventaja sobre ellas.

—¡Ah! ¿sí? ¿Se puede saber cuál?

—Que somos capaces de pensar con lógica —dijo Batiste—, sobre todo como has hecho tú, deduciendo la posible existencia de una canalización de agua.

—Pero no la hemos encontrado.

—Déjate de tonterías. Vayamos hacia ese mueble.

Así lo hicieron, a pesar de que, al principio, Batiste tuvo que empujar a Jero, que no parecía muy dispuesto a acercarse a aquel lugar.

—Bueno —dijo Jero—. Ya estamos al lado del mueble y no se ve nada, ¿ahora qué?

—Pues resulta evidente, dado que no vemos nada, que su punto de entrada a esta habitación debe estar oculto, justo debajo del suelo que tapa el mueble.

—Entonces, ¿quieres que movamos el mueble? —preguntó incrédulo Jero, señalando el voluminoso trasto.

—Exacto. Apenas hay libros en su interior. Saquémoslos para aligerarlo de peso, quitemos los estantes y después intentemos moverlo. Si lo piensas, no es tan grande y no necesitamos quitarlo de su sitio por completo. Entre los dos deberíamos poder arrastrarlo un poco, una vez vaciado.

Sacaron los pocos volúmenes de su interior y los dejaron encima de la mesa del despacho.

—Ahora pongámonos los dos del lado izquierdo. Empujemos con todas nuestras fuerzas hasta quitarlo de su actual posición —dijo Batiste.

Empezaron a utilizar todas sus energías. Apenas consiguieron moverlo unos centímetros. Hicieron otro intento, otros pocos centímetros. Estaba claro que, a ese ritmo, les iba a costar un buen rato.

—Ya estoy exhausto —dijo Jero—, y apenas lo hemos movido un cortísimo espacio.

—Aquí abajo nos sobra el tiempo. Descansemos un momento y volvamos a la carga.

Así estuvieron, al menos una hora, hasta que consiguieron desplazar el mueble, no en su totalidad, pero al menos lo suficiente para ser capaces de ver qué se ocultaba debajo, en el mismo suelo.

—Yo no me pienso agachar —dijo Jero—. Tan solo el pensamiento de que me salte una rata a la cara me quita el sueño.

—No te preocupes, *miedica*. No hará falta. Mira —dijo Batiste, señalando un punto en concreto del empedrado.

—No veo nada.

—Anda, acércate más, que lo que hay aquí no te va a morder.

—No estoy nada seguro de eso —dijo Jero, mientras se aproximaba al lugar que le indicaba.

Batiste permanecía quieto y callado, esperando la reacción de su amigo.

—¿Qué es eso? No lo distingo bien —dijo, al fin, después de hacer esfuerzos con la vista—. Lo único que observo es que, sea lo que sea, se mueve, y eso, como comprenderás, no me hace ni un pelo de gracia.

—No lo has visto con detenimiento. Si lo observas y lo comprendes, llegarás a la misma conclusión que yo.

—¿Y cuál es esa conclusión, si se puede saber?

—Que lo que estás observando y no te hace ni un pelo de gracia, en realidad, es nuestra salvación —le contestó Batiste—. Así de simple. Vamos a salir de aquí. Tenías razón desde el principio.

—¿Me tomas el pelo? ¿Nuestra salvación es un nido de ratas?

—No exactamente, pero no vas demasiado desencaminado. Solo tienes que fijarte un poco mejor, y terminar el razonamiento que has empezado. Ahora, parece que nos hayamos cambiado los papeles. Yo soy el que explica, y tú eres el que escucha. Como tú me has dicho hace un rato, no te pienso dar más pistas. Con lo que tienes enfrente de ti debería ser suficiente, sobre todo para un cerebro privilegiado como el tuyo.

—¡Me robas mis propias palabras! —se quejó Jero—. No me gusta.

—¡Pues haz el favor de mirar y pensar!

—¿Qué te crees que te estoy haciendo? Pero me cuesta concentrarme mirando a esos bichos moverse. En cualquier momento pueden saltar sobre mí.

—No lo harán.

—¡Por qué tú lo digas! —reaccionó Jero, como el niño de nueve años que era.

—Confía en mí, yo lo he hecho en ti. Creo que merezco que me prestes un poco de atención.

Definitivamente, te has vuelto loco —Jero no comprendía nada.

—Jamás he estado más cuerdo, y cómo decía al principio, has sido tú el que nos has salvado, no yo. Es para estar orgulloso.

«Orgulloso, ¿de qué?», pensó Jero, que no comprendía absolutamente nada.

8 EN LA ACTUALIDAD, MARTES 16 DE OCTUBRE

Rebeca tomó otro taxi, y llegó a la redacción de *La Crónica* pasadas las diez y media. Se fue directamente a su mesa, era bastante tarde.

—Ya empezábamos a preocuparnos por ti —le dijo Tere, en cuanto la vio aparecer—. Ya nos extrañó que no vinieras ayer a trabajar, aunque te escuchamos por la radio y nos tranquilizamos. Pero lo de hoy ya no era normal. Te íbamos a llamar al móvil ahora mismo.

—No os preocupéis, no me ocurre nada —mintió Rebeca—. Resulta que ayer, después de mi intervención en la radio, sufrí un pequeño accidente doméstico, y me hice unos pequeños rasguños en las manos.

Rebeca extendió las palmas de sus manos. Ahora no las llevaba vendadas.

—¿Y cómo te hiciste esos cortes? —preguntó Fernando, con el semblante muy serio.

—Mi tía no iba a estar en casa en todo el día, así que me dio por preparmarme algo más sofisticado para comer que mi habitual *sándwich* de pavo y chédar. Sin darme cuenta se me cayó uno de los cuchillos de cocina, y con lo negada que soy para esas cosas, en un acto reflejo, lo intente coger con ambas manos. Aquí tenéis el resultado. Sangré en abundancia, así que me acerqué al Hospital Quirón, que está al lado de mi casa. Entre unas cosas y otras, se me hizo muy tarde para venir a trabajar. Además, estaba dolorida y algo aturdida por los calmantes.

—Vaya, lo siento —dijo Fabio—. Las armas de la cocina las carga el diablo.

—¿Pero estás bien? —le preguntó Fernando, que no parecía muy convencido con la explicación. Rebeca lo advirtió enseguida, pero supuso que se dio cuenta de que estaba muy inquieta, lo que era cierto.

Ahora que se fijaba mejor, Fernando tenía una expresión en su rostro sorprendentemente parecida a la de Tote. Tampoco podía olvidar lo inteligente que era y que podía llegar a sus propias deducciones. Llegó a la conclusión de que no se había creído su historia fantástica.

—Sí, salvo algo de dolor, me encuentro bien, no os preocupéis por mí —mintió Rebeca—. Ahora, si me disculpáis, tengo una reunión con el director.

—Desde que eres jefa de sección, te reúnes a menudo con él —observó Tere—. Ya te has convertido en toda una personalidad en *La Crónica* y no tienes tiempo para tus simples compañeros de mesa.

—Te aseguro que eso no tiene nada que ver —le contestó Rebeca, con una sonrisa enigmática, muy al estilo de su hermana. «Lo único que quiero es no continuar con esta conversación», se dijo.

Dejó a sus compañeros y se dirigió al despacho de Bernat Fornell. Esta vez iba con una actitud muy diferente a su última reunión. Aunque también iba a «entrar a matar» como el jueves pasado, esta vez manejaba bastante más información que entonces. Las cosas, ahora, eran muy diferentes, tanto para el director Fornell como para ella misma. No pensaba soltar la presa.

Llamó a la puerta, y, como era habitual, escuchó desde el interior «adelante». Así lo hizo. El director levantó la cabeza para ver quién entraba en su despacho. La recibió con una peculiar frase.

—La segunda, ¿verdad?

—Tenía usted razón.

—¿Has visto como faltaba muy poco tiempo para que las conocieras? Te dije, la última vez que estuviste en este despacho, que cuándo llegara ese momento, nos volveríamos a ver, y aquí estas. Supongo que, ahora, me comprenderás algo mejor.

Rebeca ya tenía decidido ir al grano. No deseaba demorar lo mucho que tenía que decirle.

—¿Así que me contrató para *La Crónica*, con dieciocho años recién cumplidos, sin ninguna experiencia laboral en el mundo del periodismo ni en ningún otro, por lo que vio a través de mis ojos? —preguntó Rebeca, que estaba enfadada y se le notaba—. ¿Recuerda que me lo contó no hace mucho? ¿Lo mantiene ahora, que sabe lo que sé?

—¡Por supuesto que lo mantengo! Es cierto que omití ciertos detalles, pero te aseguro que esa parte es completamente cierta. Cualquier persona, con dos dedos de frente, se hubiera dado cuenta de quién tenía enfrente.

—¿Ciertos detalles? ¿En serio? ¿Me quiere decir que no tuvo nada que ver en su decisión que supiera que era la undécima puerta?

El director se levantó de su sillón, esta vez de forma pausada.

—Mi madre, la condesa de Dalmau, me inició como número uno del Gran Consejo apenas un mes después de que falleciera mi padre, el conde de Ruzafa, justo cuando heredé, de forma oficial, el título nobiliario, ya que soy su primogénito. ¡Cómo ha pasado el tiempo! Soy el número uno más de siete años ya, y, por supuesto, desde que tenías catorce años, conozco tu verdadera identidad. Me anticipo a tu pregunta, que te veo venir.

—Esa no me interesa. No ha contestado a mi pregunta original, ¿me contrató por eso? —insistió Rebeca.

—Quizá pudo tener algo que ver el conocer esa información, sobre todo en un primer momento, no te lo voy a negar, pero, insisto, estoy seguro de que te hubiera contratado igual. Ya entonces desprendías la misma aura que ahora luces. Hubiera sido un necio si no lo hubiera hecho, grandes consejos y árboles judíos aparte.

—¿Y por qué ha estado desaparecido durante todo este tiempo? O mejor, le reformulo la pregunta, ¿por qué ha elegido este preciso momento para reaparecer, después de siete años en la sombra, como número uno del Gran Consejo?

—¿Para qué lo iba a hacer antes? Conocía que se reunían los números del cinco al diez, pero no sabían nada, no tenían ningún conocimiento. Yo, que soy el *Keter*, el número uno, tampoco disponía de mi mitad del mensaje. Era evidente que, en algún momento de la historia, el Gran Mensaje se había dividido entre otras personas. ¿Quiénes eran más adecuadas que las dos undécimas puertas para custodiarlo? Fue una idea brillante, ya que, al no pertenecer al Gran Consejo, quedabais fuera del foco de la atención. Nadie os prestaba atención, ya que su existencia tan solo debía ser conocida por el número uno.

—¡Claro! Y ahora que creía haber encontrado a la segunda undécima puerta en mi hermana gemela Carlota, decidió reaparecer e intentar reconstruir el Gran Consejo, pero con sus funciones originales para las que fue creado en el siglo XIV. Por eso ha dado a conocer su verdadera identidad en este preciso momento y no en otro. Ha estado esperando siete largos años.

—Así es. Estaba convencido de que era tu hermana. Me equivoqué. Ahora tengo que buscar e intentar encontrar a la segunda undécima puerta.

Rebeca cambió de tema. Allá iba la bomba.

—¿Y también me quiere decir que no tiene nada que ver *Yellow Submarine*?

El director Fornell no pudo aguantar su estruendosa risa.

—¿No te das cuenta de que me estás dando la razón? Eres extremadamente inteligente, y el hecho de que hayas averiguado esa cuestión, apenas unos días después de nuestra última conversación, debería darte que pensar.

—Y tanto que lo ha hecho. Me he dado cuenta de que, estos últimos cuatro años de mi presencia en *La Crónica*, han sido una auténtica farsa, una mentira. A pesar de sus palabras, no lo merezco.

Fornell, que seguía de pie, ahora se sentó en la silla de invitados, justo al lado de Rebeca. Jamás lo había visto hacerlo, aquello era extraño. Siempre se aposentaba en su sillón, rodeado de sus amados papeles. Se la quedó mirando fijamente a sus ojos, desde apenas un metro de distancia.

—¿De verdad crees eso? Escucha bien lo que te voy a decir, porque no lo repetiré nunca, incluso negaré haberlo dicho, ni bajo tortura. Mírame a los ojos.

Rebeca no recordaba haber visto al director en esta actitud en sus años en *La Crónica*. Había logrado captar toda su atención.

—Adelante, le escucho.

—Sabes que tengo una plantilla de más de cien personas a mi cargo directo, sin contar a los autónomos y a los *freelance*. Pues de todos ellos, sin ninguna duda, tú eres la más valiosa, desde un punto de vista puramente profesional, y eso que, como bien dices, no eres periodista. Me lo has demostrado cada uno de los días, durante estos últimos cuatro años.

—¿Cómo puede saber eso?

—No te puedes ni imaginar lo complicado que es hacer cómo que no te interesa alguien, y sin embargo, vigilarlo casi a diario. A la vista del resultado, creo que no se me ha dado nada mal.

—Eso es cierto. Siempre pensé que no me hacía el más mínimo caso, que casi ni me conocía —reflexionó Rebeca, echando la vista atrás.

—Pues ahora sabes que no fue asi y cada día que pasaba me sorprendías más. Descubrí, no a la undécima puerta, eso ya lo sabía, me sorprendí conociendo a Rebeca Mercader como persona.

—Ahora me intenta camelar porque sabe que he averiguado qué es *Yellow Submarine* —dijo Rebeca, que no estaba convencida del todo por las palabras del director Fornell—. ¿Cómo sé que no es simple interés por su parte?

Fornell se volvió a reír, igual de estruendoso que la vez anterior. Se levantó de la silla y se puso a andar por su despacho.

—¿Interés? ¿En qué? Tengo más dinero del que me puedo gastar en lo que me queda de vida, ni siquiera con la colaboración inestimable de mis tres hijos, que se esfuerzan en ello. ¿Te crees que me impresiona que seas la propietaria del fondo de inversión luxemburgués *Yellow Submarine*, que, a su vez, es propietario del 20 % de todo este gran grupo de comunicación, entre otras muchas cosas? Sí, es cierto, tú eres, en una parte más alta a la mía propia, la dueña de todo lo que ves a tu alrededor y, con absoluta seguridad, tu fortuna personal será superior hasta a la de toda mi familia. ¿Acaso me ves impresionado?

—Dígamelo usted, aunque, en realidad, me parece que lo veo más sorprendido que impresionado.

—Sí, eso es cierto. Como veo que recuerdas que, en nuestra última reunión, te dije que aún te faltaban por conocer dos o tres sorpresas, y ya has averiguado dos de ellas, creo que te mereces conocer la tercera. Te lo has ganado —dijo, mientras se volvía a sentar en su sillón.

Fornell se la dijo con absoluta naturalidad. Se suponía que era una bomba, y esperaba una reacción acorde con lo que le acababa de contar, sin embargo, para su absoluta sorpresa, Rebeca no se alteró ni lo más mínimo por aquella revelación.

Fornell se dio cuenta de inmediato.

—Por tu reacción, veo que no te has sorprendido, ¿no me digas que también conocías la tercera? —dijo el director, ahora asombrado

—Quizá si me lo hubiera revelado hace tan solo un par de días, hubiera dado un gran salto de mi silla, pero han sucedido algunas cosas desde entonces, que, por lo visto, usted desconoce.

—¿No me digas que ahora me vas a sorprender tú a mí?

—Quizá.

Rebeca le contó lo ocurrido ayer, a la salida del despacho del abogado de sus padres.

Fornell se levantó de golpe de su sillón, esta vez visiblemente alterado.

—Tenemos problemas, y me temo que son importantes —acertó a decir.

—No se lo tome a mal, pero no me parece usted muy perspicaz. ¡Pues claro que tenemos problemas! Para eso no hace falta ser número uno del Gran Consejo ni conde de Ruzafa. Como tampoco hace falta ser un lince para imaginarse que esta semana será movida. Me temo que me verá poco por la redacción. Espero que lo comprenda.

Fornell estaba preocupado de verdad. «Y eso que no le he revelado que existe una cuarta sorpresa», pensó el director.

Rebeca se dio cuenta.

«¿Qué me esconde el señor Fornell?», se dijo Rebeca. «Desde luego debe ser importante. Los dos hemos puesto nuestras cartas bocarriba, pero me parece que se guarda un as bajo la manga».

«Bueno, en realidad yo también me lo guardo. Hasta puede que, quizá, sea el mismo», sonrió Rebeca, para sus adentros. A pesar de todo, el director aún la infravaloraba.

9 9 DE MARZO DE 1525

—¡Son ratas, por favor, Batiste! —exclamó Jero—. Estás trastornado, ¿cómo van a ser nuestra salvación? No pienso ni acercarme a esas cosas.

—No te quedes en la superficie —le respondió Batiste.

—Ahora, para arreglarlo, ¿me estás llamando débil mental e idiota al mismo tiempo?

Batiste no pudo evitar reírse.

—No me refiero a esa superficie, me refiero a la del suelo. Mira lo que hay debajo de las ratas.

Jero se acercó con mucho cuidado, intentando fijar su mirada en ese punto en concreto, exponiéndose lo mínimo a los malditos roedores.

—¡Es una rejilla! ¡Las ratas entran por una rejilla metálica fijada al suelo! —exclamó sorprendido—. El mueble la ocultaba, por eso no la veíamos.

—¡Premio! —exclamó Batiste, sonriendo ante el asombro de su amigo.

—No cantes victoria todavía. Hay dos detalles que, quizá, hayas pasado por alto.

—¡Ah! ¿sí? ¿Y cuáles son?

—Primero, el tamaño de la rejilla. Dudo que cupiéramos por ahí. Y el segundo detalle es que no sabemos qué hay debajo de esa rejilla, pero dada la extrema humedad de esta estancia, con toda probabilidad sea una conducción de agua. Las ratas saben nadar, pero yo no, ¿lo recuerdas?

—No te adelantes a los acontecimientos. Lo primero que tenemos que hacer es abrir la rejilla y mirar qué hay debajo de ella.

—¡Ni loco! No me pienso acercar a esas ratas, que me están mirando con malos ojos. Creo que huelen mi miedo y van a por mí.

Batiste se volvió a reír.

—Aunque te cueste creerlo, ellas están, incluso, más asustadas que tú. Ahora verás —dijo Batiste, que no podía evitar que le hiciera gracia la actitud infantil de su menudo amigo. «A veces me olvido que, a pesar de su madurez acelerada, apenas tiene nueve años».

Se acercó a la rejilla e hizo ademán de dar un golpe al suelo. Ni siquiera necesitó completar su movimiento. Todas las ratas, que estaban encima de la rejilla, se espantaron, saliendo disparadas hacia la puerta que daba acceso a la biblioteca y desaparecieron de su vista.

—Parece que los terribles monstruos del averno nos han dejado vía libre y se han ido. Ya no queda ni uno en toda la estancia —dijo Batiste, en un tono claramente guasón.

—Tú ríete de mí, pero debajo de esa rejilla seguro que hay más. No pienso ni ayudarte a quitarla.

Batiste se acercó. Temía que estuviera fijada al suelo empedrado y no pudiera extraerla, pero si alguna vez lo había estado, la humedad había corroído los engarces. Estaba completamente suelta, pero pesaba demasiado para levantarla él solo.

—Lo siento Jero, pero debes de elegir entre las ratas o morir. Me tienes que ayudar.

—Prefiero morir en paz y tranquilidad conmigo mismo.

Ambos se rieron.

—Anda, coge de un lado y yo del otro. Entre los dos la levantaremos con facilidad. Te aseguro que no hay ratas debajo de ella.

—¿Cómo puedes estar tan seguro?

—Porque todas han huido. No están acostumbradas a ver humanos. ¿No entiendes que les damos miedo?

—Es justo lo contrario. Ellas saben que, este humano en concreto, les tiene pavor —dijo Jero, señalándose a sí mismo.

—Anda, deja de decir tonterías y agáchate —le ordeno Batiste, esta vez en un tono de voz que no denotaba ningún humor—. Entre unas cosas y otras, ya llevo casi dos horas fuera de mi casa. En breve, mi padre se empezará a preocupar. No quiero que eso ocurra, porque tampoco quiero tener que contarle lo que ha sucedido hoy.

Jero miró a su amigo, y se dio cuenta de que no estaba bromeando. A pesar de toda su aprensión hacia aquellos bichos, le obedeció y se agachó, asiendo de un costado la menuda rejilla.

—¡Qué asco! —dijo—. Parece blanda.

Batiste sabía de sobra que lo que parecía blando no era precisamente la rejilla, sino todos los excrementos de rata acumulados sobre ella. De hecho, estaba prácticamente cegada, tan solo quedaban un par de rendijas abiertas. Consideró no decirle nada a su amigo, ya que, con toda probabilidad, hubiera huido despavorido a limpiarse las manos.

—Vale, ahora que la tenemos cogida los dos, yo daré la voz para hacer fuerza a la vez. ¿De acuerdo? —dijo Batiste, que intentaba no reírse y permanecer serio.

—Cuando quieras —le respondió Jero.

—Una, dos, y... ¡tres!

Los dos amigos tiraron con todas sus fuerzas hacia arriba. La rejilla no era tan pesada y la levantaron con cierta facilidad. La apartaron y la dejaron a un costado.

—Ya he cumplido con mi parte del trato —dijo Jero—. Ahora te toca a ti asomarte.

—Para empezar, tan solo con lo que estoy escuchando, ya me hago una idea de lo que nos vamos a encontrar.

Se oía con claridad el rumor del agua.

—Yo también lo oigo. ¿Crees que cabrás por ese pequeño agujero? —preguntó Jero, que seguía teniendo serias dudas.

—Ese pequeño agujero es la única forma que tenemos de vivir. Así que tendremos que caber los dos, sí o sí.

—¿Los dos? Yo no me meto ahí ni loco. Es el nido de Satanás.

—Escucha, te acabo de decir que no quiero que nadie se entere de lo que nos ha pasado, ni siquiera nuestros padres. Si tan solo salgo yo, se hará público. Hemos de entrar los dos, y tú debes ser el primero.

—¡Qué dices, insensato! —gritó Batiste, asustado.

—Tiene más sentido. Tú eres pequeño en tamaño y cabes con total seguridad. Yo creo que también me apañaré. Pero, por lo que pudiera ocurrir y, en el supuesto de que me quedara atascado, siempre podrías escaparte a pedir ayuda. Sin embargo, si lo intento yo primero y me quedo atrapado, estamos muertos los dos.

Jero se quedó sopesando la reflexión de Batiste. No deseaba descender por esa oquedad por nada del mundo, pero tenía que reconocer que el razonamiento de su amigo era impecable. Tenía toda la lógica.

Se agachó y metió la cabeza. Estaba en completa oscuridad, pero el agua se escuchaba circular al fondo de aquella conducción. Ello significaba que no ocupaba por completo el espacio. Buena noticia.

—Te agarraré por las piernas, para no dejarte caer de forma brusca —dijo Batiste—, y le echas un vistazo más de cerca.

—Recuerda que no sé nadar.

—No te preocupes, no te soltaré.

Así lo hicieron. Con todo el asco que le daba aquella maniobra, introdujo su cuerpo por aquel agujero. Al principio no vio nada, pero poco a poco observó lo que parecía una acequia. El caudal era abundante, pero pudo ver también una especie de camino, que circulaba paralelo a la corriente de agua. Estaba, más o menos, a un metro de altura desde donde se encontraba él.

—Me parece que hay una pequeña senda junto a la acequia, pero es muy estrecha —dijo Jero—. No sé si nos servirá para andar sobre ella.

—Después de haber escalado el muro del pozo de las hermanas Vives, te aseguro que cualquier cosa me va a parecer sencilla —le respondió Batiste.

—El problema no es solo la estrechez, sino la altura. Está a un metro de la rejilla. No solo tendremos que intentar andar por una superficie deslizante de apenas veinte o treinta centímetros de anchura, sino que, al saltar desde aquí, tendrás que evitar caer en el agua y acertar en la zona seca. La corriente parece fuerte y nos arrastraría. No va a ser nada sencillo.

—¿Tenemos alguna otra alternativa para salir de aquí? No nos queda más remedio que intentarlo.

Jero tocó las paredes del muro.

—Tampoco nos servirá descender agarrados a la pared. Seguro que nos resbalaríamos y nos caeríamos al agua. Están llenas de musgo.

—Pues entonces está claro el plan. Como habíamos comentado, saltarás tú primero. Sigo sin tener claro si cabré por ese agujero. Cuando lo hagas, intenta no separarte de la pared, pégate todo lo que puedas a ella. En cuanto hayas tocado suelo, me gritas, para que te pueda situar. Agárrate a cualquier saliente que encuentres. A continuación lo intentaré yo, si consigo traspasar la rejilla. Como soy más grande que tú, las posibilidades de que me caiga al agua son mayores. Intenta ayudarme, asiéndome de la mano o de lo que sea. Si caigo al agua, no sé qué será de mí...

—¿Y si no consigues traspasar la rejilla? —preguntó temeroso Jero.

—Pues sálvate tú —le respondió—. Si me quedo atrapado y no puedo ni siquiera saltar, no pierdas ni un segundo. Sigue aguas abajo. Con toda probabilidad por la orientación, esta acequia desemboque en el rio y puedas ponerte a salvo. Regresa al palacio y avisa de inmediato a Damián. Venid a desatascarme.

—¿Y si consigues saltar y te caes al agua?

—Pues tendrás un amigo menos.

—¡No digas eso! No me gusta.

—Es la realidad Jero, es mejor que uno de los dos se salve, a que los dos muramos encerrados en esta estancia. Espero que todo vaya bien y que consigamos salir de aquí, pero debemos ser racionales y contemplar todas las posibilidades, aunque no nos gusten.

Batiste sacó a su menudo amigo de la oquedad. Jero era bastante más pequeño que él, y apenas había cabido por el hueco. No tenía nada claro que lo consiguiera, pero era su única salvación. Se sentaron los dos en el suelo, mirándose a los ojos.

—¿Cuándo lo intentamos? —preguntó Jero, que estaba claramente atemorizado.

—Vaya pregunta que haces, ¡pues ya!

—Tengo miedo.

—¿Te crees que yo no? Soy el que más posibilidades tiene de caer al agua y ahogarme —dijo Batiste—, pero prefiero morir intentando salvar mi vida, que quedarme a esperar los designios del Señor.

—¡No digas eso, que ahora lo necesitamos más que nunca!

—Lo que necesitamos es acertar y no caer al agua, no a ningún Señor.

Jero parecía escandalizado, pero comprendía a su amigo. Si él estaba temeroso, Batiste lo debía estar más. Simplemente intentaba disimularlo, eso sí, a su manera.

—Bueno, vamos allá —dijo Jero, mientras ambos se ponían en pie.

—Dos cosas antes de saltar —le respondió Batiste.

—¿Cuáles?

Batiste abrazó a su amigo. Era un momento crucial en sus vidas. No sabía si se volverían a ver.

—Pase lo que pase, quiero que sepas que has sido lo más importante que me ha pasado en mi vida. No sé cómo acabaremos, sobre todo yo. Si me ocurriese cualquier cosa, sigue adelante con la protección del árbol. Te bastas tú solo para eso —dijo Batiste.

—No nos va a pasar nada —ahora el optimista parecía Jero, aunque era impostado. Simplemente quería dar ánimos a su amigo—. ¿Y cuál es la segunda cosa?

—Cuando salte yo, si consigo traspasar la rejilla, caeré sobre el fondo. Intenta asirme, pero no pongas en riesgo tu propia estabilidad. Peso bastante más que tú. Si no puedes conmigo, suéltame y déjame caer al agua. No te preocupes.

—Eso no ocurrirá —le respondió Jero, intentando aparentar una tranquilidad que no tenía.

Batiste se soltó de su menudo amigo y se dirigió hacia el agujero.

—Anda, vayamos a ello —dijo—. Cuanto antes, mejor. En cuanto te introduzcas por la oquedad, te sujetaré por debajo de los hombros y te soltaré, así la caída será desde menor altura. Recuerda, agárrate con todas tus fuerzas a lo que puedas.

Jero tenía lágrimas en sus ojos, pero intentó ocultarlas. Era consciente del tremendo riesgo de toda la operación, pero el que tenía más posibilidades de morir era su amigo Batiste.

—Vamos —dijo Jero.

Procedieron como Batiste había descrito. Lo asió por debajo de los hombros y lo situó lo más próximo al muro de lo que fue capaz.

—Cuando tú me lo indiques, te suelto. Recuerda gritar desde el fondo.

—Descuida —dijo Jero—. Jamás, en toda su vida, corta pero intensa, había sentido tanto miedo, ni siquiera en el fondo del pozo de las hermanas Vives.

—¿Preparado? —preguntó Batiste.

—Cuando quieras.

Batiste también estaba muy asustado. Como no acertaran y Jero cayera al agua, ya sabía lo que le iba a ocurrir. «Vamos allá», se dijo, mientras le dejaba caer.

Escuchó un fuerte ruido y, por un instante, nada más.

—¡Jero! —gritó Batiste con todas sus fuerzas.

Nada.

Batiste tenía el corazón en un puño. Volvió a gritar.

—¡Jero! ¿Estás bien? No te veo.

Al cabo de unos interminables segundos, escuchó la voz de su amigo.

—Me he dado un buen golpe en la cabeza, otra vez, pero estoy bien. No me he caído al agua. Estoy en parte seca, en la senda.

—¡Bien! —dio un salto de alegría Batiste—. Ahora lo intentaré yo. Recuerda todo lo que te he dicho. No arriesgues tu seguridad por mí.

Empezó la operación de intentar introducirse a través de la estrecha oquedad. Le daba la impresión de que no iba a caber, estaba atrapado. Empezó a hacer movimientos con su cintura, para ver si era capaz de volver a salir y quedarse en la estancia, renunciando a seguir. Para su absoluta sorpresa, ese cimbreo de cadera lo estaba conduciendo en sentido contrario, hacia el interior de la acequia.

«¡Claro! Los excrementos de las ratas están haciendo de grasa lubricante y están facilitando mi entrada», pensó, aliviado. El único problema de todo aquello es que no iba a ser capaz de controlar la caída, ya que no sabía en el momento exacto que se iba a producir.

«Bueno, algo es algo, por lo menos saldré de aquí», se dijo. «Tengo que avisar a Jero».

—¡Escucha! —gritó—. Cambio de planes. No intentes agarrarme, ya que no voy a controlar mi caída. Intentaré asirme al muro.

—¡Claro que lo intentaré! —respondió Jero, que se había cogido a un saliente y estaba esperando la caída de su amigo, aunque no veía gran cosa.

Batiste continuaba cimbreándose. Notaba que, cada vez, su cuerpo iba descendiendo, aunque lentamente. Era consciente que su caída se produciría de una forma inesperada y brusca, cuando su peso venciera la resistencia de la estrecha oquedad.

—¡Jero, apártate!

Apenas había terminado la frase, cuando notó que su cuerpo se liberaba y caía al vacío. Se dio un golpe con el muro, y sintió la dureza del empedrado sobre su espalda. Había caído sobre el sendero, pero tan solo la mitad de su cuerpo. El resto, de cintura para abajo, estaba en el agua, a merced de la terrible corriente.

—¡Jero! —gritó Batiste.

—Te veo, aguanta. Voy a por ti.

Con toda la prisa que pudo, Jero se desplazó hacia el lugar donde había caído su amigo.

Batiste no podía aguantar más. La corriente del agua era demasiado fuerte y empujaba sus piernas con mucha potencia. Era consciente que su agarre a las piedras no le iba a bastar. Le quedaban segundos.

—¡Sálvate tú Jero! —gritó, mientras la corriente de la acequia lo engullía y se perdía entre la fuerte corriente de agua.

Cuando Jero llegó al lugar de la caída, ya no estaba. No veía a nadie.

—¡Batiste! —gritó con todas sus fuerzas.

Tan solo escuchó el rumor de la corriente del agua, pero no a su amigo. Estaba solo.

No pudo evitar ponerse a llorar, como nunca antes lo había hecho, en toda su vida.

10 EN LA ACTUALIDAD, MARTES 16 DE OCTUBRE

Rebeca salió del periódico, tomó un taxi y se fue directamente a su casa. Aún no se atrevía a coger la bicicleta con las heridas de las palmas de las manos tan recientes. Llegó a *La Pagoda*. Su tía no estaba. Se preparó algo ligero de comer y lo más rápido que pudo, se tumbó en la cama, poniéndose una alarma a las cinco y cuarto. Hoy tenían la primera reunión del *Speaker's Club* que se iba a emitir en directo por la radio, y debían de estar en el *pub* una hora antes de lo habitual, a las seis. No quería llegar tarde. No le costó nada dormirse, demasiadas emociones en demasiado poco tiempo.

Nada más tumbarse, empezó a escuchar el sonido infernal del despertador.

«No pueden ser las cinco y cuarto ya», pensó. Miró el despertador. «Pues sí, han pasado dos horas y ni me he enterado».

Se vistió un poco más elegante de lo normal, nada de vaqueros y una camisa como era lo habitual en ella. Se puso una minifalda y una blusa bastante elegante, pero muy recatada. «Vaya tontería estoy haciendo», pensó. «Si es un programa de radio, no de televisión». A pesar de ello, le apetecía vestirse un tanto diferente para una tarde como la que le esperaba.

Cuando llegó al *pub* Kilkenny's, cinco minutos antes de las seis, se encontró que era la última en llegar. Para su sorpresa e hilaridad, mientras se aproximaba a su rincón, vio que todos iban vestidos de forma más elegante de lo habitual. «Tenemos telepatía», pensó riéndose en su interior.

—Caramba, Rebeca, no es el traje rojo ceñido de la última vez, estilo Salma Hayek, pero no está nada mal esa faldita plisada de colegiala traviesa —le dijo Charly con un tono claramente guasón, mirándole las piernas.

—¿Y tú qué? La última vez que te vi vestido con pantalón y chaqueta elegante, sin contar mi cumpleaños, fue cuando viniste disfrazado de almirante —le contestó Rebeca, haciendo referencia a cuándo acudió vestido de trabajo, con su traje de piloto de línea aérea—, así que más vale que te calles —le advirtió.

Cuando Charly escuchó la palabra «almirante», comprendió que Carlota le había contado algo, así que no volvió a hacer ninguna referencia a su indumentaria, por temor a salir trasquilado.

Rebeca saludó a todos los miembros del club, incluido a Tommy, que estaba en el centro de un círculo, junto a Borja Martínez, que era el productor del programa.

—Les estoy explicando a tus compañeros la mecánica del programa, supongo que tú ya la sabrás —le dijo a Rebeca.

—A mí nadie me ha explicado nada. Pensaba que sería igual que el programa piloto.

—Sí, básicamente será así. A las siete, después de dar las señales horarias, entraremos en antena. La dirección ha decidido que el nombre del programa sea *La tertulia de Rebeca*. Supongo que querrán aprovechar el tirón de tu nombre.

—¡Qué originales! Para eso no hace falta un departamento de *marketing*. ¿Y esa urna de cristal que hay en el centro de la mesa? —preguntó Fede.

—Antes de que empiece el programa, nos la llenarán de cerveza —contestó Xavier, con voz muy seria.

—¿En serio? —preguntó Bonet, con los ojos abiertos como platos.

—¡Noooo! —se rio Tommy—. Sabéis que eso no es lo que os estaba explicando. Se trata, como ya sabéis, de una tertulia acerca de un tema que elegiremos al azar. Dentro de esa urna de cristal hay diez pequeñas cartulinas con diez temas diferentes. Ya sé lo que me vais a preguntar ahora, pero ni yo mismo sé qué temas son. Los ha elegido personalmente el director de la emisora, Carlos Conejos, que, por cierto, vendrá a las siete para presenciar el primer programa en directo.

«El primer programa y quizá el último también», pensó Rebeca. Interiormente sentía pena por el director Conejos, que no sabía a qué iba a asistir.

—O sea, ¿qué no podemos hablar de lo que queramos? —comentó Charly, mientras miraba a Fede—. ¿Ni siquiera llenar esa urna de cerveza?

Rebeca se dio cuenta. Dirigió su mirada a Carlota, que se estaba aguantando la risa. Por un instante, Rebeca sintió pena por Tommy, con lo majo que era, por Borja y por Carlos Conejos. En realidad, por toda la emisora.

—Sí, dentro de ese tema, que será bastante amplio y general, tenéis total libertad para decir lo que queráis, eso sí, evitando palabras soeces, malsonantes o insultos a otras personas. No olvidéis que esto no es una grabación, saldremos en directo, durante una hora y cuarto, más o menos. Rebeca, tú llevarás unos cascos en tus oídos, por si debemos darte instrucciones, avisarte cuando tienes que dar paso a publicidad y lo que surja durante el programa.

«Eso es precisamente lo que me espanta, "lo que surja"», pensó divertida Rebeca. Se había tomado esta tertulia como una diversión, no estaba nada nerviosa, al contrario de cuando tenía que entrar en directo en *Buenos días*, con Javi y Mar.

Todos firmaron sus contratos. Rebeca había negociado por ellos. Cien euros por programa y por cabeza. No estaba mal para un primer contrato de un primer programa, además sin ninguna pretensión especial.

—¡Cien *pavos*! —dijo Charly sorprendido—. ¿Por un poco más de una hora de lo que hacemos todos los martes? Tus jefes están chiflados.

—Tú eres piloto de línea aérea. Esto será una minucia para ti, casi como una propina —le contestó Rebeca.

—¿Minucia? Tú no tienes ni idea de la miseria que cobramos los copilotos en cualquier aerolínea. La gente tiene un concepto equivocado de nosotros.

En este preciso instante se incorporó a la conversación el director Carlos Conejos. Rebeca, Tommy y Borja lo saludaron, y se disponían a presentarlo a todo el grupo.

—¡Un momento! —dijo Fede, que era graduado en Ciencias Políticas, pero también en Derecho—. A este contrato le falta una cláusula imprescindible.

El director intervino de inmediato.

—Te aseguro que estos contratos han sido revisados por nuestros abogados, que pertenecen a uno de los mejores bufetes de la ciudad.

—Quedamos en que, los martes por la tarde, tendríamos barra libre de cerveza por parte del *pub*. No lo veo escrito por ningún sitio.

El director se echó a reír

—Señor Conejos, le presentó a Federico Martínez-Colomer —dijo Rebeca, también riéndose.

—¿Tu familia es…?

—Sí, lo es —le cortó Fede, mientras le daba la mano con una sonrisa en la boca—. Ya sé que mi apellido me persigue, pero no puedo desprenderme de él.

Rebeca le presentó al resto del *Speaker's Club*.

—Se supone que ya os conozco a todos del martes pasado, pero la fiesta de cumpleaños fue tan impresionante que me confundo con los nombres —dijo el director.

—Le aseguro que no es el único —dijo Xavier.

—¡Cinco minutos! —gritó el técnico de sonido.

—Todos a vuestros lugares habituales, cada uno con su micrófono delante.

—¿Me oyes Rebeca? —le dijo Pascual, el técnico de sonido, que estaba junto con Tommy y Borja, a través de los cascos.

Rebeca hizo un gesto con la cabeza, asintiendo. Escuchó la *intro* del programa, un tanto rimbombante y ridícula, e inmediatamente escuchó la expresión «¡dentro!»

—Hola, buenas tardes a todos, amigas y amigos. Soy Rebeca Mercader y estáis escuchando el primer programa de *La tertulia de Rebeca*. Espero que paséis un rato agradable con nosotros. Estaremos juntos una hora y cuarto, aproximadamente.

Rebeca presentó rápidamente a todos los componentes del *Speaker's Club*.

—Para darle más espontaneidad al programa, os aseguro que, ninguno de los que estamos sentados alrededor de la mesa, tenemos ni la más remota idea del tema del que vamos a tratar esta tarde. Enfrente de nosotros tenemos una urna, con diez cartulinas, cada una de ellas con un tema escrito.

Ahora, una mano inocente cualquiera extraerá una de ellas —explicó Rebeca.

—¿Manos inocentes? Aquí no tenemos de eso —se apresuró a decir Charly.

—Yo tengo una uña de mi mano izquierda que aún se conserva inocente, ¿sirve? —le contestó Xavier.

—¡Eso es mentira! —exclamó Fede.

—Bueno, a falta de manos inocentes, yo misma extraeré la cartulina —dijo Rebeca, divertida mientras miraba los gestos de Tommy, que ya se estaba poniendo nervioso.

Metió la mano en la urna, extrajo una de ellas, la abrió y la leyó.

—El tema de hoy será «las oportunidades de negocio para los jóvenes en la ciudad»

—¿Qué? —reaccionó de inmediato Charly—. ¿Quién ha escrito ese tema tan *plasta*? Para eso ya hay otros programas y otras personas que saben más que nosotros. En el *Speaker's Club* no se habla de eso.

Fede no se quedó a la zaga.

—O sea, hoy hace justo una semana que celebramos, por todo lo alto, el cumpleaños de nuestras amigas de la infancia, Rebeca y Carlota, que nos enteramos que son hermanas gemelas, y, ¿quieren que hablemos de no sé qué de oportunidades? —dijo—. ¿Están tontos?

—Eso digo yo. Lo verdaderamente oportuno es que hablemos del *fiestón* del siglo en la ciudad, casi diría que de toda España —intervino Xavier —Desde luego es lo que yo querría escuchar, si estuviera al otro lado del micrófono. Seguro que nuestros oyentes piensan lo mismo.

—¡Exacto! —intervino Carmen—. Si preguntáramos a nuestra audiencia, creo que la propuesta se aprobaría por apabullante mayoría.

Tommy Egea se estaba volviendo loco. Rebeca veía como le hacía gestos desde la parte técnica. A través de los cascos no paraba de escuchar, «reconduce esta locura».

Intervino Rebeca.

—Chicas y chicos, sabéis que no podemos hacer eso.

Tommy, desde su rincón, pareció calmarse un poco, sin embargo, Borja, el productor, parecía divertido. El director Conejos estaba expectante, inexpresivo.

—No podemos consultar a nuestra audiencia ahora mismo, como proponía Carmen, pero si podemos hacerlo entre nosotros. ¿Votos a favor del cambio de tema que ha elegido Xavier? —preguntó Rebeca.

No se atrevió a mirar al rincón.

II 9 DE MARZO DE 1525

En estos momentos, Jero no tenía ni ganas de vivir. Era consciente que, sin Batiste, su vida no iba a ser igual. Incluso se le pasó por la cabeza tirarse a la acequia. «¿Qué sentido tiene mi existencia ahora?», se preguntaba.

Sacó fuerzas de flaqueza y se incorporó. Se quedó mirando el agua. Tenía que reconocer que era demasiado cobarde como para suicidarse, así que decidió seguir el estrecho sendero. Aún no podía considerarse salvado. No sabía dónde le conduciría, ni siquiera si le llevaría al rio, como había predicho Batiste.

«Incluso hasta puede terminarse y ser engullido por la acequia», pensó. «Quizá eso sea lo mejor, no se consideraría propiamente un suicidio, que es pecado».

Empezó a caminar. Había tramos en dónde se estrechaba, hasta el punto que debía asirse a las piedras para poder continuar. También había otros trechos en los que se ensanchaba.

Después de unos diez minutos, le pareció percibir claridad al final de la acequia subterránea.

«Quizá sea su final», pensó, esperanzado.

Aceleró su paso todo lo que pudo. Efectivamente, tal y como había predicho Batiste, se encontraba entre unos cañizos, con la acequia desembocando de forma potente y caudalosa en el rio.

Estaba aturdido, aunque no por el golpe que se había dado. No sabía cómo proceder. Decidió buscar el cuerpo de Batiste, igual se había quedado atrapado entre los cañizos. Recorrió los alrededores de la desembocadura de la acequia durante, al menos, media hora, pero no lo encontró. La vegetación era demasiado abundante como para permitir una búsqueda apropiada.

«Lo lógico, dado el caudal del rio, es que lo haya arrastrado hasta el mar», pensó.

Le dolía como si le hubiera sucedido a su propio padre. Sentía un vacío interior dificilmente descriptible No tenía ganas ni de moverse de allí, así que decidió no hacerlo. La noche ya estaba cayendo sobre la ciudad. Se le cruzó por la cabeza no regresar esta noche al palacio. Al fin y al cabo, no iban a notar su ausencia. Lo habían visto entrar en él, pero no salir, así que todo el personal supondría que se encontraría en sus aposentos, descansando. Hasta mañana no notarían su ausencia. No le apetecía volver a su habitación, después de todo lo ocurrido.

Estaba algo mojado, y con la puesta del sol, estaba refrescando. Tenía algo de frío. Buscó entre el cañizo algo con lo que protegerse y se hizo un ovillo, para tratar de conservar el calor corporal.

Así estuvo un buen rato, hasta que la oscuridad lo envolvió. Se quedó medio dormido.

De repente, se despertó. No sabía qué hora era ni el tiempo que se había quedado traspuesto. Lo único que tenía claro es que estaba helado. Allí no se podía quedar, y menos a pasar la noche. Decidió regresar al palacio. Quizá fuera la mejor de las peores soluciones.

Salió de la ribera del cauce del rio. Al principio estaba algo desorientado, pero pronto se dio cuenta de que estaba a escasa distancia del palacio.

Se encaminó hacia él, pensando en el pretexto que le debería de dar a Damián, en cuanto lo viera aparecer, cuando lo creía en su interior. Además, su aspecto desaliñado no le iba a ayudar en nada.

Se dirigió hacia la entrada principal. De lejos, ya distinguió la figura de Damián.

—¡Por Dios! —le dijo, cuándo lo vio aparecer—. ¿De dónde vienes a estas horas?

—Se nos ha hecho muy tarde, estaba con Batiste y su padre, en su casa —mintió lo mejor que pudo.

—¡Pero si Batiste y tú habéis entrado en el palacio, hará poco más de tres horas, y no habéis salido! —exclamó

Damián, con un genuino gesto de sorpresa reflejado en su rostro.

—Dirás que no nos has visto salir. Nosotros sí que te hemos visto a ti, pero no te hemos querido decir nada. Pensaba volver en apenas una hora, pero, al final, se me ha hecho tarde. Disculpa.

Damián lo miró detenidamente, de arriba abajo.

—¿Dices que has estado en su casa? Mírate tus ropas. ¡Pero si pareces un pordiosero!

Jero estaba haciendo todo lo posible por autocontrolarse. Hablar de Batiste en tiempo presente le dolía como una puñalada en el corazón.

—Hemos estado divirtiéndonos en la ribera del río. No te preocupes, no estábamos solos. Su padre nos vigilaba —volvió a mentir.

—No lo vuelvas a hacer, ¿me oyes? Aunque estés con un adulto como Johan Corbera, no puedes ausentarte del palacio sin que yo lo sepa. ¿Te ha quedado claro?

—Por supuesto Damián. Disculpa. Creía que volvería bastante antes.

—Aunque tan solo sea para media hora. Debo saber si estás en el interior del palacio o no. Es una de mis obligaciones.

—Así lo haré en el futuro, no te preocupes —respondió Jero, dando la conversación por concluida.

Subió las escaleras, cruzó el salón de la chimenea y entró en su habitación. No pudo evitar dirigirse hacia la entrada del pasadizo secreto que Batiste había descubierto. Aún se encontraba medio abierto el panel de madera disimulado en la pared, que lo ocultaba.

Se pensó si descender por las escaleras. Tenía curiosidad por ver el mecanismo de la cerradura por la otra parte de la puerta. Después de darle varias vueltas al tema, su curiosidad se impuso a su miedo.

Descendió hasta la puerta que daba acceso a aquella horrible estancia, de dónde creía que no saldría jamás. Se acercó a ver la cerradura con detenimiento. Las pocas dudas que le pudieran quedar, se disiparon en un momento. La cerradura había sido saboteada por la parte exterior, desde dónde estaba ahora mismo. Pudo ver perfectamente como habían introducido un pequeño objeto metálico que obstruía el mecanismo.

Se acordó que aún llevaba consigo su instrumental para abrir cerraduras. Sacó los hierros, y la manipuló. Extrajo con facilidad el cuerpo extraño que le había impedido abrir la puerta desde el interior. Ahora, si quisiera podría volver a penetrar en aquella estancia, pero no tenía ninguna intención de hacerlo, después de la traumática experiencia.

«Ni loco vuelvo a entrar ahí, y menos solo y rodeado de ratas», pensó.

Volvió a colocar el extraño objeto dentro de la cerradura, tal y como estaba. Si el autor del sabotaje volvía para comprobar su obra, no debía notar nada extraño. Igual hasta se pensaba que Batiste y él seguirían encerrados en esa especie de lóbrego despacho, esperando la muerte.

Volvió sobre sus pasos, subió las escaleras y colocó el panel de madera, camuflado en la pared, que hacía invisible el pasadizo. Se dirigió hacia su cama y se tumbó. Hasta ese preciso momento no había advertido el cansancio que acumulaba.

Tenía la cabeza hecha un lío. No sabía cómo debía proceder. Decidió que debía avisar a su padre, Alonso Manrique, del fallecimiento de su amigo. Al fin y al cabo, era la primera undécima puerta, y se supone que custodiaba una mitad del Gran Mensaje. Por otra parte, estaba Johan Corbera. Cuando no se presentara Batiste a dormir a su casa, se supone que avisaría a los alguaciles de inmediato.

Cayó en la cuenta. Con el reciente fallecimiento de Arnau, aquello podía provocar una pequeña alarma en la ciudad. No era normal dos muertes de niños, en circunstancias misteriosas, en tan corto espacio de tiempo.

«¿Le mando una nota a Johan, ahora mismo?», pensó. Decidió que era un método muy frío para comunicar una cosa así.

Por otra parte, también podría enviar a un sirviente del palacio, para que le diera la noticia de forma personal. Lo pensó durante un momento. También le pareció frio y poco adecuado. Johan podía no creerlo.

También pensó en dar el aviso a los alguaciles del palacio de forma directa. Después de una pequeña reflexión, tampoco le pareció apropiado. Johan Corbera se preguntaría por qué se tenía que enterar del fallecimiento de su hijo por el frío comunicado de un alguacil. «Además, yo estaba allí, se preguntará por qué no se lo he comunicado en persona».

«Le puedo dar muchas vueltas a este asunto, pero la única manera humana y cercana es darle la noticia por mí mismo», pensó. El problema es que, después de la discusión que acababa de tener con Damián, ahora no le permitiría salir del palacio con absoluta seguridad, le pusiera el pretexto que le pusiera. Aunque le contara la verdad, estaba seguro de que no le iba a creer.

Estaba atascado. No le encontraba ninguna solución a los múltiples problemas y desgracias recientes. Tenía claro que las explicaciones las debía dar en persona, pero también estaba claro que ahora no lo podía hacer.

Había entrado en una especie de bucle mental.

Pensándolo bien, tan solo le quedaba encomendarse a una posibilidad. Que Johan Corbera no advirtiera la ausencia de su hijo esta misma noche, y como se levantaba antes que lo hiciera Batiste y se iba a trabajar también antes del comienzo de la escuela, no se diera cuenta de su ausencia hasta el mediodía del día siguiente, al finalizar las clases. Sin ser la posibilidad perfecta, sí que era la más conveniente para él.

Tomo finalmente una decisión. Debía hacerlo.

Acudiría al colegio mañana con total normalidad, como si nada hubiera ocurrido, y nada más terminar la escuela se acercaría a la residencia de los Corbera, para informar a su padre de todo lo sucedido, con la esperanza de que no se hubiera enterado con anterioridad. Era lo más humano y cercano que podía hacer por su amigo del alma, Batiste. Iba a ser un trago muy duro, desgarrador, pero no vislumbraba otra solución.

«Lo voy a pasar fatal, pero aunque tan solo tenga nueve años, me corresponde comportarme como lo haría un adulto», se dijo a sí mismo, intentando darse ánimos, aunque con poco éxito.

Con tanto pensamiento, le estaba entrando sueño. Antes de dormirse, intentó ordenar su mente. La primera cuestión es que debía ponerse en contacto con su padre con urgencia. Ahora era tarde, mañana, antes de partir hacia la escuela, le mandaría una misiva. Después visitaría a Johan Corbera en su casa.

Se quedó dormido. El día había sido de emociones intensas. Y eso sin contar lo que le esperaba mañana.

12 EN LA ACTUALIDAD, MARTES 16 DE OCTUBRE

Rebeca acababa de preguntar a los miembros del *Speaker's Club* que levantaran la mano si preferían hablar de su fiesta de cumpleaños o de «las oportunidades de negocio para los jóvenes en la ciudad», como había salido al azar de la urna preparada por la emisora. Todos, menos Carlota, levantaron la mano.

—¿No quieres hablar de tu *fiestón*? —le dijo Xavier a Carlota, sorprendido—. ¡Pero si fuiste su organizadora!

—Soy una chica obediente y disciplinada —le respondió Carlota, con apariencia de seriedad y formalidad, definiciones completamente alejadas de su personalidad real.

La carcajada fue general.

—Pues me parece que el tema de esta tertulia ha sido decidido de forma democrática —dijo Rebeca, que se quitó los cascos de forma temporal, porque Tommy estaba aullando a través de ellos y le molestaba. Se giró hacia él, con cara de malas pulgas, y le hizo un gesto con la mano, para que se callara. Borja, sin embargo, parecía tranquilo, al igual que el director.

—¿Quién abre la veda? —preguntó Fede.

—Yo misma —dijo Carol—. Creo que nadie os distéis cuenta, pero cuando Rebeca y Carlota cantaron el tema *The A Team*, después de revelar que eran hermanas gemelas, y todos nos acercamos y nos arrodillamos enfrente del pequeño escenario, se me rajó toda la falda, dejando al descubierto mi culo. Menos mal que no tenía a nadie detrás.

—Yo me di cuenta. ¡Menudo espectáculo, porque estás tremenda! —dijo Bonet.

Todos se rieron de la *salida de pata* de Bonet, habitualmente muy tímido. Hasta Carol se rio mientras le respondía.

—¿Pero cómo te vas a dar cuenta, si cuando los camareros cambiaron el centro floral de la mesa, que era de decoración, te lo comiste, como si fuera un entrante más?

—Eran flores comestibles —se defendió Bonet—. Eso se lleva mucho en la nueva cocina.

—Se llevará en la jardinería, porque eran geranios —le respondió Carol, para la hilaridad general—. Pero eso no es lo mejor, con el culo al aire no podía seguir en la fiesta, así que me colé en una de las habitaciones que hacía las veces de camerino de los artistas. Vi una falda encima de un sillón y me la puse. Resultó que era un *kilt,* una falda masculina escocesa de uno de los miembros de la banda The Waterboys, Fui con ella toda la noche, y nadie os distéis cuenta.

Todos se rieron a gusto.

—Yo sí —insistió Bonet.

—¿Cómo te vas a dar cuenta si, con el *pedo* que llevabas, te entró la paranoia de que nos estaban grabando, que toda la fiesta era un experimento tipo *Gran Hermana*? —le contestó Carmen.

—En eso tiene parte de razón —reconoció Carol—, Había cámaras grabando.

—¿Qué? —dijo Rebeca, ahora sorprendida—. No sabía nada de eso.

—Sí, pero tan solo unas pocas, que enfocaban únicamente a los dos escenarios. No grababan a las personas, sino a las actuaciones musicales —se defendió Carol.

—Entonces, ¿grabaste nuestro discurso anunciando que éramos hermanas gemelas? Estábamos encima del escenario pequeño —recordó Rebeca.

—Sí, eso está grabado.

—¡Pues quiero una copia ya! —dijo Carlota.

—No os preocupéis, apenas dura unos minutos. Os la enviaré al grupo del móvil —se ofreció Carol.

Ahora tomó la palabra Charly.

—Pero no me negaréis nadie que, el momento estelar de la noche, fue cuando tomé del brazo a Rebeca y Carlota y, en medio del escenario, nos dimos un beso en la boca, los tres a la vez. Un *tribeso*, se podría decir. Recuerdo que os pusisteis a contar «uno, dos, tres...», creo que llegamos a veintiuno o algo así.

—A veintitrés, exactamente —puntualizó Xavier.

Rebeca se puso instantáneamente colorada. No se acordaba de nada. Miró a su hermana y la vio riéndose, así que supuso que era mentira, pero a saber...

—Hablando de besos, vosotras no sé, pero yo le planté uno en toda la boca a Martin Garrix cuando me invitó al escenario —dijo Almu, para sorpresa general.

—¿En serio? —le preguntó Carlota, con cara de envidia—. ¡Pero si está como un queso de bola! Eso me lo perdí.

—Sería justo cuando se puso a llover —dijo Fede, con aparente inocencia.

—¿Llovió durante la fiesta? —le preguntó extrañada Carlota—. ¡Pero si hacía una noche estrellada maravillosa! ¿No te confundirás?

—No creo. Debió llover, porque desaparecisteis Rebeca y tú de la carpa, y al rato volvisteis con el pelo mojado —se rio Fede—, además, no precisamente solas.

Hasta Carlota se puso colorada.

«Menos mal que estas cosas no se ven por la radio», pensó Rebeca, que también estaba roja como un tomate.

En ese momento, observo como Tommy se unía a la tertulia y le hacía gestos a Rebeca que se pusiera los cascos de nuevo. Así lo hizo, obediente.

—Yo tiré una copa y le manché de rojo el impecable traje blanco que llevaba uno de los invitados —dijo Xavier.

—Bueno, eso suele ocurrir en las fiestas —intervino Tommy, por primera vez en la tertulia—. Tiene hasta su punto de gracia.

—Tendrá gracia, sí, pero no cuándo es tu *jefazo*.

—Entonces tiene aún más gracia —rio Tommy.

—Me parece que no me estás entendiendo bien. No era mi jefe, sino el tuyo.

—¿Carlos Conejos? —dijo Tommy, mirando el lugar donde se encontraba observando el programa, junto a Borja. Carlos estaba sonriendo.

—No, arriba, arriba. He dicho «*jefazo*» —le contestó Xavier, que ya no se pudo aguantar la risa.

—¿No me digas que manchaste el traje al consejero delegado del grupo?

Xavier hizo un gesto afirmativo con la cabeza. Tommy se quería morir de la vergüenza, mientras todos se reían.

Ahora intervino Jaume Andreu.

—Yo, con el cambio de color del negro al blanco, me hice un lío y le di una copa vacía a un invitado, pensando que era un camarero. Lo malo es que creo que fue al mismo al que se la había quitado de sus manos, un momento antes.

—Es verdad, hubo un instante en que no sabías si estabas en el blanco o en el negro —dijo Carmen.

—Jaume estuvo toda la noche en un «morado permanente», ni negro ni blanco, de la *melopea* que llevaba —le contestó Charly, continuando con las risas.

Así se pasaron un rato más, contando anécdotas y riéndose sin parar, hasta que por los cascos, avisaron a Rebeca, que debía dar el programa por concluido en un minuto. Miró su reloj. Eran casi las ocho y cuarto. Se les había pasado el tiempo sin darse cuenta, y eso que no habían hecho ningún corte publicitario, cosa que le extrañó.

Rebeca despidió a los miembros del *Speaker's Club*, emplazándoles para el próximo martes, y también a todos sus oyentes. «Aunque dudo que, después de lo de hoy, haya próximo martes», pensó Rebeca. «Pero este es el producto que les he vendido, frescura y espontaneidad de un grupo de jóvenes de la ciudad. Si no les gusta, pues a otra cosa».

El *pub* Kilkenny's estaba abarrotado, observando la emisión del programa de radio. Todos prorrumpieron en aplausos. Se habían reído también con ellos.

Rebeca se quitó los cascos y miró hacia el rincón donde estaba Carlos Conejos. No había nadie, se ve que se había marchado antes de acabar el programa.

—La que has liado, *pollito* —le dijo Borja, ya con los micrófonos cerrados, aunque con media sonrisa en su rostro—. Esperemos que no me despidan, por lo menos estaba presente el director, y no ha hecho nada por interrumpirte.

—¿Pero te has divertido?

—Mucho, ha sido verdaderamente gracioso, pero no hemos seguido el guion de la cadena.

—¿Guiones? Eso es para los torpes —escucharon decir a Carlota por detrás, partida de risa. Hasta el técnico de sonido, sin poder evitarlo, se estaba riendo.

—Al final, te has lanzado con nosotros —le dijo Rebeca a Tommy—. Por un momento pensé que lo que ibas a lanzar era una mesa a nuestra cabeza.

—No te creas que no lo pensé, sobre todo al principio del desmadre.

—Hubiera sido todavía más divertido —le contestó Rebeca, aún con lágrimas en los ojos de las risas que se habían echado.

—Si no puedes con tu enemigo, únete a él, ¿no? Y mira que me habías advertido y venía preparado —le contestó Tommy, al tiempo que le sacaba una navaja a modo de broma.

—Cuando Rebeca vio la empuñadura del arma blanca, le cambió la cara de color.

«¡Es imposible, no puede ser!», pensó una acobardada Rebeca, que se había quedado completamente pálida.

Se marchó del *pub* casi sin despedirse. Estaba asustada y, desde luego, tenía serios motivos.

13 10 DE MARZO DE 1525

Jero se despertó, sobresaltado. Estaba claro que había tenido una pesadilla. Estaba completamente sudado. Miró el reloj que tenía justo enfrente de la cama. Se había dormido. Si quería llegar a tiempo a la escuela, no disponía de tiempo ni para desayunar.

«Este va a ser mi peor día, no solo en la escuela», pensó, abatido. «No sé qué me voy a encontrar».

Además de muy triste, abatido y apático, también estaba preocupado por las consecuencias externas. Si Johan descubrió anoche la ausencia de su hijo, de inmediato avisaría a los alguaciles. Todo el asunto cambiaría por completo.

Una cosa era la desaparición y muerte de un único chico, Arnau, que se estaba investigando como un caso aislado. Pero si ahora, apenas unos días después del supuesto asesinato de Arnau, también desaparecía otro chico, además de la misma escuela y similar edad, estaba seguro de que los alguaciles pensarían que podría no tratarse de dos casos aislados. Demasiada casualidad. No era común que desaparecieran niños en la ciudad, y todavía menos que lo hicieran de dos en dos, en el intervalo de unos pocos días. Estaba más que claro que iban a buscar conexiones entre ambos casos.

La pregunta que se podrían hacer es que si existía algún tipo de asesino que mataba niños.

Jero sabía que no tenía nada que ver un caso con el otro, pero sería inevitable que se formara un buen revuelo en la escuela, e incluso en toda la ciudad. Podía cundir hasta el pánico generalizado entre los padres, sobre todo en el ámbito de su escuela.

De repente, aún tumbado en su cama, se le ocurrió una idea que le dejó perturbado y también muy preocupado.

«¿Y si, realmente, no son casos aislados? ¿Y si, de verdad, existe cierta relación entre ambas muertes?». Estaba claro que las circunstancias eran muy diferentes en ambos casos, pero quizá la conexión pudiera estar en su motivación, no en la forma de producirse.

No sabía qué le había ocurrido a Arnau. Desconocía los detalles de su muerte, ya que Bernardo, el jefe de los alguaciles, que visitaron en compañía de Johan Corbera hace apenas dos días, no quiso describir, en su presencia, los hechos. Lo que sí les indicó es que la muerte de su amigo se había producido de forma violenta, que era un mero eufemismo para evitar pronunciar la palabra asesinato.

El fallecimiento de Batiste había sido provocado por un ahogamiento accidental, pero no podía olvidar que algún desconocido los había encerrado en una habitación oculta, con la clara finalidad de que murieran por inanición. Al final, el objetivo era el mismo. Hasta se le pasó por la cabeza que pudiera correr algún tipo de peligro. Amador era el único de los cuatro amigos que no había sufrido ningún intento de asesinato.

«Claro, está en casa de sus padres, castigado durante una semana y encerrado en su habitación», pensó. «Mientras permanezca allí y no salga de su residencia, se supone que estará seguro y protegido».

Ahora mismo, no sabía ni qué hacer. Le daba miedo hasta acudir a la escuela. Tenía que tomar muchas decisiones, y apenas disponía de tiempo. En concreto, un minuto.

«Decidido. Me voy a la escuela, aunque tan solo sea por acudir a casa de Batiste y hablar con Johan, una vez terminadas las clases», se dijo.

Salió de la cama de un brinco, se vistió y salió del palacio, todo ello en menos de cinco minutos. Como no se diera verdadera prisa, no iba a llegar a tiempo a la escuela.

Llegó apenas un minuto antes de que empezaran las clases, casi sin resuello. Parte del recorrido lo había hecho corriendo. No sabía que se iba a encontrar. Nada más cruzar la puerta del patio, se quedó mirando a su alrededor, buscando algo diferente a lo ordinario.

Nada.

En apariencia, todo parecía normal, como cualquier otro día de clases. Eso sí, como era lógico, no había ni rastro de

Batiste, pero tampoco se observaba la presencia de alguaciles. No había ningún tipo de alarma ni se respiraba preocupación alguna.

«Seguramente Johan no habrá notado la ausencia, la pasada noche, de su hijo», pensó Jero. «Mejor, prefiero comunicarle su muerte en persona. Va a ser toda una tragedia, pero tengo que asumir mi responsabilidad, aunque tenga nueve años».

Oyó el sonido de la campana. Entró en el edificio de la escuela, junto al resto de sus compañeros. Jero estaba pendiente de cualquier detalle que le pudiera llamar la atención, pero todo era normal. La única anomalía, que no era tal, consistía en la ausencia de su amigo Batiste.

El profesor Urraca comenzó a impartir su clase. Jero tenía la mente muy lejos de la escuela. Tenía sensaciones claramente contradictorias. Por una parte, no le apetecía nada estar allí, pero por otra, sabía que cuando concluyera la escuela, tendría que enfrentarse a Johan Corbera.

Su estado de ansiedad era máximo. En el periodo de descanso, intentó aislarse de todos sus compañeros. No se encontraba demasiado bien.

—¿Te ocurre algo? —le preguntó Nicolás.

Jero se sorprendió. Nicolás, al que todos conocían como Nico, era un buen chico con el que se llevaba bien. Sabía que su preocupación era genuina, pero no podía haber elegido peor momento para interesarse por él. Tenía que contestarle algo. Si no lo hacía, podría levantar sospechas.

—¿Por qué me lo preguntas? —le respondió Jero, con otra pregunta.

—Te llevo observando toda la mañana, y te estás comportando de una manera algo extraña. Nos conocemos dos años y no es nada habitual verte así.

—La verdad es que no me encuentro demasiado bien. Apenas he dormido, y en lo poco que lo he hecho, he debido sufrir alguna pesadilla, ya que me he despertado sudado. Incluso he estado a punto de no acudir a la escuela hoy. Me lo he pensado hasta el último momento y de tanto hacerlo, casi no llego a tiempo.

—Es curioso.

—¿Qué te parece curioso?

—Que estéis enfermos los cuatro a la vez.

—¿Qué cuatro? —preguntó Jero, que no le gustaba nada hacia dónde se dirigía la conversación.

—¿Quiénes vais a ser? Tus amigos del alma, los que siempre jugáis juntos. Arnau, Amador, Batiste y tú. ¿No habréis cogido alguna enfermedad?

—Estamos en marzo. Es un mes complicado en Valencia por las fiebres. Tan pronto hace calor como frío, ya sabes que ocurre con los cambios de temperatura —Jero salió como pudo del apuro.

De momento, nadie debía saber que Amador no estaba enfermo, sino castigado, y, menos aún, que Arnau y Batiste estaban muertos.

—Espero que os recuperéis. Siempre me habéis parecido buena gente, sobre todo tú y Batiste. Me habéis tratado con consideración, no como otros.

—¡Oye! ¡Qué yo no estoy enfermo! Tan solo he pasado una mala noche. Tampoco sé si mis amigos lo están, no he hablado con ellos.

Nico se quedó mirando a Jero.

—No te lo tomes a mal, pero no tienes muy buen aspecto, que digamos.

—Lo sé, soy consciente. Me he mirado al espejo esta mañana, antes de venir a la escuela, pero no tengo fiebres, te lo puedo asegurar.

La campana volvió a sonar. Debían de volver a entrar en la escuela para reanudar las clases.

«Salvado por la campana», pensó Jero. «Lo último que necesito ahora es la amabilidad de Nico».

El profesor Urraca entró en la estancia para reanudar las lecciones. A los pocos minutos, se abrió la puerta y entró el bedel. Se acercó al profesor y le murmuró algo al oído. Jero notó como le cambiaba la cara al profesor.

—Bueno, me temo que vamos a adelantar unos capítulos en la lección de hoy. Vamos a saltar hasta la organización de nuestra ciudad —dijo el profesor.

«¿Esto que quiere decir?», se preguntó extrañado Jero. El profesor Urraca era muy estricto. En los años que llevaba en la escuela, jamás le había visto saltarse un temario.

—¿Alguien la conoce? —preguntó en voz alta.

Silencio.

—Bueno, pues la ciudad está gobernada por el llamado Consejo General, que, en realidad, ha delegado todas sus funciones en el llamado Consejo Secreto. Está integrado, en primer lugar, por los jurados, que es el órgano ejecutivo supremo de gobierno de la ciudad, que a su vez está formado por cuatro prohombres y dos caballeros. También forma parte del Consejo Secreto el racional, que es designado directamente por el rey por un periodo de tres años. El racional confecciona la lista de los posibles jurados, así que se podría decir que, *de facto*, es la máxima autoridad de la ciudad. También pertenecen al Consejo Secreto el síndico, designado por el Consejo General y cuatro abogados, con voz pero sin voto. ¿Lo habéis comprendido? Ellos son las personas que nos gobiernan, por delegación de nuestro rey.

—Sí —se oyó contestar a los alumnos.

—Por debajo de los órganos y cargos que os acabo de contar —continuó el profesor—, existen multitud de empleos menores que se encargan de cuestiones relacionadas, por ejemplo, con la justicia.

«¿La justicia?» «¿Por ejemplo?», se extrañó Jero.

—Hay tres cargos fundamentales que velan por ella. Se trata del justicia civil, el justicia criminal y el almotacén. El primero de ellos se encarga de las cuestiones relacionadas con bienes y derechos, incluyendo el derecho de familia, matrimonios, contratos civiles, temas de herencia y derechos de sucesión, sobre todo. El justicia criminal, como su nombre ya nos indica, es el responsable de orden público y represor de delitos en general, aunque también tiene competencias en materia sanitaria, sobre todo en épocas de epidemias. En cuanto al almotacén, es el encargado de la inspección de los mercados y de los pesos y medidas. Como el justicia criminal, también tiene alguna competencia en materia sanitaria, sobre todo es el inspector de los boticarios y verifica el buen estado de los alimentos y bebidas. ¿Comprendéis todo lo que os acabo de contar?

Otra vez, toda la clase, respondió con un sonoro «sí».

—Lo que no entiendo es por qué nos está explicando todos estos temas ahora, si hasta el próximo trimestre no tocaba —dijo Jero, que no pudo reprimir su curiosidad.

—Por una razón muy sencilla. Vamos a dar por terminadas las clases por hoy, con cierta anticipación.

Aquello no era nada habitual, y se escuchó un revuelo general en la clase.

—Tranquilos, que no ocurre nada —intentó poner algo de orden el profesor Urraca.

—¿Pero nos tenemos que ir a nuestras casas? —preguntó un alumno—, porque mis padres no están a estas horas tan tempranas.

—No. No os vais a casa. El motivo es que, en apenas unos minutos, saldremos al patio, ya que unas personas quieren hablar con vosotros. Contestad todas las preguntas que os formulen con total sinceridad, son gente muy importante en la ciudad, como os acabo de explicar —dijo el profesor Urraca.

A pesar de las explicaciones, el ambiente que se respiraba era extraño.

A Jero le dio un vuelco el corazón, cuando comprendió el motivo real de toda la explicación del profesor Urraca. Le dio la impresión de que los acontecimientos se iban a precipitar en unos minutos. No sabía si era bueno o malo que ocurriera justo ahora, pero lo tenía que afrontar.

Todos los alumnos salieron al patio de la escuela. Había dos personas en uno de los extremos, esperándolos. Cuando Jero vio a una de ellas, el vuelco al corazón ya fue total.

14 EN LA ACTUALIDAD, MIÉRCOLES 17 DE OCTUBRE

Rebeca apenas pudo dormir. La visión de la empuñadura de la navaja, que le había mostrado Tommy Egea al final del programa de radio de ayer, no se lo había permitido. «Tengo que contárselo a mi tía lo antes que pueda», se dijo.

Se había puesto el despertador quince minutos antes de lo habitual. Salió a la cocina en pijama, a una hora más temprana de la que acostumbraba, pero aun así llegó tarde. Tote ya se había ido a la comisaría a trabajar.

Aprovechó para desayunar con tranquilidad, luego se dio una buena y prolongada ducha, se vistió y se sentó en un taburete de la cocina. No le apetecía ir a *La Crónica* esta mañana. No recordaba la última vez que le había ocurrido eso. Ya había avisado al director Fornell, además, ayer mismo por la mañana, que esta semana la vería menos por la redacción, pero lo pensó mejor. Debía de acudir, aunque fuera simplemente para comprobar la alocada teoría de su hermana Carlota, a medias con su amigo habitual sir Arthur Conan Doyle. Así que bajó a la calle, cogió un taxi, y sin demasiadas ganas, se fue hacia la redacción del periódico.

Nada más entrar, la primera en la frente. Se encontró con el director Fornell, que estaba hablando con Alba.

—Hola, Rebeca, buenos días —le dijo. Parecía de mal humor—. Esta mañana me ha llamado el director de la emisora, Carlos Conejos.

«Ahora me explico esa cara de entierro. Se acerca la borrasca», pensó Rebeca.

—Sí, estuvo ayer en el *pub* Kilkenny's viendo la emisión del primer programa, y supongo que el último también.

—¿Por qué dices eso?

—¿No lo escuchó? —preguntó Rebeca, sorprendida, ya que pensaba que su aparente mal humor se debía a eso.

—No, no pude, pero, como te estaba diciendo, he hablado esta mañana con Carlos, y me lo ha contado, un poco por encima. Aunque para no faltar a la verdad, ya me había enterado por el periódico —le dijo a Rebeca, mientras le lanzaba un ejemplar.

Ahora, Rebeca tuvo claro que estaba de muy mal humor por el programa. Cogió al vuelo el periódico, y se fijó en la cabecera.

—Pero, ¡este periódico no es el nuestro, no es *La Crónica*! —exclamó, visiblemente sorprendida.

—No, no lo es. Es *La Región*, nuestra competencia directa. Por eso estoy enfadado. ¡Que hable de un programa de nuestro grupo de medios el otro periódico de la ciudad, y que nosotros no lo hagamos, es algo inconcebible y fuera de lugar! ¿Dónde estábamos? ¿En la Luna?

Fornell estaba fuera de sus casillas. Ahora se estaba dirigiendo a toda la redacción, en la gran sala central.

—Estrenamos programa de radio con Rebeca y, ¿a nadie se le ocurre hacer una mínima cobertura? ¿Tiene que ser *La Región* quién lo haga?

Mientras el director soltaba su discurso, Rebeca buscaba la noticia. La encontró. Le dedicaban un cuarto de página, no estaba nada mal. Por las palabras del director, suponía que la competencia habría escrito una crítica bastante mala. Leyó el titular «Frescura al atardecer». Le sorprendió. «Parece el título de un cuadro de cualquier pintor impresionista francés», pensó, sonriendo, ante la cursilada del título. «Voy a ver cómo me arrean». Para su absoluta extrañeza, se encontró con que hablaban bastante bien del programa.

Se dirigió al director, que aún estaba rojo de la furia.

—Señor Fornell, si no nos critican, más bien todo lo contrario —dijo Rebeca, con un tono de clara sorpresa—. Es una crítica positiva.

—Ya, pero eso, ¿es bueno o es malo? —le contestó el director, sin relajarse ni una pizca.

—¿Cómo hace esa pregunta tan tonta, con perdón? ¡Por supuesto que es bueno!

—Ya, ¡pero esa noticia teníamos que haberla publicado nosotros! ¡Y permitimos que se nos adelanten los bastardos de *La Región*!

—No diga eso, señor Fornell. Que lo hubiéramos contado nosotros quizá podría haber parecido autobombo o autopublicidad, lo que usted prefiera. Pero que escriba palabras elogiosas la competencia, le da una pátina de veracidad. Piense que nos han hecho propaganda gratuita, además imparcial. Mírelo desde ese punto de vista.

—Lo miro desde el punto de vista que ellos han escrito del programa y nosotros no, cuando su protagonista trabaja aquí y la tengo justo delante de mí —dijo el director, que se fue hacia su despacho con malos humos, sin despedirse siquiera de toda la redacción, que había escuchado el rapapolvo con cierto temor. Rebeca se giró hacia Alba, que se encogió de hombros, como diciendo, «a mí no me mires».

Para su sorpresa, y a pesar del tormentoso recibimiento, Rebeca había recuperado algo de su buen humor habitual. No se esperaba un gran día, más bien todo lo contrario, pero la reacción del director Fornell le había hecho gracia. De camino a su puesto de trabajo, tampoco vio a Tommy Egea. Después de lo de ayer, prefería no encontrarse con él. «El día va mejorando por momentos», se dijo.

Llegó hasta su puesto de trabajo.

—¡Oye! Estuvo fantástico el programa. Esta mañana me han llamado varias amigas, diciéndome que era una privilegiada por haber asistido a esa fiesta de cumpleaños, que debió ser la bomba —le dijo Tere, a modo de bienvenida, incluso antes de que Rebeca llegara hasta su mesa.

—Todos lo escuchamos. La verdad es que hacía tiempo que no me reía tanto, quizá porque estuve en esa fiesta y no me enteré de ninguna de esas anécdotas que contasteis —dijo Fabio.

—Aunque no lo creáis, yo tampoco —contestó Rebeca, que se animaba por momentos. Daba la impresión, al menos, de que el programa tuvo audiencia.

Fernando se limitó a darle los buenos días, eso sí, con una gran sonrisa en su rostro.

—Hoy no me quedaré mucho tiempo en la redacción, tengo otras cosas que hacer —comentó Rebeca, que no se olvidaba del motivo real por el que había acudido al periódico, Lo que pasaba es que no sabía cómo hacerlo sin que sus compañeros lo advirtieran.

«Intentaré comportarme como cualquier mañana, hacer la rutina de todos los días, a ver si cada uno se pone con lo suyo y no me prestan demasiada atención», se dijo. A pesar de ello, era consciente de que no iba a ser fácil.

Encendió el ordenador. Aprovechó para echarle un vistazo, también al monitor y al flexo que iluminaba la mesa. Nada. Abrió la cajonera y registró entre los expedientes que guardaba allí, fingiendo que buscaba algo. Tampoco nada. Disimuladamente tiró un bolígrafo al suelo y se agachó debajo de la mesa, también fingiendo que lo buscaba. Miró por todas las partes, pero no veía nada fuera de lo habitual. «¡No sé por qué hago caso a las rocambolescas y absurdas ideas de la petarda!», pensó.

Cuando se disponía a incorporarse, algo llamó su atención. Se fijó en un minúsculo punto negro, en una de las juntas de una de las patas con la mesa. «O es una araña o es lo que busco», se dijo. Lo tocó, con cuidado, con la punta del bolígrafo. No se movió. «Vale, no es una araña», pensó aliviada. Ahora extendió la mano. Estaba bien adherido y tuvo que darle un buen tirón para extraerlo de su ubicación. Lo escondió en la palma de su mano, se levantó con el bolígrafo, y, con todo el disimulo que pudo, lo introdujo en su bolso. Parecía que nadie se había percatado de todos sus extraños movimientos.

Estuvo un momento con el ordenador. Aprovechó para darle el visto bueno al artículo de Fernando, que ya se lo había enviado para su revisión, apagó el ordenador y se despidió de sus compañeros, lo más rápido que pudo.

—¿Te vas ya? —preguntó Tere—. Pensaba que íbamos a hablar del viaje a Barcelona de este fin de semana, para los Premios Ondas. ¿No te habrás olvidado?

—¿Cómo me voy a despistar con una cosa así? No os preocupéis, aún es miércoles. Mañana jueves lo comentamos —le contestó Rebeca, mientras se marchaba a toda prisa.

Nada más salir de *La Crónica*, sacó el móvil de su bolso y llamó a su hermana.

—Aunque me parezca mentira, y aún no me lo pueda creer, contra todo pronóstico, parece que tu teoría se ha confirmado —le comentó Rebeca.

—¡Toma! Ya dije que no me podía equivocar, incrédula —le contestó una exultante Carlota.

—Pues lo has hecho, tenías razón, pero te has equivocado. Lo siento.

Escuchó los gritos de su hermana a través del móvil.

—¿Cómo se puede confirmar mi teoría y equivocarme al mismo tiempo? Eso, además de contradictorio, es imposible.

—Si quieres saber el porqué, en media hora en la comisaría de nuestra tía. Es importante de verdad —le dijo—. Yo salgo ahora mismo hacia allí

—Me arreglo y voy —le contestó Carlota, que le podía la curiosidad. Había tocado su fibra sensible.

15 10 DE MARZO DE 1525

—Buenos días a todos —tomo la palabra una de las dos personas que habían acudido a la escuela para hablar con los alumnos—. En primer lugar, pediros disculpas por haber interrumpido al profesor Urraca y sus clases, pero se trata de una cuestión que nos tiene un poco preocupados y que queremos poner en vuestro conocimiento.

Jero estaba al fondo del todo, escondido entre la multitud y apoyado en uno de los muros. No era por comodidad, sino por simple precaución. No se encontraba nada bien, ya que era perfectamente consciente de lo que se avecinaba.

Todos los alumnos estaban expectantes. Era un hecho insólito que interrumpieran la clase y desconocían el motivo de todo ello. Bueno, todos no. Había uno que sí que lo sabía, el que estaba descompuesto.

—Mi nombre es Bernardo Almunia, y soy justicia criminal de la ciudad. También os quiero presentar a mi ayudante, Guillem Almenar.

Jero lo había reconocido desde el principio. Bernardo era el amigo del padre de Batiste, de Johan Corbera.

Apenas hacía unos días que habían estado en su casa, preguntándole por la desaparición de Arnau. Les había estado informando de las pesquisas y revelado que lo habían encontrado muerto.

Resulta que Bernardo tenía un cargo de mucha mayor relevancia de lo que Johan les había contado. No era un simple alguacil, sino el justicia criminal, toda una autoridad en la ciudad. Supuso que no quiso decirles su verdadero empleo, quizá por no asustarlos antes de la visita. Ahora comprendía Jero cómo les había hablado del tema de Arnau con tanta seguridad. Era el máximo responsable en la ciudad en materia de orden público y delitos, como había recalcado de forma intencionada el profesor Urraca en su pequeña exposición, por lo que estaría llevando personalmente la investigación. Se supone que conocía todos los detalles. Además, no se olvidaba de aquella conversación. Aunque no lo hubiera dicho con esas palabras, estaba claro que pensaba que Arnau había sido asesinado.

—Ante todo —continuó Bernardo—, no quiero que os alarméis por lo que os vamos a contar, pero necesitamos vuestra colaboración en un asunto.

La expectación en el patio de la escuela era máxima. Salvo una persona, nadie sabía a qué se podía referir el justicia criminal de la ciudad, con esas palabras.

—Ya os habrá explicado el profesor Urraca cuáles son mis diversas funciones en la ciudad, que podríamos resumir en una. Básicamente, velar por el orden público. Recientemente se han producido ciertos hechos muy preocupantes, que me gustaría poner en conocimiento vuestro, por si nos podéis ayudar, a Guillem y a mí, en su posible esclarecimiento.

Ahora, en el patio, se escuchaba un rumor de intranquilidad entre todos los alumnos. Que el justicia criminal en persona acudiera a su escuela era algo extraordinario, jamás había ocurrido, pero que, además, viniera para pedirles ayuda, ya era inconcebible.

Era cierto que, en otra ocasión, se había personado una pareja de alguaciles, cuando desapareció Martín, un compañero de la escuela, pero esta situación parecía diferente a aquella. Por lo menos así lo interpretaban los alumnos, que lo reflejaban en sus rostros y con sus murmullos de preocupación.

Jero permanecía todo lo alejado posible de Bernardo y Guillem. De hecho, seguía apoyado en el muro del patio, que le impedía separarse aún más. Si lo hubiera podido hacer, sin duda estaría más apartado. No deseaba que lo viera y le pudiera hacer alguna pregunta.

Bernardo, el justicia criminal, advirtiendo el revuelo formado, continuó con su explicación.

—Os ruego atención. Ya sé que os estaréis preguntando, ahora mismo, qué tipo de ayuda nos podéis prestar. Ahora cederé la palabra a mi ayudante, Guillem, que os relatará ciertos hechos. Luego yo os formularé algunas preguntas. Insisto, sobre todo tranquilidad.

De inmediato, tomó la palabra Guillem.

—Debo informaros, para desgracia de todos, que se ha producido una muerte de uno de vuestros compañeros.

«¿De uno?», se preguntó Jero. «Aún no deben haber encontrado el cadáver de Batiste».

—Ha aparecido un cuerpo de un chico, atrapado entre los cañizos del río. Lo hemos localizado y es un tema que nos tiene muy preocupados.

Ahora, el revuelo en el patio fue total. Jero, desde su rincón, oía murmurar a sus compañeros: «¿quién será?», «¿por qué se interesa el propio justicia criminal en persona y su ayudante por esta cuestión?».

—Os escucho —intervino Bernardo—. Os estáis preguntando, además de la identidad de vuestro compañero, el motivo por el que estamos aquí.

—Nos ha dicho el profesor Urraca —intervino Nico— y ustedes mismos, que su función es ocuparse del orden público y de los crímenes. Entiendan nuestra preocupación. No nos están hablando de una muerte accidental, ¿verdad?

—¿Cómo te llamas y qué edad tienes? —le preguntó Guillem.

—Soy Nicolás Beltrán y tengo doce años.

—Desde luego, Nicolás, eres muy perspicaz para lo joven que eres. Es evidente que tienes razón. No se trata de una muerte por causas naturales o accidentales. Por eso estamos aquí, porque precisamos de vuestra ayuda, para intentar resolver una muerte, en circunstancias muy poco claras y sospechosas.

Guillem hizo una pequeña pausa. La expectación crecía por momentos.

—El cuerpo apareció muy cerca de la desembocadura de la acequia que pasa por debajo del Palacio Real, como os decía, atrapado entre unos cañizos. Presentaba múltiples golpes en su cuerpo, pero desconocemos si se los produjo por caer accidentalmente a la acequia, o las heridas fueron producidas con anterioridad a su caída, y eso le provocó su muerte.

Jero se puso blanco y empezó a marearse. Estaba claro que hablaban de Batiste, y no de Arnau. Seguramente aún no habrían hablado con la familia Ruisánchez y no querían hacer pública la muerte de Arnau por asesinato. Pero claro, la aparición de otro cadáver de un alumno de la misma escuela, suponía que había disparado todas las alarmas. Por eso no mandaban a simples alguaciles a interrogarles, sino que lo hacían el propio justicia criminal y su ayudante.

Jero se aferró fuertemente a un saliente del muro, para prevenir una posible caída. Lo consiguió a duras penas, pero no pudo evitar ponerse a vomitar. Su cuerpo había dicho basta. No se encontraba nada bien.

Sus compañeros de alrededor lo advirtieron y se formó otro pequeño revuelo a su alrededor.

—¿Ocurre algo? —gritó Guillem.

—Hay un alumno indispuesto, vomitando y muy pálido —intervino el profesor Urraca.

—Esta mañana ya le he advertido que no tenía buen aspecto. Me ha dicho que no se encontraba demasiado bien —confirmó Nico.

—Por favor, sacarlo del patio y que se siente —dijo Guillem—. Luego quizá debería volver a su casa, si está enfermo.

—Así lo haré —dijo el profesor Urraca, tomando de la mano a Jero, que seguía completamente pálido, aunque ya habían cesado los vómitos—. ¿Te encuentras mejor?

—La verdad es que no —respondió, Jero, con un hilo de voz, apenas audible.

—Vamos al interior de la escuela. Me quedaré contigo un rato, y si no te recuperas, te marchas a casa. Total, hoy ya hemos terminado las clases.

—Gracias profesor.

Entraron en el edificio de la escuela.

—No tienes buena cara. Si no te encontrabas bien nada más empezar las clases, como acaba de comentar Nicolás en el patio, no deberías de haber acudido a la escuela hoy —dijo el profesor.

—Esta mañana no estaba bien, pero no me imaginaba que ahora me encontraría todavía peor —se defendió, como pudo, Jero.

—Pues márchate a casa. Ya te contaré mañana lo que quieren de nosotros estas personas.

—Me da vergüenza pasar por delante de toda la escuela, y del justicia criminal, para irme —mintió Jero, cuyo objetivo era otro.

—Eso no será necesario.

—¿No? —preguntó Jero, haciéndose el inocente.

—Utiliza la puerta trasera de la escuela, así no tendrás que cruzar el patio principal —le respondió el profesor—. Además, está abarrotado y será más práctico que salgas por detrás.

«Objetivo cumplido», pensó Jero, que conocía perfectamente la existencia de esa puerta, pero quería forzar a que la propuesta partiera del profesor. Así, si Bernardo o Guillem quisieran hablar con él posteriormente y le cuestionaran su repentina desaparición de la reunión, siempre podría alegar que toda la idea partió del profesor Urraca, lo que, aunque con un pequeño empujoncito por su parte, era cierto.

—Antes de salir de la escuela, pásate por los baños y aséate un poco. Tienes toda la cara manchada y hueles mal —le ordenó el profesor, despidiéndose de su pupilo para volver a la reunión.

Así lo hizo Jero.

Cuando terminó de asearse, salió por la puerta trasera, pero no se dirigió a su casa.

16 EN LA ACTUALIDAD, MIÉRCOLES 17 DE OCTUBRE

Rebeca llegó en apenas veinte minutos a la comisaría de Policía de la calle Zapadores, donde trabajaba su tía. Se dirigió a la puerta de entrada.

—¡Señorita Mercader! Es un placer verla por aquí de nuevo —le dijo el policía que controlaba el acceso. Se acercaron dos agentes más.

—Podéis tutearme, por favor, que aunque sea la sobrina de vuestra jefa, tengo tan solo veintidós años —le contestó Rebeca, con una gran sonrisa—. Me da vergüenza tanta formalidad.

—¡Menudo programa el de ayer! —dijo otro policía—. Lo escuché con mi mujer y no nos paramos de reír. Vosotros, los jóvenes, sí que sabéis pasarlo bien. En mi época, una celebración de cumpleaños así, era inconcebible.

«Y en la mía también», pensó Rebeca, divertida.

—No os creáis que celebro así todos mis cumpleaños, ¿eh? —les dijo, un tanto abochornada por los excesos de la fiesta—. Este era muy especial, por el tema de mi hermana Carlota.

—Ya lo suponemos, tuvo que ser muy emotivo y también divertido. Por cierto, puedes pasar al despacho de tu tía cuando quieras. Está con una conocida tuya —le dijo el policía más joven, que tendría una edad parecida a la suya, mientras le guiñaba un ojo.

«¡Vaya si se ha dado prisa la petarda en venir! Está claro que la curiosidad le puede».

Anduvo por el largo pasillo, llamó a la puerta del despacho, y entró directamente. Efectivamente, su tía tenía compañía, pero no era pelirroja.

«¡Vaya sorpresa!», se dijo, cuando la reconoció.

—¡Sofía! —saludó efusivamente a la inspectora Cabrelles—. Últimamente ya no te veo, si no es con una capa negra con capucha, en la iglesia de San Nicolás.

—¡Qué dices! —exclamó escandalizada Sofía, por la aparente revelación de Rebeca, delante de Tote.

—Tranquila. Mi tía es la duodécima puerta y sabe desde hace algún tiempo que tú eres la quinta. Se lo debo de contar todo, ya que es mi protectora. Si no lo hago, no podría hacer bien su trabajo.

Sofía pareció relajarse.

—¡Ah! No lo sabía —dijo mirando a Tote—. Pensaba que te habías vuelto loca, así, de repente —concluyó, ahora mirando a Rebeca.

—Para nada, y gracias por tu ayuda en el último Gran Consejo. Si no llega a ser por tu colaboración y la de mi amiga, la séptima puerta, no sé qué hubiera pasado. La cosa se puso muy tensa. Por un momento llegué a temer que os abalanzarais sobre mí.

Sofía se rio.

—Mujer, eso no lo hubiera permitido. ¿Y también sabes quién es la séptima puerta? ¿Y es tu amiga? —preguntó Sofía, que parecía que iba de sorpresa en sorpresa.

—Desde hace años —le contestó Rebeca—. Nos vemos casi todas las semanas.

—Resulta curioso. No te deberíamos conocer, ni tú a nosotros, excepto el número uno, y resulta que sabes quiénes somos la mayoría de los miembros del Gran Consejo —continuó Sofía.

—No exageres. Tan solo conozco a la mitad, a cinco. El resto todavía no sé quiénes son —le replicó Rebeca—. Pero dame tiempo…

—Ya que has sacado el tema, ¿has aclarado las cosas con el número uno? —le preguntó Sofía—. No parecía que terminarais la reunión de un modo muy cordial.

—Me pareció un idiota arrogante en aquel Gran Consejo. Me recordó a un pavo real con las plumas extendidas —

recordó Rebeca—. Si quieres que te diga la verdad, aunque lo conozco sobradamente, no me parece cualificado para el puesto que ocupa. Tiene un punto de vanidad e inconsciencia que no le hace nada de bien al Gran Consejo, y lo digo viendo las cosas desde afuera.

—Es cierto que creo que hubo un momento que te presionó en exceso. Intervine porque creo que le pudieron sus ganas de reconstruir el Gran Consejo y se cegó contigo. Me parecen loables sus intenciones, pero tú no tienes la culpa de desconocer lo que no conoces. Es algo obvio.

—Pero no parecía creerme, y eso me enfadó.

—Entonces, ¿has hablado con él?

—Sí, tuvimos una conversación después del Gran Consejo y pusimos todas nuestras cartas sobre la mesa. Ese tema parece resuelto, al menos de momento, aunque sigo pensando lo mismo de él.

—Me alegro. Se supone que tienes que tener una relación cordial con el número uno, por el bien de todos. Al menos, formalmente.

Rebeca hizo un gesto con la mano. Ya se había cansado de hablar de ese tema, así que decidió cambiarlo.

—Por cierto, ¿qué haces aquí con mi tía, si no es una indiscreción? Ya sé que sois compañeras de trabajo, pero precisamente en un momento como este, no puedo evitar que me llame la atención.

—¡Porque eres una inconsciente! —le riñó Sofia de inmediato—. Me estaba contando tu tía que, anteayer, sufriste un intento de asesinato. ¿No te parece un motivo suficiente para que esté aquí? ¿Por qué no me llamaste en el mismo instante en que ocurrieron los hechos? Tienes mi teléfono y sabes que trabajo en el Grupo de Homicidios.

—Respuesta sencilla, porque eso no fue un intento de asesinato. Es cierto que me asusté mucho, incluso hasta perder el conocimiento, pero si mi asaltante hubiera querido matarme, lo hubiera hecho. Tuvo el tiempo suficiente para rebanarme el pescuezo, pero no lo hizo. Mis ángeles de la guarda tardaron una eternidad en reaccionar.

—¿Ángeles de la guarda? ¿Eso qué quiere decir? ¿No habíamos quedado que tu protectora era tu tía? —preguntó Sofia, que no entendía nada.

—Ese es un tema muy extenso para explicarlo ahora —se zafó Tote como pudo. Era una cuestión espinosa que quería evitar discutir ahora, con Sofía delante. Ya lo hablaría con Rebeca, cuando estuvieran a solas.

—Además, Carlota estará a punto de llegar. Casi es mejor que dejemos el resto de la conversación hasta que ella esté con nosotras —dijo Rebeca, mientras miraba a su tía con una expresión que Tote no supo interpretar, pero desde luego no parecía demasiado amistosa.

—¿Le has contado a tu hermana quién soy? —le preguntó espantada Sofía.

—Por supuesto que no, pero sí que sabe que yo soy la undécima puerta. Entiéndelo, no tuve más remedio que decírselo, con Tote delante, cuando le pregunté si ella era el segundo número once, y me contestó que no. Ya sabes que me dijo la verdad, como ya os informé en el último Gran Consejo, con todo el revuelo que se montó.

—Pero todos dimos tu palabra por buena, En ese tema no hubo ninguna duda ni discusión. Hasta el número uno cedió la presión sobre ti y zanjó el tema.

—Eso es cierto —confirmó Rebeca—, aunque sigo pensando que actuó como un inconsciente. No conocéis el peligro que puede llegar a tener mi hermana, si se lo propone. Es un prodigio.

En ese momento escucharon que alguien llamaba a la puerta. Entró Carlota. Se llevó una gran sorpresa al ver a Sofía Cabrelles, tal y como le había sucedido a Rebeca. Se saludaron efusivamente.

—Pues parece que ya estamos todas. Podemos reanudar la conversación —dijo Sofía.

—¿Os habéis atrevido a empezar sin mi presencia? —preguntó Carlota, fingiendo enfado.

—Sí, pero tan solo para poner al corriente a Sofía de lo que tú ya conoces, lo de mi asalto del lunes.

—¡Ah, vale! Así me conformo.

Rebeca empezó a hablar.

—Tenemos dos cosas muy preocupantes que contaros. Voy a empezar por la que acabo de conocer —dijo, mientras rebuscaba en su bolso, sacaba un diminuto aparato negro y lo dejaba encima de la mesa de Tote—. Esto estaba oculto en un rincón de la mesa de mi despacho.

Sofía lo cogió de inmediato. Después de inspeccionarlo apenas unos segundos, su cara reflejaba el asombro personificado.

—Por la expresión de tu rostro, parece que lo reconoces —dijo Rebeca.

—Claro. Es un micrófono de última generación, profesional y fabricado en exclusiva para las Fuerzas y Cuerpos de Seguridad del Estado de España. Ese dispositivo es muy sofisticado y no está a la venta del público en general. Es exactamente el mismo que utilizamos en nuestros operativos de vigilancia. Por eso me ha sorprendido que tengas uno en tu poder.

Todos se quedaron callados, asimilando la información que les acababa de dar Sofía.

—Decías que tenías dos cosas que contarnos, ¿cuál es la segunda? —preguntó Tote.

Continuó Rebeca.

—Ya sabéis que no pude verle la cara a mi asaltante en ningún momento, ya que me aferró por la espalda y me puso una navaja en el cuello. No le vi la cara, pero sí la empuñadura de su navaja. Resulta que ayer, cuando concluyó el programa de radio, que fue algo movidito, como puede atestiguar Carlota aquí presente, Tommy Egea, el jefe de la sección de deportes de *La Crónica* y colaborador radiofónico, me dijo que venía preparado para lidiar con la improvisación del *Speaker's Club*. En ese momento, a modo de broma, me mostró una navaja y su peculiar empuñadura. La reconocí de inmediato.

Rebeca no le había quitado el ojo a su hermana en toda su explicación. Tenía esos ojos brillantes característicos en ella. Su mente estaba trabajando al 100 %.

—¿Tommy Egea dices que se llama? ¿Y trabaja en *La Crónica*? —dijo Sofía, mientras cogía su móvil—. Ahora mismo emito una orden de busca y captura. Llamo al Grupo de Homicidios y vamos a por él.

—¡Espera, espera! —gritó Carlota—, ¡No lo hagas!

—¿Por qué? —preguntó sorprendida la inspectora Cabrelles—. Si Rebeca acaba de decirnos que reconoció la empuñadura de la navaja...

—No nos precipitemos.

—¿Se puede saber a qué viene esa actitud tan extraña? —insistió Sofía.

—Antes de hacer nada, contestarme a dos preguntas muy básicas. Con un sí o un no será suficiente —dijo Carlota, muy seria y con un tono de voz muy firme, que sorprendió a todas. No era nada habitual verla así.

«Allá van las bombas», pensó Carlota.

Primero se dirigió a Tote.

—¿Por qué instalaste ese micrófono de vigilancia debajo de la mesa de tu sobrina?

Sin dejarla contestar, ahora Carlota se giró hacia Rebeca y lanzó la segunda pregunta.

—¿A que la empuñadura de la navaja que reconociste no era la de Tommy Egea?

17 · 10 DE MARZO DE 1525

Jero salió de la escuela, sin ningún contratiempo y sin que nadie lo advirtiera, por la puerta trasera.

«Por los pelos», pensó. No quería ser interrogado acerca del hallazgo del cuerpo de Batiste, ya que le hubiera tenido que mentir, además, nada más y nada menos, que al justicia criminal de la ciudad y amigo del propio padre de Batiste.

Ni siquiera estaba seguro de sí mismo. No sabía cómo hubiera reaccionado, en caso de ser interrogado. Todo estaba demasiado reciente y aún no había asimilado la nueva situación en su vida. También era consciente de que, a pesar de su forzada maduración anticipada como persona, fruto de las circunstancias de su vida, no podía olvidar que tenía tan solo nueve años. Tenía las emociones a flor de piel, y el simple recuerdo de su amigo, hacía que le brotaran las lágrimas, como estaba ocurriendo ahora mismo.

No quería ir al Palacio Real, su casa. Esa no era su intención. Pensó que su obligación era dar la cara y, sobre todo, explicaciones a Johan Corbera, el padre de Batiste, que estaría destrozado de la pena. Se merecía saber qué es lo que había sucedido, y decirle que él estaba vivo gracias a Batiste. Sin su ayuda, nunca hubiera sido capaz de salir de aquella horrible estancia. Consideró que era lo menos que podía hacer. Rendir un sincero tributo de gratitud al mejor amigo que había tenido en su vida, y que probablemente tuviera jamás.

Iba andando por la calle, llorando y con un aspecto físico lamentable. Era consciente de que las miradas se posaban en él, incluso notó el intento de alguna persona de acercarse, por si le había ocurrido algo. «¡Y tanto!», pensó, pero no podían hacer nada por evitar la terrible desgracia sucedida, ni devolverle la vida a su amigo Batiste.

Sus sensaciones eran contradictorias. Por una parte, deseaba abrazar a Johan, pero por otra parte, sabía que iba a ser un momento muy duro. Con todas las vicisitudes que habían sucedido en su corta pero intensa vida, quizá se avecinara la situación más delicada y triste, a la vez. Una tragedia que no tenía claro si iba a ser capaz de superarla.

Ya estaba llegando a la calle Blanqueríes. Ralentizó el paso. Tenía que pensar cuál iba a ser su actitud inicial hacia Johan. Pensó que sería mejor dejarse llevar y no preparar nada. Tampoco sabía cómo iba a ser recibido, ni siquiera si lo iba a ser.

Se detuvo justo enfrente de su puerta, mirándola. No se apreciaba nada especial. «Claro», pensó, «¿qué va a ocurrir aquí afuera? El drama estará dentro».

Por fin, sacó fuerzas de flaqueza y llamó a la aldaba. «¡Qué sea lo que Dios quiera!», se dijo, con el corazón en un puño.

Nadie contestó ni abrió la puerta.

«A ver si Johan no se encuentra en su domicilio. Podría estar desde prestando declaración ante los alguaciles, hasta velando el cuerpo de su hijo, en otro lugar diferente a esta casa». No se había planteado esa situación.

Insistió con la aldaba. «Una vez más y desisto», pensó. Lo último que quería era molestar, dada la situación.

Esta vez escuchó pasos en el interior de la vivienda. «Johan está», pensó. «En un momento me abrirá y, ¿qué le digo?». Estaba acongojado y sudoroso. Era perfectamente consciente que su aspecto debía ser lamentable.

Así fue. Apenas unos segundos después, la puerta se abrió y apareció la figura de Johan.

Le dio un abrazo a Jero, sin mediar palabra.

«Empezamos bien», pensó Jero, haciendo verdaderos esfuerzos por no llorar. Se supone que el motivo de su visita era darle ánimos y explicaciones, no a ponerlo más triste de lo que ya estaría de por sí.

—Me alegro de verte. ¿Cómo estás, Jero? —le preguntó.

«¿Me pregunta a mí qué cómo estoy? Se supone que esa cuestión debía formulársela yo».

—Bien Johan, ¿y tú? —preguntó, con verdadero temor a escuchar la respuesta.

—Dentro de lo que cabe, bien también.

Jero se quedó sorprendido por la entereza de Johan. Se separaron del prolongado abrazo y se quedó mirando la cara del padre de Batiste.

«¿Qué ocurre aquí?», se preguntó de inmediato. Aquella reacción de Johan no le cuadraba nada ni le parecía normal. Acababa de fallecer su único hijo y le contestaba esa tontería de frase, completamente insulsa y sin ningún sentimiento.

No lo entendía. «O se lo ha tomado con una entereza fuera de lo normal o...», se dijo horrorizado, cayendo en la cuenta que existía otra posibilidad.

«¿Y si no lo sabe?», se preguntó con pavor. Una cosa era hacerle una visita para darle el pésame e intentar consolarlo, y otra muy distinta era tener que darle la noticia de la muerte de Batiste. Esa cuestión no figuraba en sus planes, ni consideraba que estaba preparado para ello. Un sudor frío recorrió su frente.

«Lo que me faltaba para culminar el peor día de mi vida», pensó Pero ahora no podía detenerse, ya no había vuelta atrás, tenía que continuar.

—Lo siento muchísimo por Batiste. Hay cosas que no sabes y que debes conocer —se lanzó Jero.

Pensó, en apenas un segundo, que cuánto antes se quitara de encima este peso, mejor para todos. Se lo debía todo a su amigo, Batiste.

—Soy un descortés, lo siento Jero —le respondió Johan—. Estamos manteniendo esta conversación en la puerta de mi casa, anda pasa al interior.

Así lo hicieron. Johan y Jero se sentaron en la mesa de la cocina, dónde había comido un par de veces con Batiste y su padre. Tuvo que hacer verdaderos esfuerzos para no llorar. Se supone que debía mantener una entereza que, ahora mismo, no tenía. Estaba sacando fuerzas de flaqueza, pero ya le quedaban pocas.

—Ahora que ya estamos cómodos, anda, dime. ¿Qué es lo que tengo que saber de Batiste y no conozco?

Jero no sabía por dónde comenzar. Decidió ser sincero y hacer un pequeño resumen de los desgraciados hechos ocurridos ayer.

—Batiste y yo nos quedamos encerrados en una estancia del Palacio Real, los dos solos.

—¿Y qué? ¿Eso es un problema?

—Se trataba de una estancia secreta, cuyo acceso estaba disimulado tras unas maderas, en una pared de mi propia habitación.

—En todos los palacios reales hay pasadizos y estancias secretas, tanto para entrar como para salir. Cumplían esa doble función, porque, además de utilizarlas los reyes y los nobles de la corte para introducir, de incógnito, a sus amantes u otras personas con las que se querían reunir de forma confidencial, también servían de vía de escape. En caso de una revuelta popular, cumplían también la función de una especie de salida de emergencia. Supongo que el Palacio Real de la ciudad no será una excepción a esa regla.

—Me parece que sigues sin entenderlo. Nos quedamos encerrados en una de esas estancias secretas, sin aparente salida. Nadie conocía nuestro paradero, en consecuencia, nadie iba a venir a rescatarnos. No disponíamos ni de agua ni de comida. Yo estaba dispuesto a morir, hasta había aceptado los designios del Señor, pero él no se dio por vencido, incluso rozando la blasfemia, en alguna ocasión. Pensé que estaba desesperado e intentaba ocupar su mente en algo, mientras llegaba la muerte.

—Muy típico de Batiste —le respondió Johan, haciendo un gesto con las manos, indicando que ya conocía de sobra a su hijo.

—Sin embargo, su empeño tuvo sus frutos. Localizó una salida, a través de una rejilla que daba acceso a una acequia subterránea, que pasaba por debajo de la estancia del palacio —continuó su explicación Jero—. Se sacrificó por mí y me dejo caer con suavidad sobre la parte seca de la acequia, un sendero que trascurría paralelo a la corriente de agua. Una vez yo estuve a salvo, él tuvo que saltar, sin ayuda y en la penumbra más absoluta, con la mala fortuna de que no lo hizo en la senda junto a mí, sino que cayó al agua.

—¿Y qué?

—Que el agua llevaba una fuerte corriente. No pude hacer nada por él, de hecho, lo perdí de vista de inmediato, sumergido. El caudal y la corriente eran demasiado potentes para intentar cualquier cosa. Desapareció de mi vista en un segundo, sin que pudiera hacer nada.

Johan se quedó mirando a Jero.

—¿Qué me quieres decir, exactamente?

—No me hagas tener que decírtelo, por favor —dijo Jero, que, a pesar de todos los esfuerzos de autocontrol, ya no pudo más, y una lágrima rodó por su mejilla.

—No, no. Me interesa muchísimo saberlo. Cuéntamelo —insistió Johan.

Estaba claro que no sabía nada. Jero pensó seriamente en salir corriendo, pero su educación, y también su conciencia, que no paraba de gritarle al oído que se comportara como un adulto, cuándo no lo era, se lo impidió.

—Pues está claro, Johan. Que no sé nada de tu hijo Batiste. Me puse a salvo, mientras que a él se lo llevó la corriente, hundiéndose en el agua —dijo Jero, que era incapaz de pronunciar esa impronunciable palabra tabú, «muerte».

Johan se quedó un instante en silencio. A Jero le dio la impresión que estaba intentando asimilar el sentido de sus palabras.

—Ahora me explico muchas cosas —dijo Johan.

Jero seguía sin entender la serena reacción de Johan. Le daba la impresión de que, más que triste, estaba enfadado. Esperaba que no le echara la culpa de los acontecimientos a él, ya tenía bastante cargo de conciencia por sí mismo. No estaba preparado para esta situación y estaba seguro de que se derrumbaría.

—Fue una auténtica imprudencia por vuestra parte —dijo Johan.

—No me lo repitas. Esta noche apenas he podido dormir, no me lo puedo quitar de la cabeza. De hecho, me he tenido que salir de la escuela antes de que finalizara su horario. He vomitado. No me encuentro nada bien.

—No hace falta que lo digas. Tienes un aspecto lamentable. No recuerdo haberte visto jamás así.

Jero seguía asombrado por la reacción de Johan. Ahora se preocupaba por su estado. «Inaudito», pensó.

—Pero ¿de verdad has comprendido lo que te estoy contando? Por tu reacción, me da la impresión que no lo estás haciendo.

—Lo he pillado a la primera Jero. No soy tan listo como tú, pero tampoco soy idiota.

—Entonces, ¿no dices nada? ¿Ni una sola palabra? Me parece inconcebible.

—¿Qué quieres que diga? ¿Qué quieres que haga? ¿Algo va a cambiar las cosas?

Jero estaba sorprendido. Jamás hubiera esperado ese tipo de reacción en Johan.

—Admiro tu manera de afrontar las cosas y tu entereza —dijo Jero—. Yo no creo que hubiera sido capaz.

—Vamos a ver, lo que ha ocurrido ha sido una auténtica desgracia, pero, por todo lo que he podido conocer, casi se podría decir que fue inevitable.

—Sí, desde luego es una manera verlo y de enfrentarse a los acontecimientos, pero aun así, no sé si yo sería capaz de afrontarlo de esa manera.

—¿Qué quieres que haga? No hay otra manera de hacerlo —le cortó Johan.

—Sí que la hay —Jero ya no podía más. Ya le empezaba a molestar la indolencia que estaba demostrando Johan. Batiste no se merecía esa aparente indiferencia. En el fondo, estaba seguro de que no era tal, pero no le estaba gustando ni un pelo esta conversación.

—Pues ya me dirás qué quieres que haga...

—Perdona Johan si te molesta, pero ¿es que no te importa lo que le ha ocurrido a tu hijo? —Jero estaba enfadado.

—¡Claro que me importa, y mucho! —exclamó Johan—. ¿A qué viene este repentino enfado por tu parte?

—A que fallece tu hijo, y tú estás comportándote como si hubiera cogido un simple resfriado, ¿no te parece suficiente motivo? —continuó Jero.

Le sabía mal ser tan descortés y brusco en sus expresiones, pero le estaba exasperando la actitud de Johan. No comprendía la manera de comportarse del padre del que fuera su gran amigo. Una cosa era tomarse las cosas con resignación cristiana, y otra cosa era la conversación absurda que estaba manteniendo. Le parecía completamente fuera de lugar.

—¿Me estás queriendo decir que Batiste ha muerto? —preguntó Johan, sorprendido.

—¡Pues claro! ¿Ahora te enteras? ¡Ya era hora! Llevo desde que he llegado a tu casa diciéndotelo y, mientras tanto, y disculpa por la expresión, tú haciéndome preguntas estúpidas y comportándote con cierta indolencia —Jero ya no se pudo aguantar más. Sabía que debía mantener la compostura, pero los acontecimientos le habían superado.

Ahora, la cara de Johan sí que sufrió una trasformación notable.

18 EN LA ACTUALIDAD, MIÉRCOLES 17 DE OCTUBRE

Tote estaba absolutamente perpleja ante la afirmación de Carlota. Su cara lo decía todo.

—¿Cómo has podido saber que fui yo quién instaló el micrófono? —le preguntó, asombrada.

—¿Fuiste tú? —Rebeca estaba atónita. Jamás se esperaba esa confesión.

—Bueno, no exactamente tú, ¿verdad? —siguió preguntándole Carlota a su tía.

Tote seguía perpleja, por no decir las otras dos participantes en la reunión, la inspectora Sofía Cabrelles y la propia Rebeca.

—¿Cómo sabes eso también? —le preguntó Tote, que no salía de su asombro.

—Bueno, tengo que reconocer que el mérito no es mío, sino de otras dos personas.

—Pero ¿qué es lo que dices? —intervino Rebeca, que no comprendía nada.

—Pues una de ellas eres tú, precisamente —reconoció Carlota.

—¿Yo? ¡Si no tenía ni la más remota idea que tenía instalado un micrófono en mi mesa hasta hace apenas una hora! —le respondió su hermana—. Es cierto que me dijiste que lo buscara, pero no lo he sabido con certeza hasta hace un rato, cuando lo he encontrado.

—No, pero me diste la respuesta, a medias con nuestro querido amigo, sir Arthur Conan Doyle.

Rebeca no entendía nada.

—¡Estás chalada! ¿Otra vez Conan Doyle? —le replicó—. Yo no he tenido ni tengo nada que ver con estas chifladuras —dijo, dirigiéndose a Tote y a Sofía.

Carlota insistió.

—Quizá no de una forma intencionada y consciente, pero sí inconscientemente. Me has dicho por teléfono, hace un momento, que mi idea de que tenías instalado algún dispositivo de escucha en tu trabajo era cierta, porque lo habías encontrado oculto en una pata de tu mesa.

—No repitas lo obvio, lo acabo de traer y está aquí, encima de mesa —dijo, mientras lo señalaba.

—Pero al mismo tiempo, también me dijiste, con una agudeza propia de un cerebro marca Rivera-Mercader, que era imposible que el micrófono, por sí mismo, fuera la respuesta a todos nuestros interrogantes. Que no podía ser.

—¡Y es que no puede ser! Lo confirmo plenamente.

—¿Serías tan amable de explicarle a tu tía y a Sofía el motivo de esa afirmación tan tajante? ¿Cómo has llegado a esa acertada deducción?

—¿Acaso tú lo sabes? —le preguntó Rebeca.

—¿Acaso tú lo dudas? —le respondió Carlota a su hermana, con otra pregunta, mientras sonreía de forma burlona.

La verdad es que, mirándola a los ojos, a Rebeca no le cupo ninguna duda de que lo sabía. Se explicó para el resto de su público.

—Bueno, visto que mi hermana parece conocer lo que os voy a contar, os informo a vosotras. —dijo, dirigiéndose a Tote y Sofía—. Yo había quedado con el abogado Vicente Arús el lunes a las diez y no se lo había contado absolutamente a nadie, ni siquiera a mi tía, a la que no había visto. Suponiendo que existiera algún dispositivo de escucha en mi trabajo, como así ha resultado ser, tan solo tenía sentido que lo escuchara una de las dos partes, o la parte agresora o la defensora, pero no tiene ninguna lógica que lo escucharan las dos a la vez. Eso no podía ser. Una de ellas se tuvo que enterar por otro medio diferente al micrófono oculto.

—¡Exacto! Muy bien explicado. Ahora, una vez lo has razonado impecablemente, entra en acción el mérito de la segunda persona, nuestro amigo Conan Doyle.

Tote y Sofía permanecían en silencio, ante la conversación de las hermanas. Carlota continuó.

—Ya conocéis su célebre frase, «una vez descartado lo imposible, lo que queda, por improbable que parezca, debe ser la verdad».

—Sí, pesada. Ya me la he aprendido de memoria, de tanto que la has repetido últimamente —dijo Rebeca.

—Pues pongámosla en práctica. Ahora vamos a colocar todos nuestros cerebros a funcionar de una vez. Sabemos que Tote, la parte defensora, se enteró de la cita con el abogado por el micrófono oculto, porque ella misma acaba de reconocer que era cosa suya. Pero ¿y el atacante? ¿Cómo demonios se enteró él?

—No lo sé, pero presumo que nos lo vas a contar ahora mismo —dijo Rebeca.

—Venga, que no es tan complicado, ¿Quién era la única persona extraña en la redacción esa misma mañana? ¿Y quién estaba más próximo a Rebeca cuando mantuvo la conversación telefónica con el abogado?

—¡Álvaro Enguix! —saltó de inmediato Rebeca.

—¡Premio! —le respondió Carlota, divertida.

—Pero ¿no pensarás qué él…?

Su hermana le interrumpió.

—Supongo que, mientras simulaba hablar con tus compañeros de trabajo, estaba pendiente de tu llamada. Es la única explicación posible que nos queda, así que por improbable que parezca, debe ser la verdad. Conan Doyle en esencia.

Todos se quedaron en silencio, reflexionando ante el razonamiento de Carlota.

—Supongo que, como mera hipótesis, podría ser —dijo, al fin, Rebeca—. Álvaro no estaba junto a mí durante la llamada, pero tampoco tomé ninguna medida de precaución ni de privacidad especial. Vamos, que no estaba hablando a susurros, sino con mi tono de voz habitual. No me podía imaginar que a alguien le pudiera interesar esa conversación, que me parecía totalmente intrascendente.

Ahora intervino Sofía.

—¿Y qué me dices de la segunda cuestión? ¿Cómo sabes que la empuñadura de la navaja no era la del periodista Tommy Egea?

Se notaba que Carlota estaba disfrutando, sacando a pasear sus dotes mentales.

—Me temo que, para responder a ese interrogante, nos deberemos de trasladar hasta el almacén del padre de Álvaro, Sergio Enguix. ¿Os acordáis de él?

—¡Claro! —respondió Sofía—. Ese local está en la avenida Burjassot. Fue dónde falleció Sergio y yo tuve que hacer el atestado policial. Muerte natural, aunque las circunstancias iniciales parecían diferentes, por eso nos llamaron al Grupo de Homicidios. Pero de eso hace más de dos años.

—Nosotras tres también estuvimos allí, aunque en fechas mucho más recientes, ¿verdad? —preguntó retóricamente Carlota.

—Sí, acompañados de Álvaro, que nos abrió la puerta —le contestó Rebeca—, pero ahora que no está él, ¿cómo pretendes qué entremos? Te recuerdo que es un local protegido por una persiana, con su correspondiente cerradura.

—Con esta llave —respondió, mientras metía la mano en su bolso y la mostraba.

—¿Y cómo tienes tú una llave de ese almacén? —preguntó extrañada Sofía.

—Ni se te ocurra responder —intervino Rebeca, que comprendió el motivo de inmediato—. Esta loca es capaz de contarnos, con pelos y señales, sus *encuentros en la tercera fase*, ya me entendéis...

Todos captaron a lo que se refería Rebeca y sonrieron.

—Aun así, no nos podemos permitir allanar una propiedad privada sin permiso de su propietario —dijo Tote—. Sofía y yo somos policías, ¡por favor!

—No es allanamiento de morada, porque, además de no ser la residencia habitual de nadie, es un local abandonado y deshabitado.

—Tienes razón en que no constituiría delito de allanamiento de morada, tal y como está tipificado en nuestro Código Penal, pero también constituye un delito menor. Al fin y al cabo, es una propiedad privada que tiene sus dueños, y no nos han autorizado a entrar —replicó Tote.

—¿Y eso quién lo ha dicho? ¿Para qué os creéis que me dio Álvaro esta llave? ¡Pues para que pudiera entrar, para eso sirven las llaves! —exclamó Carlota—. Y creo que esa autorización que me dio para poder entrar no ha caducado ni ha sido revocada, porque en ningún momento lo ha manifestado expresamente Álvaro, ni me ha pedido que le devolviera la llave, que sabe que la tengo.

Rebeca apoyó a su hermana.

—Conocéis de sobra a Carlota. Si dice que tenemos que ir al almacén, es que hemos de ir. Hasta ahora ha acertado en todo lo que nos ha contado, además, estoy segura de que no nos haría ir hasta allí por nada. Yo me sumo a su petición.

Tote y Sofía se quedaron mirando. El razonamiento de Carlota, aunque un tanto simple y cogido con alfileres, era cierto. Álvaro, propietario del local, le había autorizado a entrar, además dándole él mismo una llave, para que pudiera acceder a su antojo, sin manifestarle de forma expresa ninguna restricción.

—¡Vámonos antes de que me arrepienta! —dijo Tote, mirando a Sofía, que asintió también.

Salieron de la comisaria. Tote cogió su coche particular y se encaminaron hacia el almacén. Llegaron en apenas unos veinte minutos. Carlota abrió la persiana, y también la puerta, que daba acceso al local.

—Esperad a que suba el diferencial, que conecta la luz eléctrica, si no, no veremos nada. Ya sabéis que el local no tiene ventanas.

Accedió a oscuras a un lateral de la puerta de entrada. Manipuló un cuadro de luces. Estaba claro que, por su soltura y la forma de manejarse en la más absoluta oscuridad, no era la primera vez que lo hacía. Pulsó un interruptor y todo el local se iluminó.

—Ya podéis entrar. Cuidado, que está aún en peor estado de conservación que la última vez que vinisteis —les advirtió Carlota.

—De la última vez que acudí yo, desde luego —dijo Sofía, observando el absoluto abandono que reinaba en ese local, que ella vio en plena actividad. Ahora estaba lleno de polvo y suciedad por todas partes.

—¡Mirad! Ahí está la foto del difunto Sergio Enguix —dijo Rebeca, mientras señalaba el retrato que colgaba en una de las paredes.

—¿De quién? —dijo sorprendida la inspectora Cabrelles.

—Del difunto Sergio Enguix. La última vez que visitamos este local, vuestro amigo, el detective Richie Puig, lo reconoció y nos explicó que estuvo hablando con él en este mismo lugar, sentado en ese taburete.

—Álvaro Enguix nos dijo que era un retrato de su padre confirmó Carlota—. Nos comentó que su madre y él habían preferido que estuviera colgado en su amado taller, donde pasaba más tiempo que en su propia casa.

Sofía Cabrelles se empezó a reír a carcajadas, hasta le caían lagrimones por los ojos. No podía parar.

—¿No te parece que tienes poca sensibilidad hacia los difuntos? —le reprochó Rebeca—. ¿Te parece una manera apropiada de comportarse?

Sofía hizo verdaderos esfuerzos por parar de reírse.

—Lo único que has dicho de cierto en tus preguntas es la palabra «difuntos». De inmediato, comenzó a desternillarse de nuevo.

—Pero ¿qué te hace tanta gracia? —le preguntó Tote, extrañada por la reacción de su compañera—, porque yo no se la veo.

—Mujer, que no lo conozcan Rebeca y Carlota entra dentro de lo normal, pero que tú no reconozcas ese retrato... —dijo Sofía, entre su absoluta hilaridad. Continuaba sin poder parar de reírse.

Tote se fijó mejor. La vez anterior no le había prestado demasiada atención. Recordaba que le había llamado más la atención la reacción de susto del detective Richie Puig que en el propio retrato de Sergio Enguix.

—¡Dios mío! —exclamó ahora que lo hacía, dando un pequeño paso hacia atrás.

19 10 DE MARZO DE 1525

Después del anuncio de la muerte de Batiste, Johan volvió a reaccionar de una manera peculiar. Jero seguía sin entender nada. Salió corriendo y dejó a Jero a solas, en el salón de la casa.

«Primero muestra una aparente indiferencia, y ahora desaparece, supongo que para evitar llorar en mi presencia», pensó Jero, que no comprendía las extrañas reacciones de Johan, ante la devastadora noticia que acababa de recibir. No era para menos.

Cuando volvió a aparecer, su rostro se había trasmutado, pero de un modo completamente diferente al que se esperaba Jero. Su mente intentaba buscar alguna explicación racional. No podía creer que tuviera que ver con la resignación ante lo inevitable. Sabía que Johan era cristiano, pero, desde luego, no de los más fervorosos, al igual que Batiste.

—Perdona mi repentina ausencia. Comprenderás que la noticia que me acabas de dar me ha dejado muy afectado. Quiero saber todo. Esta situación no me la esperaba jamás —dijo Johan.

«¿Muy afectado?», pensó Jero, que no comprendía la tibieza de esa expresión. Seguía sorprendido por la entereza que demostraba Johan. «Es cierto que ha pasado por muchas vicisitudes en la vida. Quizá su actitud no tenga nada que ver con la Fe. También es posible que la vida le haya curtido y lleve puesta una coraza afectiva», pensó.

Jero continuó a la carga.

—Para empezar, nos mentiste. Bernardo no es alguacil —dijo, a modo de introducción de la explicación final.

—¿Cómo lo sabes?

—¿Cómo te crees que me he enterado, de una forma definitiva, del fallecimiento de Batiste?

—No lo sé, pero presumo que ahora me lo contarás.

—De verdad, Johan, me empiezas a preocupar, y te lo está diciendo un niño de nueve años. ¿Qué te ocurre? Parece como si no reaccionaras.

—Tantos años ocultando mi verdadera personalidad como undécima puerta... Quizá hasta me hayan convertido en un auténtico maestro del disimulo.

—Pues lo haces de maravilla.

—Venga —insistió Johan—. Que haga todo lo posible por no parecer triste, no significa que no sienta nada. A veces los sentimientos van por dentro y no se exteriorizan. Pero quiero saberlo todo.

—Puede ser, pero creo que un buen desahogo es el mejor remedio para quitarte ciertos pesos de encima, y te lo digo por experiencia personal.

—Lo que tú quieras, pero aún no me has contestado a la pregunta que te formulado hace un momento. ¿Cómo sabes que mi amigo Bernardo no es alguacil?

—Porque Bernardo Almunia se ha personado hoy en la escuela.

—¿Qué? —preguntó sorprendido Johan, que, ahora, sí que parecía más preocupado.

—Acompañado de un tal Guillem, que nos lo ha presentado como su ayudante.

—Sí, también lo conozco. Continúa —parecía que Johan había reaccionado.

—Nos ha revelado su cargo, nada más y nada menos que es el justicia criminal de la ciudad, no un simple alguacil como nos dijiste. Por eso disponía de tanta información del supuesto asesinato de Arnau, cuando nos llevaste a visitarlo a Batiste y a mí, aunque, supongo que todo eso ya lo sabes.

Johan se levantó de la silla. Ahora sí que estaba claramente intranquilo.

—¿Y qué es lo que os dijo exactamente?

—Que había aparecido el cuerpo de Batiste, atrapado entre los cañizos de la desembocadura de la acequia, justo la que pasa por debajo del Palacio Real, que, te recuerdo, fue por dónde nos escapamos de aquella habitación sin aparente salida.

Johan no se estaba quieto. Andaba alrededor de la cocina.

—¡Pero eso es inconcebible! —dijo, al fin.

—No lo es. Ya sé que debe ser un momento muy duro para ti, a pesar de los esfuerzos que haces por disimularlo.

—Sí que lo es.

—Escucha, yo estaba allí y fui testigo directo de todo lo que ocurrió en aquella habitación y en la acequia. Lo que nos acaba de relatar Bernardo no hace más que corroborar lo que yo ya sabía. No necesitaba que el justicia criminal me lo dijera, aunque, desde luego, hizo realidad mis peores temores.

Se hizo el silencio en la estancia. La pena se respiraba en el ambiente.

—Ahora me toca a mí —dijo Johan, por fin.

—Te toca, ¿qué? No te comprendo —le respondió Jero, asombrado.

—Que no me entiendes lo que te quiero decir —dijo Johan—. Batiste es un experto nadador, como yo. Nos encanta el mar. Eso, con toda probabilidad, tú ni siquiera lo sabías. Pudo vencer a esa corriente de agua y no ahogarse.

Jero ya empezaba a encontrarse incómodo con la situación. Había venido a dar el pésame por el triste fallecimiento de su amigo del alma. En lugar de eso, le había tenido que dar la desoladora noticia a su padre. Y ahora se encontraba con su negación de la realidad, pero los hechos eran muy tozudos, y por mucho que se quisiera agarrar Johan a una fantasía, la verdad se tenía que acabar imponiendo.

Jero ya no sabía qué más decir.

—No lo entiendes Johan. Comprendo que quieras agarrarte a un clavo ardiendo antes de reconocer la muerte tu hijo. Yo no he dormido en toda la noche. Tú mismo te has dado cuenta de qué aspecto tengo. Pero es la triste y desgraciada realidad y hay que asumirla —dijo Jero, que no pudo evitar derramar unas lágrimas.

Johan tomó un paño de la cocina.

—Anda, sécate —le respondió.

Jero se limpió la mejilla.

—¿Por qué te niegas a admitirlo? El justicia criminal nos ha dicho con claridad que ha aparecido su cuerpo entre los cañizos que dan a la acequia. ¿Acaso no lo crees o dudas de su palabra?

—Por supuesto que lo creo. ¿Cómo voy a dudar de don Bernardo Almunia?

—Entonces, no te entiendo.

—Te voy a hacer una pregunta, y quiero que reflexiones de verdad, es importante.

—Adelante —le respondió Jero, ahora con curiosidad.

—En algún momento de toda la conversión, ¿pronunció el nombre de Batiste, o solo os contó que había aparecido un cuerpo en ese lugar?

Jero se quedó pensativo, recordando casi palabra por palabra el discurso de Bernardo y de Guillem.

—No, no lo nombró de una forma expresa, pero...

—Pues ya tienes tu respuesta —le interrumpió Johan.

—¿Qué respuesta? Aunque no dijera el nombre, los datos que aportó no dejan lugar a dudas.

—¿Estás seguro?

—¡Johan, por favor! ¿Cuántos niños crees que estaban jugando ayer en la desembocadura de la acequia del Palacio Real? Allí no va nadie, es un lugar asqueroso y lleno de ratas. A esa zona todos le tenemos asco. Además, no pretenderás que crea en las casualidades, ¿no? El mismo día que Batiste se cae a la acequia, justo en los cañizos de enfrente de la misma, encuentran el cuerpo de un joven de su misma edad.

Johan estaba serio.

—No, no creo en las casualidades.

—Entonces, ¿de qué estamos hablando? —preguntó Jero, que no comprendía la actitud de Johan.

—Te voy a hacer otra pregunta, y quiero que reflexiones otra vez. Piensa bien tu respuesta. Esta es más importante todavía que la anterior.

—No te entiendo, pero vale —le respondió Jero, que seguía sin entender nada.

—En algún momento de la conversación, ¿dijo cuándo encontraron el cuerpo? Más concretamente, ¿Bernardo o

Guillem dijeron que lo encontraron ayer, de una forma expresa y clara?

Jero se volvió a quedar pensativo. Rebobinó su cerebro y rememoró toda la conversación.

—No, no lo dijo expresamente, aunque todos entendimos eso. Lo dimos por supuesto. En caso contrario, ¿qué sentido tendría que hubieran venido hoy? Si lo hubieran encontrado hace una semana, por ejemplo, se supone que hubieran venido hace también una semana. Tiene toda la lógica.

—De eso nada, no tiene por qué. ¿No te das cuenta? Ya estás introduciendo en tu relato suposiciones tuyas. Eso no son hechos. Ni siquiera en las palabras de Bernardo y Guillem —le contestó —. Reconoce que no deja de ser una mera conjetura tuya.

—¡Por favor, Johan! ¿Te crees que desaparecen niños todos los días? ¿Y en esa zona en concreto? ¡Venga ya! Abre de una vez los ojos.

—Creo que el que los tendría que abrir eres tú —le respondió, mirando la escalera.

Jero se giró hacia donde estaba mirando Johan, y casi se cae de la silla.

20 EN LA ACTUALIDAD, MIÉRCOLES 17 DE OCTUBRE

Tote estaba completamente abochornada.

—Reconozco que no le presté especial atención al retrato de la pared, cuando Álvaro Enguix nos contó la historia de que era una fotografía de su padre, y que él y su madre habían decidido que era mejor que estuviera aquí, porque les causaba un trastorno personal verla en su domicilio, todos los días —la voz de Tote denotaba cierta vergüenza.

—Mujer, tus sobrinas son demasiado jóvenes para reconocerlo, ¿pero tú?

—Desde luego, es imperdonable por mi parte.

Rebeca y Carlota se estaban mirando, sin entender nada de lo que hablaban Tote y Sofía.

—¿Alguien nos puede explicar qué está pasando? —se lanzó Rebeca.

—Muy sencillo —le respondió Sofía Cabrelles—. Esa fotografía que está colgada en la pared no se corresponde con Sergio Enguix, el padre de Álvaro.

—¿Y eso cómo lo puedes saber? —le preguntó Carlota.

—Ahora voy a asumir tu papel habitual —dijo Sofía, divertida, dirigiéndose a Carlota—. Estoy completamente segura de que no es Sergio por dos motivos. ¿Eres capaz de deducirlos?

—Pues no, ¿cuáles? —respondió, algo picada. Le gustaba ser ella la protagonista de esas cuestiones, pero no estar en la parte contraria.

Sofía seguía divertida con la situación.

—El primero es obvio. Ya os he dicho que asistí al levantamiento de su cadáver. Como comprenderéis, aunque haga dos años de esos hechos, le vi la cara y la recuerdo perfectamente.

—¡Claro, que tonta! —dijo Carlota—, eso lo tenía que haber deducido. Pero hay algo más, ¿verdad? Porque eso no explica tu exagerada risa.

—Ese es el segundo motivo. Tenéis veintidós años recién cumplidos. Casi no habíais ni nacido cuando falleció el fotografiado, cosa que ocurrió allá por el año 2002, si no lo recuerdo mal.

—El padre de Álvaro murió bastante después de esa fecha —indicó Rebeca.

—Os acabo de decir que no es él. Estáis contemplando un magnífico retrato del gran Rafael Conde, más conocido popularmente como El Titi.

—Me suena vagamente su nombre —dijo Carlota—. Lo he escuchado en algún lugar, pero hace tiempo.

—Pues a mí no me suena de nada —respondió Rebeca, sin dejar de mirar el retrato.

—¡Esta juventud! Perdemos la memoria histórica. El Titi fue un gran artista de variedades, valenciano de adopción, aunque nació en Talavera de la Reina, provincia de Toledo. Quizá su éxito más reconocido fue la canción *Libérate*, un himno a las libertades homosexuales. Es hijo adoptivo de la ciudad de Valencia —dijo Tote, que seguía avergonzada por no haberlo reconocido en su anterior visita al taller—. Es de la época de Rosita Amores. Yo nunca lo vi actuar, aunque sí que lo conocía personalmente.

—Muy bien explicado Tote —dijo Sofía, divertida—. Evidentemente, El Titi no puede ser, ni es, el padre de vuestro amigo, como podréis comprender.

—Pero entonces, ¡nos mintió Álvaro Enguix! —dijo Carlota, que también parecía algo abochornada.

—Esa no es la pregunta adecuada, y siento ser yo la que la formule. La verdadera cuestión es, ¿existe Álvaro Enguix en la realidad? —dijo Rebeca, que empezaba a encajar las piezas, como le gustaba hacer a su hermana.

Carlota se quedó pensativa, pero evitó responder a la pregunta, lo que, de por sí, ya era muy significativo. Era evidente que lo estaba considerando, además, muy seriamente. Tenía ese aspecto característico en ella de estar estrujando su poderosa mente.

—No solo eso. Este descubrimiento que acabamos de hacer tiene muchos efectos y daños colaterales —dijo Tote—. Acaba de explotar una bomba y hay más heridos.

—¿A qué te refieres? —le preguntó Rebeca.

—¿No os acordáis? El detective Richie Puig manifestó reconocer, sin ningún lugar a dudas, que ese retrato de Rafael Conde, El Titi, era de Sergio Enguix, y que había estado hablando con él, en este mismo lugar.

—Es cierto. Recuerdo el susto que se llevó cuando vio la fotografía colgada de la pared, el último día que estuvimos en este local —rememoró Rebeca.

—Pues ya me contaréis cómo pudo hablar, hace apenas un mes, con una persona que lleva fallecida desde 2002.

Rebeca y Carlota lo recordaban perfectamente. Sofía no, porque no estuvo con ellas ese día en el almacén.

—Pues entonces amplío mi pregunta, ¿existen Álvaro Enguix y Richie Puig, tal y como creíamos conocerlos? —se lanzó Rebeca.

—Está claro que no —respondió Tote.

Sofía, ahora, parecía preocupada. Todo rastro de su hilaridad anterior había desaparecido por completo de su rostro.

—¿Has hablado con Richie últimamente? —preguntó Sofía a Tote.

—No —respondió—. Le he llamado tres o cuatro veces, pero me sale una locución grabada diciendo que ese número no se corresponde con ningún abonado.

—¿Y no te pareció extraño?

—No le di importancia, la verdad. Es detective privado, o al menos eso creía hasta ahora, y no es la primera vez que desaparece por una temporada. Siempre lo he achacado a lo peculiar de su trabajo. Cambia con frecuencia de número de móvil, pero siempre me llama para darme el nuevo.

—¿Y lo tienes?

—No. Esta vez no lo ha hecho, pero tampoco me alarmé. Ya lo conocéis, es muy peculiar. Puedo verlo tres veces en una semana, y luego no saber nada de él en meses. No me preocupé porque no es una situación extraña en él.

De repente, Sofía alzó la voz, alarmada. Todos se giraron hacia ella.

—¡Mirad! —exclamó.

—¿Qué? —peguntó sobresaltada Rebeca.

Se dirigió hacía una de las mesas, sacó un pañuelo de papel de su bolsillo, y cogió un pequeño objeto.

—¿Reconoces la empuñadura de esta navaja? —preguntó Sofía, dirigiéndose a Rebeca.

—Claro. Esa es la que portaba mi agresor, es inconfundible —dijo.

Rebeca no parecía alterada en absoluto. De hecho, el tono de su voz no había cambiado ni un ápice. Aquello era extraño.

Sofía abrió el maletín que portaba, extrajo una bolsa y dejó caer la navaja en su interior.

—Veo que no te has sorprendido por el hallazgo, ¿verdad? —reaccionó Carlota, que llevaba callada desde la conversación del retrato de El Titi.

—Así es. Cuando vi la navaja de Tommy Egea, me recordó a otra que había visto hacía dos semanas, más o menos. No sé si lo recordarás, Carlota —dijo, dirigiéndose a su hermana—, pero el día que grabamos el programa piloto de radio del *Speaker's Club*, que estaba cerrado con unas vallas y telas, Álvaro Enguix sacó esta misma navaja para rasgar las lonas. Me la enseño, y se dio cuenta de mi cara de sorpresa. Se vio obligado a darme explicaciones, con absoluta naturalidad. Me dijo que no me extrañara que la poseyera, ya que tenía licencia de armas, por su trabajo de joyero. En ese momento no le di la menor importancia.

—Una vez más, tenía razón en ambas de mis deducciones antes de venir a este almacén —dijo Carlota, poniéndose las medallas—. La navaja no pertenecía a Tommy Egea, y el micrófono en tu mesa —dijo, mirando a Rebeca—, lo mandó colocar tu tía.

—¿Y cómo sabías que íbamos a encontrar la navaja en este almacén? —preguntó Sofía—, porque esa cuestión no la has explicado.

—La verdad es que no tenía la completa seguridad en ese detalle. Conociendo un poco a Álvaro, sé que no la guardaría en su casa. Era más lógico que la dejara en este almacén abandonado, al que nadie viene nunca. Lo que sí sabía era que Rebeca había reconocido la empuñadura de la navaja de Álvaro, no la de Tommy, como creíais vosotras desde el principio.

—¿Y cómo sabías que yo fui la que mandé colocar el micrófono en la mesa de mi sobrina? ¿Porque era un aparato de escucha profesional tan solo al alcance de Policía y Guardia Civil?

—¡Noooo! —contestó Carlota—. Lo del micrófono lo sabía bastante antes de conocer esa información, de la que me he enterado hace un momento. Recuerda que eso lo ha contado Sofía en tu despacho, apenas hace media hora.

—Entonces, ¿cómo podías conocer ese hecho? Aún sigues sin explicarte por completo —le preguntó Rebeca.

—¿Hace falta que nombre otra vez a Conan Doyle?

—¡Por favor! —exclamó Rebeca—. ¡Qué pesada eres!

—No lo sería si pusieras ese *coco* que tienes por cabeza a funcionar —le contestó Carlota.

—Venga, lúcete, que te gusta.

Tú misma —dijo, dirigiéndose a su hermana— has reconocido en repetidas ocasiones que el salón central de *La Crónica* no está vacío casi nunca, que siempre hay alguien en algún turno de trabajo, las veinticuatro horas del día.

—Sí, así es —confirmó Rebeca.

—Pues ahora piensa un poco. ¿Quién y qué día tuvo más de dos horas para campar a sus anchas por esa sala, habitualmente concurrida que, sin embargo, en esas dos horas estaba prácticamente desierta?

Rebeca lo comprendió de inmediato.

—La gemela Alba, el día que mi tía organizó el tentempié en mi casa. Casi toda la redacción se encontraba ausente de esa sala porque estaban en mi domicilio. Fue el mismo día que me registraron a conciencia todas mis carpetas y mi documentación —contestó, casi gritando.

—Elemental querida Watson. Tus ángeles de la guardia —dijo Carlota, sonriendo—. No solo registraron tus papeles, también te dejaron un regalito muy especial, en forma de micrófono.

Rebeca se giró hacia su tía, buscando una explicación. Nada más ver su gesto, ya intuyó la respuesta.

—Carlota tiene razón, es cierto, no lo voy a negar a estas alturas— reconoció Tote—. Estaba muy preocupada por tu seguridad. Entiende que tenía que tomar ciertas medidas para protegerte.

—¿A costa de mi privacidad? —le preguntó Rebeca, que tenía cara de estar bastante enfadada con su tía.

—Por supuesto, y mira que lo siento. Pero, al final, a su manera, tenemos que reconocer que funcionaron. Si no llega a ser por ese micrófono oculto, a saber qué te habría hecho el loco de Álvaro Enguix.

—Ya hablaremos más adelante de este tema, cuando estemos a solas —le contestó Rebeca, que era muy celosa de su privacidad.

—Bueno, en este almacén ya hemos terminado, no nos queda nada por hacer. Voy a mandar al laboratorio de la Policía Científica esta navaja, y a emitir una orden de busca y captura para Álvaro Enguix —dijo Sofía, o más bien la inspectora de homicidios Cabrelles, que es lo que parecía ahora—. Nos podemos ir todos.

Se dirigieron hacia la puerta de salida.

—Rebeca, ¿te importaría acompañarme a un lugar? —preguntó Carlota.

—¿Justo ahora? —casi dijeron a coro Tote y Sofía.

Tranquilas, es al centro de la ciudad, no es ningún lugar misterioso, y, por supuesto, nada relacionado con peligro alguno —dijo Carlota.

—Claro que no —les contestó su hermana, que no tenía ni idea de qué pretendía su hermana, pero le brillaban los ojos, y con ese detalle le bastaba para apoyarla. Rebeca supuso que Carlota se estaba guardando algo, que no había querido contar en presencia de Tote y Sofía.

—No hay problema —respondió Tote.

—En cuanto a ti, Rebeca —dijo la inspectora Cabrelles—, necesitaré que me facilites el parte de lesiones del hospital y que te persones en la Jefatura Superior de Policía lo antes que puedas, para tramitar la denuncia y tomarte declaración. Pura rutina, pero necesaria.

—Mañana me pasaré a primera hora, antes de acudir a *La Crónica*, ¿te viene bien?

—Perfecto. Como siempre, pregunta a los agentes de la puerta por mí y diles que tienes una cita conmigo y que te estoy esperando.

—Os dejo en el centro de la ciudad a vosotras y luego llevo a Sofía al trabajo —dijo Tote. Recordaron que habían acudido al almacén de Sergio Enguix con su coche.

Las hermanas se bajaron en la plaza del Ayuntamiento.

—Ahora que estamos solas, ¿me podrías explicar qué hacemos aquí? —preguntó Rebeca—. Te he apoyado a ciegas, sin conocer qué tramas.

—Es muy sencillo, en realidad todo parte de ti. En el almacén de Sergio Enguix has hecho una reflexión que me ha dado que pensar. Has formulado una hipótesis que requiere de una inmediata confirmación. Hasta que no lo haga, no me quedaré tranquila.

—¿De qué narices hablas?

—Tú limítate a hacerme caso y nadie resultará herido.

—Carlota, me empiezas a preocupar. ¿Qué idioteces dices? —preguntó Rebeca, con cara de comprender cada vez menos a su hermana.

Enseguida se dio cuenta de que Carlota se estaba aguantando la risa.

—Nada, es que te veo tan tensa que me apetecía relajar un poco el ambiente. Siempre me había hecho ilusión decir esa frase, tan habitual en ciertas películas policiacas de época. En realidad, lo que vamos a hacer es bastante más aburrido que eso, aunque no va desencaminado.

Rebeca seguía sin comprender nada, pero prefirió no continuar preguntando. Conocía de sobra a su hermana y sabía que no le sacaría ni una sola palabra que no le quisiera decir, hasta el momento que ella lo decidiera.

Salieron de la plaza del Ayuntamiento por la calle Periodista Azzati, hasta llegar a la calle San Vicente.

—¡Vamos a la joyería Enguix! —dijo Rebeca, cuando cayó en la cuenta hacia dónde se dirigían—. ¿No te parece una imprudencia, dadas las circunstancias? Acabamos de decirle a nuestra tía y a Sofía que no íbamos a ir a ningún lugar peligroso.

—La joyería no es peligrosa.

—¿Cómo lo puedes saber?

—Ahora lo averiguarás por ti misma, pero no pretendo entrar.

—¿Entonces para qué vamos?

—¿Confías en mí?

—¿Quieres que te responda con sinceridad? Creo que no te gustaría la contestación. Si no me das alguna pista, no entiendo nada de lo que estamos haciendo.

—¿No querías respuestas? Ahí tienes la primera, por eso te había dicho que no íbamos a entrar en la joyería Enguix ni era un lugar peligroso —dijo Carlota, mientras la señalaba.

Casi sin darse cuenta, habían llegado a su puerta. Estaba cerrada, con un gran cartel en el escaparate. Ponía «Se traspasa», el nombre y el teléfono de una inmobiliaria. Carlota sacó su móvil y le hizo una fotografía al cartel.

—¿Cómo lo sabías?

—Tan solo lo suponía —reconoció Carlota.

—Y ahora, ¿qué hacemos?

—Ahora vamos a entrar en el comercio antiguo ese. Parece tan viejo como la propia joyería. Tú déjame hablar a mí y no digas ni una sola palabra, escuches lo que escuches, aunque te parezca muy extraño lo que diga. ¿Prometido?

Rebeca se quedó mirando a su hermana.

—Prometido, pero ¿para qué vamos a hacer eso? —cada vez entendía menos a su hermana —¿Y qué es lo que me va a extrañar? ¿Por qué me adviertes de esa manera?

Carlota la dejó con la palabra en la boca y entró en lo que parecía una droguería y perfumería, seguida de una desconcertada Rebeca. Había una dependienta detrás del mostrador, que parecía tan antigua como el propio establecimiento.

—Buenas tardes, señora —dijo Carlota, en tono muy amable y con una sonrisa en su rostro—. Hemos visto el cartel de "Se traspasa" en la joyería Enguix.

La tendera levantó la vista.

—Sí, Carmen, la pobre viuda de Sergio Enguix, lleva intentando traspasarla desde que falleció su marido, hace más de dos años —le respondió la que supusieron que era la propietaria de la perfumería, por su avanzada edad.

—Me gusta pasear mucho por el centro de la ciudad y observar los escaparates de las tiendas de toda la vida. Me apasiona el comercio histórico. He pasado por esta calle en infinidad de ocasiones, y, alguna vez, me ha parecido ver abierta la joyería, y, desde luego, de eso hace menos de dos años.

—Sí, no te confundes. A veces vienen los señores de la inmobiliaria y la abren. Supongo que será para enseñarla a algún posible comprador. La verdad es que la mantienen bastante limpia y aseada, incluso conservan su escaparate con idéntico aspecto al que tenía hace dos años.

—Es una pena verla cerrada. El comercio histórico se está muriendo. Supongo que las nuevas generaciones no quieren seguir con la labor de sus padres, aunque tengo entendido que ese no es el caso de la joyería. Creo que los Enguix no tuvieron descendencia que pudieran continuar con el negocio familiar —dijo Carlota, con toda la inocencia que supo fingir, haciéndose la afligida.

«¿Pero qué dice la petarda? ¡Claro que tenían un hijo, Álvaro Enguix!», pensó Rebeca. Estuvo a punto de intervenir en la conversación, pero le había prometido a su hermana quedarse en silencio. Así lo hizo, aunque le costó un auténtico esfuerzo mantenerse con la boca cerrada.

La propietaria del comercio continuó con la charla.

—Sí que es una pena. Es una verdadera lástima que los comercios históricos acaben cerrando, aunque en este caso sea por falta de descendencia, como bien dices. Los Enguix no tuvieron hijos.

«¿No tenían hijos?», pensó Rebeca, absolutamente asombrada.

—¿Tampoco tenían sobrinos ni ningún familiar cercano? —preguntó Carlota—. Da pena ver morir un comercio con tanta tradición en la ciudad. Cada vez quedan menos.

—No, que yo sepa. Nos conocíamos de muchísimos años y Sergio tenía claro que el negocio familiar terminaría cuando se jubilara. Claro, que nadie nos podíamos imaginar ese final tan trágico, con su infarto fulminante. Carmen se quedó desolada y sola.

Después de continuar con una breve conversación intrascendente, Carlota se despidió de la simpática señora y salieron a la calle.

—Hipótesis confirmada. Y eso es todo lo que pretendía demostrar, señoras y señores —dijo Carlota, haciendo una pequeña reverencia teatral, como si tuviera público, aunque tan solo la escuchaba una atónita Rebeca, que se había quedado muda de la monumental sorpresa.

—¿No podéis hablar sin dar esos gritos? Me estalla la cabeza y me acabáis de despertar.

Jero se levantó de inmediato de la silla de la cocina y se dirigió, corriendo, hacia la escalera.

—¡Vale, vale! —dijo Batiste—. No más abrazos, Jero, que no sé lo que he pillado en esas infectas aguas, pero no he dejado de vomitar en toda la noche.

—¿Solo se te ocurre decirme eso? —protestó Jero—. ¡Pensaba que habías muerto!

—¿Por caerme a una acequia? ¿En serio? Sé nadar perfectamente. Es cierto que hubo momentos complicados, sobre todo al principio, ya que me di muchos golpes con las paredes, pero cuando, por fin, desembocó en el río, todo fue más sencillo. No me costó gran esfuerzo nadar hasta llegar a la orilla, agarrarme a unos cañizos y salir de allí.

—¿Y no se te pasó por la cabeza que yo estaba preocupado por lo que te hubiera podido pasar? Ni siquiera volviste atrás para buscarme —le reprochó Jero, que, ahora, ya no parecía alegre, más bien enfadado.

—Te equivocas. Lo hice, pero no te encontré Ya estaba oscureciendo y no se veía gran cosa. No te olvides que ya era bastante tarde.

—¿Y qué? ¿No te importó que pensara que habías muerto ahogado?

—¡Claro! Pero yo sabía que tú estabas a salvo y con eso me bastaba. Era lo importante. Suponía, y como veo, no me he equivocado, que después de las clases acudirías a mi casa, como así ha sucedido.

—¡Menudo susto me habías dado! Al menos, podrías haberme enviado algún mensaje.

—¿Te crees que no lo pensé? ¿Acaso no ves mi lamentable aspecto? —le preguntó Batiste—. Me encontraba muy débil y cansado. Una cosa es que el agua no pudiera conmigo, y otra muy diferente es que me debí de tragar media acequia. Tengo la cabeza, pero sobre todo el estómago, hechos un auténtico guiñapo. Como verás, en este estado no podía presentarme en la escuela.

Jero le volvió a abrazar.

—Es la alegría más grande que me he llevado, desde que descubrí quién era mi padre —le reconoció. Tenía que admitir que Batiste era su principal apoyo en su vida, ahora mismo. No se la imaginaba sin él.

—Anda, déjame y no te arrimes tanto a mí. Tengo fiebres y no sé qué puedo haber pillado en esas infectas aguas —dijo Batiste, mientras se fijaba mejor en su menudo amigo—. Aunque, ahora que te observo mejor, tú tampoco tienes un aspecto muy saludable que digamos.

—Te lo acabo de decir. Pensaba que habías muerto. Apenas he dormido en toda la noche. Y tú pareces tan tranquilo y sosegado.

—¿Y ese hedor que desprendes? ¿También es de no dormir? —siguió preguntando Batiste.

Jero le relató todo lo acontecido esa mañana en la escuela. Repitió la explicación que ya le había dado a Johan, con todos los detalles.

Batiste parecía conmovido.

—¡Eso es extraordinario! —exclamó, todo lo emocionado que podía estar, dada su enfermedad.

—¿Extraordinario? Jamás se me hubiera ocurrido emplear esa expresión. Fue horrible. Te preguntabas por mi olor. Ni con todo mi autocontrol, que te aseguro que es mucho, pude evitar vomitar, ante lo que nos dijeron Bernardo y Guillem —le respondió Jero.

—No, «extraordinario» es la palabra adecuada, ¿no lo comprendes?

—Pues no.

Johan asistía en silencio a la conversación. Tampoco entendía a su hijo, pero disfrutaba de ver dos mentes como las de ellos, en plena acción. Parecía un duelo.

—Vamos a ver, Jero, que parece mentira que una persona como tú no haya caído en ese detalle. Si Bernardo y Guillem se han presentado hoy en la escuela, anunciando el hallazgo del cuerpo sin vida de un alumno de la escuela, ¿cuántos candidatos hay? ¿Cuántos alumnos faltaron? No puede haber muchos.

Ahora Jero le comprendió.

—¡Claro! ¡Tan solo uno!

—¡Exacto! Y continuando el razonamiento, si yo estoy vivo, aunque a duras penas, tan solo existe una persona posible en la lista. Lo que el justicia criminal os ha anunciado hoy no fue mi muerte, eso es evidente porque me tenéis delante de vuestras narices. Lo que os quería comunicar era el hallazgo del cuerpo sin vida de nuestro malogrado amigo Arnau. Por fin se han decidido a hacerlo oficial y público. Supongo que tendrán muchas evidencias y el caso estará prácticamente cerrado. Ya sabemos quiénes son la familia Ruisánchez y el poder que tienen en la ciudad. No se iban a arriesgar a hacer el ridículo con ellos.

—Eso es cierto. Sabemos con qué discreción han llevado toda la investigación. Bernardo ya nos lo insinuó el día que lo visitamos. Si ahora lo han hecho público, es porque ya lo tienen todo claro y ya han informado a la familia, antes de dar la noticia en la escuela —afirmó Batiste.

—Ya veo que es evidente que ya has renunciado a tu alocada teoría de que estaba escondido en su casa, temeroso de las consecuencias que supuso para Amador la acción de colarse en la residencia de las hermanas Vives.

Hasta ahora, estaban manteniendo la conversación a los pies de la escalera. Batiste se dirigió a la cocina y se sentó. Jero y Johan le siguieron e hicieron lo mismo.

—Ahora empieza lo bueno —dijo Batiste, una vez aposentado.

—¿A qué te refieres? —preguntó Jero.

—Que todo ello nos lleva al grandísimo problema de este asunto. Ahora sabemos que todo fue una gran mentira. Las hermanas Vives echaron por tierra toda la versión que nos dio Amador. Ellas no intervinieron en nada. ¿Cómo es posible que Arnau haya acabado muerto y Amador en la Torre de la Sala, y ahora castigado en su casa? —preguntó Batiste—. Este tema es una gran incongruencia. Un gran sinsentido.

Los tres se quedaron mirando.

—¿Quién nos está engañando? Está claro que ambas historias no pueden ser ciertas a la vez. O Amador miente, o lo hacen las hermanas Vives —prosiguió Batiste.

Johan había permanecido en silencio durante toda la conversación, pero ahora se vio obligado a intervenir.

—Las hermanas Vives gozan de una excelente reputación en la ciudad. Son unas personas apreciadas y jamás se han metido en ningún lío, dejando de lado las cuestiones con su hermano, Luis Vives, y con don Cristóbal de Medina y Aliaga, nuestro «amigo» receptor del Santo Oficio. Además, ya sabéis que las conozco desde hace muchos años. ¿Qué ganan ellas mintiendo? Pensad un poco, no tiene ningún sentido que no digan la verdad. Es un hecho que entrasteis de forma furtiva en su casa, y también es un hecho de que Amador, a consecuencia de todo ello, pasó una noche en la Torre de la Sala, la temida cárcel del tribunal de la inquisición de la ciudad.

—Eso es cierto —dijo Jero—. Además, teniendo en cuenta quién es el padre de Amador, no me lo imagino consintiendo que su hijo pasara por esa extrema y desagradable experiencia, sin un motivo de mucho peso. Y no existe otro que nuestra entrada en la vivienda de las hermanas Vives.

—Os olvidáis de un pequeño detalle —dijo Batiste.

—¿Cuál? —preguntaron a coro Johan y Jero.

—Arnau.

—¿Qué quieres decir? —le inquirió Johan.

—Que está muerto, con toda probabilidad asesinado. Al final, ha resultado que Jimena, la madre de Arnau, nos dijo la verdad desde el principio, aunque yo, en aquel momento, no la creyera y pensara que lo tenían oculto en su casa, para protegerlo de posibles represalias.

Los tres se quedaron mirando de nuevo. Tenían claro que algo no estaba bien. Los hechos no parecían tener sentido. Batiste siguió con su razonamiento.

—En consecuencia, las hermanas Vives no llevaron a Arnau a su casa. Esta es una circunstancia que, ahora, a la vista de los acontecimientos, parece un hecho irrefutable. Y habrá que buscar una explicación para el enigma de Arnau.

—Te repito, eso tampoco tiene ningún sentido —saltó Johan de inmediato—. O sea, que según tu teoría, las hermanas Vives sí que pudieron llevar a su casa a Amador, para ponerlo a salvo, aunque con sus condiciones. Contra su familia tenían cuitas pendientes y las aprovecharon para que Amador pasara una noche en la cárcel. Pero sin embargo, continuando con tu razonamiento, no lo hicieron con Arnau, con el que no tenían nada en contra. Lo siento, esa teoría no tiene ningún sentido ni lógica, la mires por dónde la mires.

—Tu padre tiene razón, Batiste —dijo Jero—. No tiene ni pies ni cabeza.

—Lo único cierto es que no estamos mirando el asunto desde el punto de vista adecuado, porque los hechos ocurrieron en la realidad y no lo podemos negar. Amador fue llevado a su casa y pasó una noche en la Torre de la Sala, nosotros fuimos testigos directos de ello, sin embargo, Arnau jamás llegó a la suya, y fue asesinado —dijo Batiste, que a pesar del estado de salud en el que se encontraba, aún conservaba la mente lúcida—. No podemos poner en tela de juicio los hechos que conocemos. Lo que sí podemos es intentar buscar una explicación que encaje con todos ellos.

—No existe —dijo Jero,

—Tiene que existir, porque las cosas ocurrieron en la realidad —le respondió de inmediato Batiste.

—No me has entendido. Quiero decir que, con lo que sabemos ahora mismo, no existe explicación posible. Nos falta alguna pieza que desconocemos.

—Quizá sí, o quizá no —respondió enigmático Batiste—. Insisto, creo que no estamos enfocando el problema de la manera adecuada.

—Podríamos hablar con Amador, a través de la ventana, como hicimos la otra vez. Además, creo que se merece saber que Arnau ha muerto. Ellos eran muy amigos, y como sus padres lo tienen recluido en su casa, seguro que no se ha enterado.

—Podría ser un primer paso para resolver este misterio —dijo Johan.

—O un primer paso para enredarlo más —respondió Batiste, proféticamente.

22 EN LA ACTUALIDAD, JUEVES 18 DE OCTUBRE

—¿Cómo van tus heridas en las manos? —le preguntó Tote, cuando vio aparecer a Rebeca por la puerta de la cocina, de buena mañana.

—Bastante mejor —contestó—. Hoy ya no me voy a poner el vendaje.

—¿No tendrá nada que ver la ceremonia de entrega de los Premios Ondas del sábado? Me imagino que subir al escenario con las manos vendadas no debe ser muy glamuroso.

—¡Pues claro que no! Los médicos me dijeron que las llevara puestas tan solo unos días. Además, ya sabes que no voy a subir al escenario.

—Estás nominada. Reconoce que es una posibilidad cierta —le replicó Tote.

—Soy una auténtica novata y no me dedico a los *podcast* en la radio. Aquello fue un accidente. Tengo claro que voy a disfrutar de la experiencia. Como me dijeron en la emisora, la nominación ya es un triunfo, y así me lo tomo yo, y creo que todos los demás también.

—Todos no. Sinceramente, creo que tienes posibilidades reales, y no es amor de tía.

—No digas tonterías. Hay verdaderos profesionales nominados. No le van a dar el premio a una persona ajena a su universo, y que, además, desde entonces, no ha vuelto a grabar ningún *podcast*. Te repito, yo no pertenezco a ese mundo. Intentaré disfrutar de la experiencia, aunque me sienta como un pez fuera del agua.

—Estás más dentro del agua de lo que te crees. Por cierto ¿qué haces tan pronto desayunando? Apenas son las siete de la mañana, y hoy no es lunes. Que yo recuerde, no tienes que ir a la emisora.

—No me toca ir a la radio, pero, por lo visto, sí me toca interrogatorio matutino.

—Mujer... —empezó a decir Tote, intentando excusarse. No pretendía que pareciera eso.

—Es broma —le interrumpió Rebeca, sonriendo—. A la radio no, pero sí a la Jefatura Superior de Policía. Ya sabes que ayer me cité con Sofía para formular la denuncia por mi agresión del lunes y llevarle la documentación del hospital. Quiero que me quede tiempo suficiente para ir al periódico, cuando termine.

—Por tu intento de asesinato, querrás decir.

—Ya sabes lo que pienso. No quiero discutir de esa cuestión ahora —zanjó Rebeca.

Estaba haciendo esfuerzos para que no se le notara el profundo enfado que tenía con la actitud de su tía hacia ella, por colocarle un micrófono para espiarla en *La Crónica* y de todo lo demás que se había enterado, pero ahora no era el momento de hablar de ese tema. Ya llegaría, después de la ceremonia del sábado, y seguramente a Tote no le iba a gustar lo que iba a escuchar.

Rebeca desayunó unas tostadas y su habitual vaso de leche fresca, y, después de ducharse y vestirse, se despidió de su tía y se encaminó hacia la puerta de casa. Reparó en una caja bastante grande, en un lado del recibidor.

—¡Tía! ¿Esto qué es? —gritó.

—No lo sé, lo trajeron ayer por la tarde. Viene de fuera de España y va a tu nombre. La caja no tiene ninguna marca ni papel, y llegó sin remitente, a través de una agencia de mensajería. Parece que tiene unas pequeñas letras, apenas visibles, en un costado. No lo he querido abrir hasta hablar contigo. Casi se me olvida decírtelo.

Rebeca se quedó en blanco por un momento. Se acordaba de otros paquetes que había recibido en el pasado, y el recuerdo no era bueno precisamente. «Aquella capa negra...», pensó por un instante.

Buscó esas pequeñas letras de las que hablaba su tía. Le costó encontrarlas. De repente, se le encendió una luz en su mente, en cuanto vio la palabra «RA.» en un costado. «RA» era el dios egipcio del cielo y del sol. En la mitología egipcia, era el responsable del ciclo de la muerte y resurrección. Reaccionó de inmediato.

—Tía, ni se te ocurra tocarlo y menos abrirlo. Ya hablaremos en otro momento, que ya sabes que esta mañana tengo mucha prisa.

—¿No lo abres tú antes de irte? —preguntó Tote, que se había levantado de la cocina y estaba a su lado.

—Ahora no tengo tiempo —repitió—, pero tú tampoco lo toques, te lo digo muy en serio.

—¿Acaso es peligroso? —preguntó, algo extrañada por la actitud de su sobrina.

—Quizá, por eso te acabo de decir que ni siquiera te arrimes —se despidió, saliendo por la puerta, dejando a su tía con la palabra en la boca.

Tote se quedó pasmada, pero conocía de sobra a su sobrina, así que se alejó de él. «Si ella lo dice, seguro que será por algo», pensó.

Rebeca tomó un taxi hasta la Gran Vía, dónde se encontraba la Jefatura, lugar de trabajo de Sofía. Aunque las heridas de su mano habían mejorado, consideró que no lo suficiente como para ir en bicicleta, su medio de transporte habitual por la ciudad.

En la entrada, se identificó y les informó a los policías de guardia que tenía una cita con la inspectora Cabrelles.

—Tu nombre y tu cara me suenan. Yo te conozco... —le empezó a decir uno de ellos.

«Vaya, ya empezamos con los efectos de la fama. Me parece que no lo voy a llevar demasiado bien», pensó una fastidiada Rebeca.

—... pero no sé de qué. Ahora no caigo —concluyó su frase.

Rebeca lo aprovechó.

—Soy amiga de Sofía y he venido unas cuantas veces a visitarla. Seguramente te sonará mi cara de haberme visto por aquí.

—Eso será —dijo el policía, que no parecía demasiado convencido, pero aceptó la explicación.

Rebeca aprovechó para tomar el ascensor cuánto antes, no fuera que le siguieran preguntando. Recorrió el largo pasillo hasta llegar al despacho de la inspectora. Llamó a puerta y entró.

Sofía estaba sola, rodeada de papeles. Su despacho no se parecía en nada al de su tía. Cierto que ella era comisaria y Sofía tan solo inspectora, pero la diferencia era abismal.

—Hola, Rebeca, no te esperaba tan pronto, sé que no te gusta madrugar —le dijo Sofía, mientras se levantaba de la mesa y le daba un par de besos.

—Buenos días, Sofía. Hoy, para variar, he decidido levantarme un poco más pronto de lo habitual.

—Pues llegas en el momento oportuno.

—Oportuno, ¿para qué?

—Tengo noticias muy frescas y sorprendentes del caso de tu intento de asesinato.

—A que lo adivino. Has ido a cursar una orden de detención contra Álvaro Enguix, y te acabas de enterar de que no existe esa persona con ese nombre.

Sofía Cabrelles se levantó de su silla, sorprendida por las palabras de Rebeca.

—¿Cómo sabes eso? ¡Pero si yo lo acabo de averiguar hace apenas quince minutos! Sergio Enguix y su mujer Carmen no tuvieron ningún hijo.

—Lo sé, lo sé —dijo Rebeca, un tanto divertida.

—¿Y cómo lo puedes saber antes que yo?

—En realidad, el mérito no es mío, sino de Carlota. Ayer por la tarde, cuando nos dejasteis en el centro de la ciudad, lo averiguó, a su manera.

—Luego me explicarás eso de «a su manera». Desde luego, tu hermana debería trabajar para la Policía —dijo Sofía, impresionada, mientras se sentaba en la mesa.

—Ya lo hace —le contestó Rebeca, completamente seria.

La inspectora se volvió a levantar de su silla.

—¿Qué dices? Eso no es verdad.

Rebeca se tomó su tiempo para contestar, viendo de nuevo el desconcierto en la cara de Sofía.

—Me refiero de una manera indirecta. ¿No te da la impresión de que va siempre un paso por delante de nosotras? Todos los descubrimientos importantes de este caso los ha hecho ella, desde el micrófono oculto en mi mesa, hasta la navaja en el almacén de Sergio Enguix, y ahora con la falsa identidad de Álvaro.

Sofía se volvió a sentar en su silla, pero ahora estaba pensativa. Se quedó un momento en silencio.

—¿No tendrás una foto del supuesto Álvaro Enguix? —dijo, al fin.

—Sí, claro. Tengo varias, ¿para qué las quieres?

—Una de su rostro, preferiblemente de frente.

Rebeca sacó el móvil del bolsillo de su pantalón, y se puso a manipularlo. Al final, encontró una foto de Álvaro, completamente frontal.

—¿Te vale esta?

—Perfecta —dijo Sofía mirándola. Tomó un pequeño papel y escribió algo—. Esta es mi dirección de correo electrónico. ¿Te importa enviármela?

—Por supuesto que no, pero aún no has contestado a mi pregunta —le contestó, mientras se la enviaba.

Sofía se giró hacia su ordenador.

—Tenemos un programa de reconocimiento facial muy avanzado, conectado con un montón de bases de datos. Es de la Interpol. Si este rostro está en alguna de ellas, lo identificará —le respondió, mientras manipulaba su ordenador.

—¡Caramba con la tecnología!

—Esto no es nada. No sabes los avances en medios tecnológicos de los que dispone Interpol. Lo único malo de este sistema es que es un tanto lento. Piensa que coteja multitud de aspectos de los rasgos faciales de su rostro, entre millones y millones de ellos, situados en decenas de bases de datos, dispersas por toda Europa.

—Cuando dices que es lento, ¿a qué te refieres? —preguntó Rebeca, que había quedado con Tere en acudir esta mañana a *La Crónica*, para hablar del viaje del fin de semana a Barcelona.

—Si hay suerte, a veces unos pocos minutos, pero en otras ocasiones, horas. Supongo que depende de en qué base de datos se encuentre. Si tienes algo que hacer te puedes ir, no hace falta que te esperes. Cuando el ordenador obtenga algún resultado, si lo hace, te llamo y te lo cuento.

—¡Ni hablar! —contestó Rebeca, de inmediato—. ¿Te importa que me quede aquí contigo? Creo que mi curiosidad por conocer la identidad de mi asaltante, supera a mis ganas de ir al periódico.

—¡Claro que no! —contestó Sofía—. Así me cuentas como demonios Carlota consiguió averiguar «a su manera» la falsa identidad de Álvaro Enguix.

Rebeca le contó que la joyería llevaba cerrada dos años, y también le dijo cómo obtuvo la información de la inexistencia de hijos del matrimonio Enguix, a través de una conversación con la propietaria de un comercio cercano.

—¡Es increíble! Carlota es como una maga. Cuando explicas sus «trucos» parecen sencillos, pero a nadie se le ocurre hacer lo que hace, sobre todo con la rapidez y claridad mental que ella posee.

—¡No lo sabes tú bien! Creo que tan solo la he conseguido sorprender un par de veces en toda mi vida. Como te decía, siempre va uno o dos pasos por delante.

—Una lástima que no trabaje para nosotros. Su intuición es algo fuera de serie.

—¡Ni se te ocurra decirle eso! —le respondió Rebeca, riéndose—. Odia los verbos «intuir» o «adivinar». Ella dice que no tiene nada que ver con eso. Ella «deduce», no «adivina». Le gusta decir que ordena las piezas del rompecabezas con más rapidez que nosotros. Es una habilidad que tiene desde que empezó a leer, que, probablemente, fuera casi antes de que tú comenzaras a andar.

—¿Qué ha estudiado y de qué vive? —preguntó Sofía, que, de repente, tenía curiosidad por Carlota.

«Buena pregunta», pensó Rebeca.

—No le gusta decirlo, pero estudió Derecho a través de la Universidad a Distancia. Por la grave enfermedad de su madre de adopción, a la que atendió hasta su muerte, no podía asistir a demasiadas clases presenciales. No se lo cuenta a nadie, de hecho, muy pocas personas lo conocen. La mayoría cree que no tiene estudios universitarios.

—¿Y por qué oculta una cosa así? Es algo muy bonito y que habla muy bien de ella —preguntó Sofía, intrigada.

—No tengo ni idea. Siempre ha sido así. Para que veas lo discreta que es Carlota, sé que está estudiando un máster de posgrado, pero ni siquiera yo sé cuál es. Tan solo se lo pregunté una vez, y su vaga respuesta ya me dio a entender que no quería hablar de ello. Una vez le vi con un libro de criminología, y no lo pudo ocultar a tiempo. Quizá sea ese el máster que cursa.

—Aún no me has contado de qué vive —continuó Sofía.

—¿Te crees que nunca lo he tenido demasiado claro? Sé que es una gran *influencer* en redes sociales con muchísimos seguidores, y también mantiene un *blog* de tendencias de gran éxito. En alguna ocasión me lo ha explicado vagamente, pero como yo soy lo contrario a ella en esas cuestiones tecnológicas, no lo termino de comprender. Se ve que cobra de las propias redes sociales y de los productos que patrocina, a través de sus medios. Parece que no le va nada mal.

—Muy curiosa ocupación —dijo Sofía.

—¿Por qué te parece curiosa?

—Me llama la atención que una persona, con su extrema inteligencia, viva así. Igual ella es feliz y no necesita más. También es verdad que, como te ocurre a ti, yo no estoy demasiado al día de esas cuestiones. Igual resulta que gana y tiene más dinero que tú y yo juntas, a saber. Creo que hay algunos *influencer* de esos que están *forrados*.

Rebeca eludió el tema económico. No quería que se le escapara cualquier detalle de su actual situación. Dirigió la conversación hacia las habilidades mentales de Carlota durante bastante rato, contando anécdotas muy graciosas.

De repente, el ordenador emitió un pitido muy agudo.

—¡Una coincidencia! —dijo Sofía—. Parece que tenemos una identificación positiva.

Se giró hacia el monitor.

—Parece que no todo era falso. Se llama Álvaro de verdad —dijo, mientras giraba la pantalla en dirección a Rebeca, para que también lo pudiera ver.

Cuando observó la identificación, su cara se quedó completamente pálida. Casi se cae de la silla. Sofía se dio cuenta de inmediato.

—¿Qué te ocurre, Rebeca? ¿Te encuentras bien?

—Mira el apellido.

Sofía volvió a mirar el monitor.

—¡Dios mío! —exclamo, cuando lo comprendió.

Ahora, estaba aún más pálida que Rebeca.

23 11 DE MARZO DE 1525

Don Cristóbal de Medina y Aliaga llevaba cuatro días frenéticos. Desde que retomara la lectura y estudio del legajo de documentos de Blanquina March y el proceso inquisitorial contra su tío, Miguel Vives, vivía encerrado en su despacho. Apenas salía para comer, y poco más.

—Cristóbal, esa obsesión tuya no puede ser buena —le decía su esposa Isabel.

—No estoy obsesionado. Ya sabes que me apasiona leer —le respondió.

—Una cosa es leer, y otra muy diferente estar encerrado en tu despacho más de doce horas diarias. Estás demacrado y ya sabes lo que te dijo el maestre médico, la última vez que te vio. Nada bueno.

—Lo sé perfectamente, pero creo que no me advirtió contra la lectura.

—¿Te has mirado al espejo? —le preguntó Isabel—. Me preocupas.

—Tranquila Isabel. Quizá esté algo más pálido, fruto de estar leyendo y estudiando sin parar, pero creo que jamás me he encontrado mejor que ahora. Te lo digo en serio.

—Pues tu cara me dice otra cosa.

—La cara no importa, importa esto —dijo, mientras señalaba su cabeza—. Y te puedo asegurar que está de maravilla, mejor que nunca.

—No lo tengo tan claro. No te costaría nada echarte y dormir un poco, después de cada comida. Por dedicar a descansar un par de horas al día, tampoco creo que pasara nada —insistía Isabel—. Igual esa cabeza, que dices que te funciona de maravilla, lo haría aún mejor.

—¡Ni hablar! Lo que de verdad me relaja es leer, no echarme y dormir. Para eso ya están las noches —dijo, mientras se levantaba de la mesa y se encaminaba a su despacho, para disgusto de su esposa, que le había dejado con la palabra en la boca.

Cristóbal, en su fuero interno, sabía que Isabel tenía razón, pero la lectura de aquellos papeles se había convertido como una droga para él. No podía parar ni tampoco darle la razón a su esposa, porque le obligaría a ir otra vez al maestre médico, y eso no se lo podía permitir.

La mesa de su despacho había sufrido una profunda trasformación. El receptor del Santo Oficio la había limpiado de todos los libros, papeles y expedientes que la colonizaban, para ocuparla ahora, exclusivamente, por los diversos documentos del legajo de Blanquina. Después de examinarlos a fondo, lo había vuelto a hacer, y así sucesivamente, casi de forma compulsiva durante incontables ocasiones.

Tenía claro que, en ellos, había mucho más de lo que parecía, a simple vista. Aquello formaba parte de algo mucho más grande. Las declaraciones de la práctica totalidad de las personas que formaron parte de aquella causa, excepto las del delator Joan Liminyana, que luego fueron quemadas o penitenciadas en el auto de fe de 1501, obedecían a un patrón. Al principio le costó verlo, pero, de repente, se hizo la luz en su cerebro, y ahí comenzó su obsesión.

Llegó a la conclusión de que el patrón consistía en hacer pasar a Miguel Vives como un demente, cuando, del estudio de toda su documentación contable, se desprendía justo lo contrario. Era metódico en sus cuentas y sobornaba a las personas adecuadas, incluso al tesorero real, por ejemplo.

Si Miguel no estaba loco, cuestión que don Cristóbal tenía clara casi desde el principio, tan solo cabía una posible explicación para las declaraciones de todo su entorno. Ocultar algo. Ese era el meollo del asunto. Pero ¿qué es lo que querían que no se supiera? Esa era la verdadera cuestión, la gran piedra angular.

Don Cristóbal, después de analizar toda la documentación, llegó a la conclusión de que la única nota discordante de la actuación teatral de Miguel Vives y su entorno, fueron unas declaraciones, que efectuó tan solo una sola vez, recogidas en un acta de interrogatorio, bajo tortura, del Santo Oficio. Ahora mismo la tenía delante de él. La leyó en voz alta.

«En el corral de la casa de Luis Vives, en el fondo de su pozo, hay escondido un tesoro, custodiado por un negro barbudo, atado con un collar de oro».

La primera vez que la leyó no le prestó ninguna atención, ya que le parecían los desvaríos de un loco. Pero una vez que tuvo claro que Miguel Vives estaba perfectamente cuerdo, todo cambió. Su manera de enfocar el tema ya no era la misma.

Quizá esa fuera la clave de todo. El tesoro y la fortuna de las familias Vives-March-Valeriola, desaparecida en las mismas narices del Santo Oficio, con el agravante que era su tío, Amador de Aliaga, el receptor y responsable, en ese momento. Todos los indicios apuntaban en esa dirección. Eso tenía que ser lo que querían ocultar, con todo el teatro montado en torno a Miguel Vives.

También encontró las declaraciones de una tal Gracia, que era una de las criadas en la casa de los Vives. Se recogen en un acta de manifestaciones ante el Santo Oficio dentro del mismo expediente, fechada el 9 de enero de 1501. Estas palabras las pronunció de forma voluntaria, en calidad de testigo, sin que fuera formulada acusación alguna contra ella, sin tortura de por medio y lo más importante, siendo «cristiana vieja», es decir, no una judía convertida. En consecuencia, no era nada sospechosa de mentir.

«He escuchado decir a Luis Vives que dentro del patio había un moro sujetado con una cadena de oro muy gruesa, con una gran barba, y que allí dónde estaba, todo era de oro».

En ese momento, fruto de todo lo leído y de las declaraciones coincidentes, decidió pasar a la acción inmediata, aunque, en el último momento, se contuvo. Por simple prudencia y cautela, decidió estudiar todo el asunto en su conjunto, antes de tomar decisiones precipitadas. Precisamente por ello, llevaba cuatro días leyendo, letra por letra, el legajo completo de documentos que conformaban el expediente, que no eran pocos.

Ahora, visto desde cierta distancia, creía que había hecho lo correcto en no precipitarse. Cegado por el dinero, hace cuatro días, no advirtió que la declaración de Miguel Vives, ese mismo día, no terminaba ahí, en el tesoro del pozo. Era más extensa. Ahora estaba intentando corregir las distorsiones que le había producido el arrebato inicial y poner orden en su mente. Le habían surgido muchas dudas.

Tenía la fuerte sensación de que aquello no era lo único que escondía Miguel Vives. Había algo que debía estar allí, pero no lo estaba, y tenía la sensación de 'que era mucho más importante que unas simples monedas de oro.

Leyó, una vez más, el párrafo que continuaba a la declaración de Miguel Vives, en aquel interrogatorio.

«Sé muchas más cosas que todas las personas del mundo, y si quisiera, haría temblar a mucha gente».

Aquello no se podía referir al supuesto tesoro del pozo. No tenía sentido.

«¿Y si el tema del negro barbudo era una burda distracción para el Santo Oficio?», se preguntaba ahora, hecho un mar de dudas. La sensación de que algo se le estaba escapando continuaba allí, y era muy desagradable.

«¿Qué podría saber Miguel Vives que fuera tan importante?», se preguntaba. «¿Y si toda la operación de encubrimiento, pretendiendo desacreditarlo y hacerlo pasar por un demente, poniendo en su boca locuras fantásticas, tenía, como único objeto, ocultar esta última declaración y no la primera?».

Era consciente de que las consecuencias, en cada uno de los dos casos, eran completamente diferentes. No sabía qué estaba persiguiendo. Esa pieza le faltaba, no la encontraba. Desde luego no estaba dentro del legajo del Santo Oficio. Y aquí volvían sus sospechas sobre la magistral estrategia de sobornos que había desarrollado y ejecutado de forma magistral Miguel Vives. Había conseguido tejer una red, cual tela de araña, y tenía atrapados en ella a mucha gente, incluso poderosa.

También era consciente que había personal corrupto en los tribunales de la inquisición, que aceptaban dinero a cambio de casi cualquier cosa. El problema es que, en este asunto, los únicos que tenían capacidad de manipular esta materia eran los propios inquisidores, nadie más, y ello le generaba un gran desasosiego. Una cosa era sobornar a personal menor, hecho que, desgraciadamente, era habitual, y otra muy diferente era apuntar tan alto, nada más y nada menos que a los inquisidores.

Durante estos cuatro días había hecho sus deberes.

Los dos inquisidores del tribunal de la ciudad, en aquel momento, eran Juan de Monasterio y Rodrigo Sanz de Mercado. Coloquialmente, eran conocidos por todos como Monasterio y Mercado.

Monasterio era licenciado en decretos, y antes de ser designado inquisidor de Valencia, fue canónigo en Burgos. Fue nombrado en 1491 y sustituyó en el cargo a la dupla de inquisidores Francesc Soler y Diego Magdaleno, que era licenciado en Teología. A pesar de la gran carga de trabajo del tribunal de la ciudad, fue capaz de llevarla en solitario, a plena satisfacción, durante siete años. Era una persona de mucho prestigio y un gran erudito. A pesar de rebuscar por todas partes, no pudo encontrar ni la más ligera mancha en su expediente. Era muy trabajador, extremadamente organizado y diligente en el desempeño de su labor.

En 1498, se le unió, como segundo inquisidor, Rodrigo Sanz de Mercado, que había desempeñado hasta ese momento el cargo de canónigo de Zamora, Era también licenciado y una persona recta y preparada. Tampoco fue capaz de hallar mácula alguna en su trayectoria profesional ni personal.

Aquello era un callejón sin salida. No sabía qué hacer. Estaba bloqueado, y no le gustaba nada sentirse así. No avanzaba.

Pensó en su esposa Isabel y sus consejos. Quizá, al final, pudiera tener parte de razón y le viniera bien despejarse de tantos papeles. Le daba la sensación que los podría recitar de memoria. Sabía, por experiencia en otros asuntos, que las obsesiones no eran buenas. A veces, el árbol no te dejaba ver el bosque.

«Tal vez sería bueno salir de mi despacho, aunque fuera al patio. Quizá mi mente se despejara un poco y viera las cosas de otra manera. Igual encuentro el eslabón perdido. Sé que debe existir, pero no lo estoy sabiendo reconocer», reflexionó don Cristóbal.

Al fin, decidió hacerle caso a Isabel y tomó su decisión.

24 EN LA ACTUALIDAD, VIERNES 19 DE OCTUBRE

Rebeca se despertó pronto, incluso un poco antes de las siete de la mañana. «Estoy cogiendo malos hábitos», pensó, mientras se levantaba de la cama y se dirigía al cuarto de baño.

«De todas maneras, hoy me viene bien», continuó pensando. Ayer, al final, no pudo acudir a *La Crónica*, y Tere le había mandado un montón de mensajes. Estaba más nerviosa que ella misma, con los preparativos del viaje a Barcelona, para asistir a la ceremonia de los Premios Ondas, que iba a tener lugar mañana por la noche.

Por la tarde había acudido al máster, de cuatro a siete y, cuando salió de la Facultad de Geografía e Historia, se puso a estudiar y terminar un trabajo. Cenó con su tía, hablando de temas normales. No recordaba haber pasado un día laborable tan tranquilo en meses, descontando de la sorpresa que se había llevado, por la mañana con Sofía, al conocer la identidad de su asaltante. Pero ya era viernes y hoy tocaba regresar a *La Crónica*. Si no lo hacía, Tere era capaz de matarla.

«¿Por qué no podía ser mi vida cómo ayer por la tarde?» pensó Rebeca. No aspiraba a nada más. Discreción y sencillez, algo alejado de su ajetreo habitual. Tan solo quería pasar desapercibida, como cualquier chica de su edad.

Se dio una ducha, se vistió y salió a la cocina, esperando encontrarse con su tía. A pesar de que había madrugado, Tote lo había hecho más, y ya se había marchado al trabajo.

«Mejor», se dijo. «Así podré abrir esa caja que hay en el recibidor, sin que esté ella delante».

Se tomó unas tostadas con un vaso de leche fresca y se dirigió hacia el paquete, que aún estaba en idéntica posición, sin ningún signo externo de haber sido manipulado. «Mi tía no ha sucumbido a la curiosidad y no lo ha abierto», pensó, divertida. Rebeca no tenía claro si Tote sería capaz de aguantar, después de que, de una forma bastante vehemente, le advirtiera que ni se le ocurriera tocarlo, que podía ser peligroso.

«Desde luego, en caso contrario, yo lo hubiera abierto», pensó, divertida.

Había cogido un cuchillo de la cocina y, con sumo cuidado, rasgó los precintos, casi con precisión cirujana. Aunque ya había intuido lo que contenía, por las apenas imperceptibles iniciales «RA», no por ello dejó de sorprenderse. Aquello era una bomba. Se deshizo de la caja de cartón, tirándola a la basura, y trasladó lo que había en su interior a su habitación, ocultándolo de forma conveniente. Nadie debía verlo.

Después de todas estas maniobras, salió de su casa hacia el periódico. Aunque el dolor estaba remitiendo, todavía no era el momento de coger la bicicleta, así que tomó un taxi.

Nada más entrar en la redacción, Alba se dirigió a ella.

—El director te espera en su despacho —le dijo, a modo de bienvenida.

«Lo que sea que quiera Fornell, cuanto antes mejor», pensó, mientras se dirigía hacia el despacho de su jefe, sin ni siquiera pasar por su mesa. Llamó a la puerta y escuchó el «adelante» habitual.

Se asombró un tanto con lo que vio.

—¡Vaya sorpresa! ¿Qué hacéis aquí? —preguntó Rebeca.

—Buenos días —le respondió Fornell, en tono socarrón.

—Buenos días señor director. Disculpe, es que no los esperaba ver aquí, todos reunidos.

—Alguna vez también hemos entrado en este despacho, no te creas que eres la única privilegiada que acude —dijo Tere, con una sonrisa en sus labios.

—Sí, claro, pero los tres a la vez, no sé, me ha extrañado, por eso me he quedado un poco parada.

—Yo es la segunda vez que estoy aquí —dijo Fabio.

—Y yo también —respondió Fernando, de inmediato.

—¿Y se puede saber qué hacemos todos reunidos? —preguntó Rebeca, sonriendo—. ¿Algún cónclave secreto? ¿Algún misterio arcano qué resolver?

—¡Qué va! Algo mucho más mundano. Te estábamos esperando para organizar la salida en microbús de esta tarde —respondió Fornell—. Les estaba diciendo a tus compañeros que hay que quedar con Carlos Conejos, Mara Garrigues y Tommy Egea.

—¿Tommy viene? —preguntó Rebeca, algo sorprendida.

—Sí, la delegación de la cadena que saldrá desde la ciudad estará compuesta por Carlos Conejos, Mara Garrigues, tus compañeros de trabajo Tere, Fabio y Fernando y tus invitadas, tu tía Tote y tu hermana Carlota. Como sobraba una plaza, se viene con nosotros Tommy Egea. Desde Madrid acudirá el presidente de la cadena y por supuesto, Javi Escarche y Mar Maluenda. Contándote a ti, en total, somos una docena, justo las invitaciones que nos había facilitado la organización.

—¿Desde dónde y a qué hora saldremos? —preguntó Rebeca. Sabía que su tía se había tomado la tarde libre en el trabajo, pero debía avisarla. También le tenía que informar a Carlota.

—Ahora lo estábamos hablando. Lo ideal sería llegar a Barcelona, sin prisas, a la hora de cenar. La cadena ha reservado el hotel muy cerca del *Liceu*, que es el lugar de la ceremonia. El viaje, con una parada, nos llevará unas cuatro horas y media, así que sería conveniente quedar alrededor de las cinco.

—Por mí no hay problema —contestó Rebeca—, pero tengo que avisar a mi tía y a mi hermana cuánto antes. ¿De dónde salimos?

—También lo estábamos hablando antes de que vinieras. Si te parece, lo haremos desde enfrente mismo de tu casa. Hay sitio, en doble fila, para que pueda aparcar el microbús, sin molestar al tráfico ni a nadie.

—Por mi perfecto —respondió de inmediato Rebeca—. ¡Me venís a recoger y todo!

—Vamos a avisar a los que faltan aquí. Yo llamaré a la emisora. Vosotros decírselo a Tommy cuando venga. Ahora, todos a trabajar —dijo, dando por concluida la reunión.

—¿No estás emocionada? —le preguntó Tere a Rebeca, cuando llegaron a su puesto de trabajo.

—Mujer, mentiría si te dijera que no, pero es más curiosidad por la ceremonia en sí, que nervios por su resultado. Nunca he asistido a un acto ni siquiera parecido, así que pienso disfrutarlo a tope, y guardarme los nervios para otra ocasión.

—¿Y si ganas?

—Todos sabemos que no lo voy a hacer. Además, ya he ganado. La simple nominación ya es un triunfo. No te olvides que yo no pertenezco a ese mundo.

—¿Te has enterado que lo van a trasmitir en directo por televisión, para todo el país? Es la primera vez que lo van a hacer, antes tan solo se retransmitía por medio de la cadena de radio organizadora.

—Sí, me lo dijo Carlos Conejos, el director de la emisora, el otro día.

—Aunque sea periodista, es la primera vez que voy a asistir a un evento televisado como público, y no trabajando. ¡Yo sí que tengo nervios!

Rebeca parecía divertida observando a su amiga.

¿Sabes que pareces tú mucho más emocionada que yo? —le preguntó, aunque en realidad era una afirmación.

—¡Pues claro! Lo que no sé es cómo aparentas estar tan tranquila.

—Quizá porque lo esté o porque disimulo mejor —le respondió Rebeca, que, en realidad, no lo estaba—. Bueno, vamos a trabajar un poco, que yo aún no me he preparado la maleta para el *finde*, y tendré que salir de la redacción un poco más pronto de lo habitual.

—¡Mírala! —dijo Tere, dirigiéndose a Fabio y a Fernando—. Parece un témpano de hielo. Si yo estuviera en su lugar, me hubiera tomado toda la semana libre, por lo menos.

—Casi lo he hecho —le contestó Rebeca, divertida—. Ni el lunes ni ayer vine a trabajar.

Fernando se despidió del grupo hasta las cinco. Hoy era su día de descanso semanal. Había acudido a *La Crónica* tan solo para la reunión con Fornell.

Rebeca se lo pensó mejor.

—¿Has venido en coche? —le preguntó.

—Sí, claro, como todas las mañanas.

—¿Te importaría acercarme hasta mi casa?

—¿Pero tú no ibas a trabajar? —preguntó Tere, sonriendo.

—Iba, tú lo has dicho, pero me has convencido. Estoy muy nerviosa y me vuelvo a casa a prepararme la maleta.

—¡Qué morro! Tú ni conoces ni has conocido jamás la palabra «nerviosa» —le respondió Tere, sin poder evitar reírse.

—Los llevo por dentro —le respondió Rebeca, con una sonrisa.

—Sí, pero debajo de varias capas de desvergüenza —le replicó, todavía con la sonrisa en su cara.

Al final, Fernando y Rebeca consiguieron salir de la redacción de *La Crónica*, a pesar de los intentos de Tere para que se quedaran.

—¿Dónde tienes el coche? —le preguntó.

—¿Me lo preguntas en serio? ¿Aquí, en el centro de la ciudad? ¡Pues en un aparcamiento! ¿Dónde si no? —le contestó Fernando.

—Todo lo que ganas en el periódico te lo dejarás en aparcar el coche. ¿Por qué no haces como yo y usas la bicicleta o el trasporte público? Se ha convertido en lo más cómodo, contribuyes a limitar la contaminación y haces ejercicio. Tres en uno.

—Quizá algún día me lo plantee —dijo Fernando.

Rebeca le observaba. Tenía muy claro que le estaba mintiendo, pero no quiso seguir la conversación, además, ya habían llegado a su destino. El aparcamiento de Colón estaba apenas a dos o tres minutos andando de la redacción. Bajaron al primer sótano.

—¿No pagas? —le extrañó a Carlota.

—Tengo un abono mensual.

Rebeca estaba algo sorprendida. Un abono en la primera planta debía costar una pequeña fortuna para un empleado del periódico, además, a media jornada, como era Fernando. Lo comprendió cuando vio su coche.

—Tú no trabajas por dinero, ¿verdad?

—¡Pues claro que sí! ¿Por qué dices eso?

—Hombre, no sé. Quizá el coche que tengo delante de mis narices me pueda dar alguna pista —le contestó, socarrona.

Fernando parecía divertido.

—Y me lo dice la que vive en *La Pagoda*, en un ático de auténtico lujo, que, probablemente, sea una de las viviendas más caras de toda la ciudad.

—Ya sabes que esa casa no es mía —mintió Rebeca, intentando no ponerse colorada.

«Menudo *zasca* me ha dado en todos los morros», pensó. «No puedo olvidar que también es muy inteligente».

—Pues lo mismo pasa con este coche. No es mío, es de mi padre. Él apenas lo usa, así que se lo cojo yo, cuando me deja —dijo, mientras abría la puerta de un flamante Mercedes-Benz deportivo, además nuevecito. Apenas tendría meses.

Rebeca no pudo evitar pensar que, en realidad, la que no trabajaba por dinero era ella, pero claro, eso no se lo quería contar a nadie. A la vista del coche de lujo de Fernando, se sorprendió pensando en el Opel Corsa amarillo y medio desvencijado que tenían sus padres. Se quedó, por un instante, perdida entre sus recuerdos. No se los podía quitar de la cabeza.

—¿No piensas entrar? ¿Te da vergüenza subirte a algo que no tenga dos ruedas y pedales? Te prometo que conduciré despacio, para contaminar menos —le dijo Fernando, en un tono claramente guasón. Había interpretado de forma errónea el ensimismamiento de Rebeca.

—No, claro que no —respondió con rapidez, volviendo a la realidad—. ¿Cómo me va a dar vergüenza eso? Y conduce como te dé la gana.

En realidad, lo que le daba vergüenza era lo que quería decirle a Fernando. No veía el momento adecuado, pero, quizá, esta fuera la mejor ocasión que se le podía presentar. Se quedaba sin tiempo.

Salieron del aparcamiento en dirección a la plaza de toros, para dirigirse después hacia la Gran Vía Ambos permanecían en silencio.

«Ahora o nunca», se dijo Rebeca, dándose ánimos.

—Escucha, Fernando. Hay algo que te quería contar.

—¿Me tengo que asustar? —le contestó, al observar la seriedad de su compañera, que no era nada habitual.

—No, no. Ya sabes que me gustas...

—Pero...

—¿Cómo sabes que iba a decir eso?

—Porque esa frase siempre continúa así.

—Anda, no me interrumpas, que se me va el hilo. Lo que quería decirte es que soy un alma libre. Es difícil definirme y no quiero que me interpretes mal. Me gustas, pero tengo veintidós años recién cumplidos. No quiero ningún compromiso serio con nadie, y más en este momento de mi vida, que es más complicada de lo que tú te puedes imaginar. Desearía sentir que, entre nosotros, no hay ninguna atadura. Me encontraría mucho más cómoda, y, te repito, eso no tiene nada que ver con mis sentimientos. No sé si comprendes lo que quiero decir, porque no sé si me he expresado bien o he sido un desastre.

—Te entiendo mejor de lo que tú pareces creer, por tu estilo florentino en la explicación. No hacía falta tanto *rollo*. Conmigo puedes hablar siempre con total sinceridad —le contestó Fernando, con una sonrisa en los labios.

—¿De verdad no te importa?

—¡Pues claro que no! Yo también soy un alma libre, y así me gusta sentirme. Me da la impresión que la que no me conoces eres tú.

«En eso tiene toda la razón», pensó Rebeca, que se quedó pensativa y también, por qué no decirlo, algo preocupada. Se apuntó en su cuaderno mental reflexionar un poco acerca de Fernando. La descolocaba, y había algo en él que no terminaba de comprender. Eso no le gustaba.

25   11 DE MARZO DE 1525

Al final, ayer Jero se despidió de su convaleciente amigo Batiste. No tenía buen aspecto, y era mejor que descansara, las fiebres no le habían remitido todavía. Se emplazaron para el día siguiente, después de las clases. Jero les haría otra visita. Batiste tampoco pensaba acudir a la escuela hasta estar recuperado del todo.

Jero cumplió su palabra y, después de asistir a la escuela, le hizo una visita a su amigo Batiste.

—Caramba, hoy tienes mejor cara —dijo Jero, cuando vio a su amigo bajar las escaleras de la habitación.

—Me encuentro bastante más recuperado, creo que las fiebres han remitido. Ahora me queda la debilidad. No sé qué demonios de agua putrefacta me tragaría en aquella acequia, pero ha podido conmigo.

—El que parece que no tiene buena cara ni buen aspecto eres tú, Jero —dijo Johan—. ¿Te encuentras bien?

—Ahora que he salido de la escuela, sí. Pero esta mañana he vuelto a vomitar. Ha sido a la hora del patio. De recordar la visita del justicia criminal ayer, y revivir el susto que me llevé, pensando que estabas muerto —dijo, dirigiéndose a Batiste—, no lo he podido evitar. Lamento de nuevo mi aspecto, debe ser bastante parecido al que llevaba ayer.

—No tanto, pero casi —le contestó Johan, mientras le traía unos paños mojados para que se aseara un poco. Jero era muy sensible.

Una vez intentó, en vano, limpiarse un poco los ropajes, se sentó, junto con su amigo Batiste y Johan, alrededor de la mesa de la cocina. Por un momento permanecieron en silencio, sin saber por dónde continuar la conversación de ayer, pero en cuanto la inició Batiste, retomaron la discusión en el punto que la dejaron. No había manera que se pusieran de acuerdo. El misterio parecía irresoluble a sus ojos. Las versiones de las hermanas Vives y de Amador eran contradictorias e incompatibles entre sí.

Después de más de una hora de conversación, decidieron pasar a la acción y hacerle una visita a su amigo Amador, para ver si era capaz de explicar lo que a sus ojos, ahora mismo, era totalmente inexplicable. Las contradicciones les parecían insalvables. O les faltaba alguna pieza y por eso no conseguían comprender la situación, o alguien no les estaba diciendo la verdad. Fuera cual fuese la opción, sentían que tenían que salir de dudas cuanto antes.

—Me vais a disculpar, pero ninguno de los dos está en condiciones de visitar a nadie, aunque sea a través de una ventana. Uno, porque Batiste, aún le quedan los efectos colaterales de las fiebres, y el otro, Jero, por tu lamentable estado. Así no deberías ni pasear por las calles de la ciudad —dijo Johan—. Aunque la gente no lo sepa, recuerda quién eres.

—¡Oye! Que os acabo de decir que me encuentro mejor que ayer. Es cierto que he dormido poco, pero las fiebres han remitido —dijo Batiste, que por nada del mundo se quería perder aquella aventura.

—Tiene razón tu padre —dijo Jero—. No sé si es prudente que salgas de casa hoy. Igual lo que necesites sea descansar y reponerte del todo. Aunque lleves dos días sin acudir a la escuela, en cama, si sales podrías sufrir una recaída.

—Lo que necesito es algo de acción, aunque sea pisar la calle. No me sienta nada bien quedarme encerrado en mi habitación —respondió—. Estos dos días me han parecido como una semana.

—Ni tampoco deberías ir de aventuras —le replicó Johan—. Por culpa de la última, mira en el estado en que te encuentras. Búscate otra excusa, que esa no me vale.

—Pero esto no es lo mismo, padre. No son situaciones comparables para nada. Tan solo se trata de hacer una visita a Amador, que no vive lejos de aquí. Nada de riesgos ni habitaciones secretas. Es tan solo un paseo inocente por la calle y te prometo que, en menos de una hora, vuelvo a estar en casa.

—Por mi parte —dijo Jero—, creo que, con respecto a mí, Johan tiene razón. Voy manchado de vómito y huelo mal. Creo que debería cambiarme y asearme un poco, antes de plantearme hacer nada.

Batiste aprovechó la ocasión para sortear la negativa de su padre.

—Hacemos una cosa —le dijo a Jero—. Vete al palacio, te aseas, comes, que casi es la hora, y cuando termines, me recoges y vamos a ver a Amador. Y no hacemos nada más, una vez terminada la conversación, que no durará más de quince minutos, estaremos de vuelta.

Johan no estaba del todo convencido. No sabía si permitir aquello. Era cierto que no era una actividad peligrosa, tan solo era un paseo. Al final, tomó una decisión. Se giró hacia Jero y se dirigió a él.

—De mi hijo no me fío de que se meta en algún lío —dijo—. Pero de ti sí. Solo permitiré que vayáis a casa de Amador si me prometes, tú también, que vuelves con Batiste a casa, nada más terminar la conversación.

—Hecho —le respondió Jero—. Te prometo que te lo devolveré sano y salvo.

—¡Pero bueno! —exclamó indignado Batiste—. Si alguien ha demostrado que sabe salir de situaciones apuradas, ese soy yo. Y ahora —dijo, dirigiéndose a su padre—, me pones como vigilante al renacuajo de Jero.

—No quiero más problemas, ¿te queda claro? —recalcó Johan, con la voz muy firme—. O lo tomas o lo dejas. Visita a Amador, quince minutos de conversación, e inmediata vuelta a casa. Nada más.

Batiste se hizo el ofendido de forma impostada. En su interior, estaba contento. Había logrado su objetivo, que no le parecía fácil al principio de la conversación.

—Bueno, venga —aceptó, fingiendo resignación.

—Pues yo me voy mi casa —dijo Jero—. Nos vemos en un rato.

Dicho y hecho. Se despidió y salió de casa de Johan y Batiste. No estaba muy lejos del palacio, tan solo tenía que cruzar el río y recorrer un corto camino.

—Pero ¿qué te ha pasado? ¿Otra vez? —le preguntó Damián, cuando vio llegar a Jero al palacio—. ¿Te encuentras bien?

—Sí, tranquilo. No estoy enfermo. Aún me duran los efectos de la visita a la escuela, ayer, del justicia criminal. Tranquilo, ya se me pasará.

Dejó a Damián algo preocupado y se encaminó a su habitación. Estaba muy cansado. Pidió al servicio del palacio un baño y una comida fría, para servir en su habitación.

«Así ganaré tiempo para poder echarme un rato en la cama, aunque sea una hora. Necesito descansar», pensó.

Se bañó en agua caliente muy cómodamente, tanto que casi se queda dormido.

Después de veinte minutos de *relax*, volvió a su habitación, dónde ya tenía la comida preparada. Ahora cayó en la cuenta de que tenía hambre, así que en otros veinte minutos ya había terminado. Se tumbó en la cama, y, para evitar quedarse traspuesto en exceso, avisó al servicio que le despertaran en una hora. Se quedó dormido incluso antes de que su cabeza se posara en la almohada.

Le dio la sensación de que apenas habían pasado unos minutos, cuando una persona del servicio le despertó. Miro el reloj, pensando que se había adelantado, pero no. Había pasado una hora exacta. Se levantó de la cama de inmediato, se puso ropa limpia y salió del palacio, dirección a casa de su amigo Batiste.

Cuando llegó, ya estaba preparado. Se notaba que, como él, estaba ansioso de acudir a la residencia de Amador, en busca de respuestas y explicaciones, que se le antojaban imposibles.

—Me vais a disculpar que no os acompañe —dijo Johan—. Al fin y al cabo, es vuestro amigo. Quizá se sienta más cómodo y hable con más libertad, sin mi presencia.

—Yo también creo que es mejor que vayamos solos —le respondió Batiste.

—No os acompaño, pero recordad —recalcó Johan—, no quiero que hagáis ninguna tontería. Vais a casa de Amador, que os de las explicaciones oportunas, y de inmediato, de vuelta aquí.

—¡Que sí, padre! —exclamó Batiste—. No seas pesado. En menos de una hora habremos terminado. Además, ya me encuentro mucho mejor.

Salieron de casa y se dirigieron hacia la residencia de Amador.

—¿De verdad te encuentras bien? —dudó Jero.

—Como el culo de un cerdo —le respondió Batiste, tocándose la frente.

—¿Qué? —preguntó Jero, que no había entendido la expresión.

—Por supuesto que no me encuentro nada bien, y sigo teniendo algo de fiebre, aunque menos que ayer. Pero esto no me lo quiero perder por nada del mundo.

—Eres un imprudente. Podría haber ido yo solo. Luego me pasaba por tu casa y te contaba la conversación.

—¡De eso nada! Amador se encontrará más cómodo si nos ve a los dos.

Mientras conversaban, llegaron a la residencia de los Medina y Aliaga. Como la vez anterior, dieron la vuelta al edificio, en busca de la ventana de la habitación de Amador. Daba a la parte trasera de la casa.

También como la vez anterior, Batiste cogió unos guijarros del suelo y los arrojó, con cuidado, a la ventana de Amador. Esperaron un momento.

Nada.

—Nos está pasando lo mismo que en la anterior ocasión —dijo Jero—. Hay que hacer más ruido, si no, no lo va a escuchar y no se asomará. Déjame probar a mí.

—No seas animal. Se trata de que oiga el chasquido de las piedrecitas en su ventana, no de romperla con un pedrusco.

Jero buscó algo más contundente en la calle. Encontró unos trozos de piedras de mayor tamaño.

—Estas servirán —dijo—. Yo no tengo tanta fuerza como tú, así que no creo que rompa nada.

Dicho y hecho. Lanzó dos piedras a la ventana de Amador, pero subestimó su fuerza. Una de ellas astilló un lateral del marco de la ventana.

Batiste se echó las manos a la cabeza.

—¡Qué bestia! —dijo—. ¡Mira que te lo advertí! Corre, vayamos a escondernos, igual sale hasta su padre y el resto de su familia.

El estruendo había sido considerable. Dieron la vuelta a la esquina de la casa, y, desde allí, ocultos a miradas indiscretas, seguían teniendo visión directa sobre la ventana de Amador.

Esperaron que alguien se asomara, después del destrozo que había hecho Jero, pero todo permanecía en silencio. Nadie se asomaba a la ventana.

—¡Qué raro! —dijo Batiste—. Con el crujido de la madera del marco que te has cargado, es totalmente imposible que no lo hayan oído.

—Bueno, eso si hay alguien en la habitación.

—¿Qué quieres decir?

—Que es evidente que Amador no está. Lo que me extraña es que no se asome su madre. Se ha debido de escuchar más allá de su habitación —dijo Jero, extrañado.

—Estará en la cocina o el salón. Recuerda que se encuentran en el otro extremo de la casa.

—Podría ser —reflexionó Jero.

—En este caso, no podemos arrojar nada para llamar su atención. Las ventanas de la cocina y el salón dan al patio interior de su residencia. No tenemos acceso a él.

—Además —corroboró Jero—, si no está a solas en su habitación, no nos sirve. En cualquier otra estancia de su residencia, con toda probabilidad, esté acompañado de su madre.

—Pues volvamos a mi casa —dijo Batiste—. Aquí ya no hacemos nada.

—De eso nada —le respondió Jero, con una extraña sonrisa en sus labios, que no le gustó ni un pelo a Batiste.

—Te veo venir. Los dos le prometimos a mi padre que vendríamos hasta la casa de Amador, hablaríamos con él, y nos volveríamos de inmediato.

—Lo recuerdo perfectamente.

—Tú eres un devoto católico. No debes faltar a tus promesas jamás.

—Y no lo pienso hacer —dijo Jero, con un gesto de maldad en su rostro—. Pero existe otra posibilidad para hablar con Amador.

—¿Colarnos en su casa? —preguntó escandalizado Batiste—. ¿Te has vuelto loco?

26 EN LA ACTUALIDAD, VIERNES 19 DE OCTUBRE

—Hola, tía —dijo Rebeca, sorprendida por ver a Tote en casa, a una hora tan temprana.

—Ya he observado que has venido bien acompañada —le respondió, con una sonrisa burlona.

—¿Cómo sabes que...? —empezó a preguntar Rebeca, que la había traído en coche su compañero Fernando del Rey.

—No, no tengo ningún sofisticado sistema de seguimiento biónico por imagen instalado en tu cuerpo —se anticipó Tote, interrumpiéndola, con una amplia sonrisa en su rostro—. Simplemente estaba arreglando las plantas. Vamos a estar unos días fuera y no quiero que se sequen. Un poco de agua extra no les vendrá mal.

—¿Y qué tiene que ver qué arregles las plantas con lo que estamos hablando? —preguntó, extrañada.

—Vamos a ver, ¿dónde están las macetas en esta casa? ¡Pareces nueva!

Rebeca lo comprendió de inmediato.

—¡En la terraza! ¿Me has visto llegar con Fernando? ¡Eres una cotilla!

—De eso nada. Ha sido una verdadera casualidad —se defendió Tote, riendo—. Como comprenderás, no acostumbro a asomarme a la terraza para verte llegar, cada vez que vuelves a casa desde el periódico. ¡Cómo si no tuviera otras cosas qué hacer!

.—Pues lo mío también ha sido casualidad. Él se iba del periódico y he aprovechado para que me trajera a casa. Aún

176

no me atrevo con la bicicleta. Las heridas en las palmas de las manos duelen, sobre todo cuando hago presión sobre ellas.

—Sí, claro. ¿Ahora la gente joven lo llamáis «casualidad»? —continuó riéndose Tote.

—¡Oye! —protestó Rebeca, mientras gesticulaba— ¡No te burles de tu pobre sobrina!

—¿Pobre? Me parece que lo único cierto que te he escuchado en un rato ha sido «sobrina».

—¡Vale ya! —dijo Rebeca, que ahora también se estaba riendo.

—Ya sabes que no me meto en tu vida privada, si no es para divertirme y pincharte un poco, como ahora. Por cierto, ¿qué tal si empezamos a preparar la maleta? En apenas un momento nos iremos de excursión a Barcelona.

—No me lo recuerdes.

—¿No me digas que estás nerviosa? No me lo puedo creer. ¡Mi sobrina, la gran Atenea, la diosa griega de la sabiduría, está nerviosa por algo! Sería la primera vez.

Rebeca se rio internamente, ya que hacía apenas un minuto lo había estado, durante la conversación que había mantenido, en el coche, con Fernando del Rey.

—Pues no te lo creas porque no es cierto. No estoy nerviosa, lo que no me gusta, a diferencia de mi hermana, es la farándula que acompaña a estos *saraos*. Eso de desfilar por la alfombra roja, posar para los medios y que te fotografíen en el *photocall*, pero, sobre todo, que emitan la gala en directo por televisión no termina de...

—¿Retransmiten la gala de los Premios Ondas por televisión? —le volvió a interrumpir Tote—. No tenía ni idea, pensaba que solo era por la radio. Eso no me hace ninguna gracia.

—Ya van dos veces que me dejas con la palabra en la boca. Ahora, la nerviosa pareces tú.

—Ya sabes que no me gusta tanta exposición pública. ¿Cuántas veces te he dicho que eres...?

—... la undécima puerta, y que debo de ser discreta en mi vida. Que estoy haciendo todo lo contrario, que soy una irresponsable y bla, bla y bla... —le cortó Rebeca—. Ya me sé ese cuento de memoria, te repites más que un yogur de chorizo.

Tote se volvió a reír.

—Vamos a dejar de interrumpirnos mutuamente y empecemos a prepararnos. Por cierto, ahora que me acuerdo, ¿qué ha pasado con esa caja de cartón que había en el recibidor de casa? Ya no está, ha desaparecido.

—La has tirado a la basura.

—¿Qué? ¡Yo no he hecho semejante cosa!

—Sí lo has hecho, aunque de una manera inconsciente. La abrí, vacié su contenido, lo escondí y tiré la caja al cubo de la basura.

—¿Y para qué lo escondiste? Supongo que no servirá de nada preguntar qué es lo que había en su interior, si me dijiste que ni siquiera me acercara a ella.

—Supones bien. En su momento lo averiguarás, así que no te preocupes por eso.

—No nos volvamos a liar. Cambiando de tema, ¿qué vestido te vas a poner para la gala? Supongo que alguno de tus modelazos de Lorenzo Caprile. El que llevabas en tu cumpleaños era espectacular. Parecía exclusivo.

—Lo era, pero esta vez no toca. He visto imágenes de la ceremonia de otros años y me da la impresión de que esta gala no es tan formal, en cuestión de vestuario, así que he decidido sorprenderos.

—¿No me digas que la gala es informal?

—No, pero cada uno se viste como quiere, no hay un *dress code* estricto. Hay invitados e invitadas que llevan auténticos *modelazos*, pero, sin embargo, hay otros que van en vaqueros con una camiseta.

—¿No fastidies? —preguntó Tote, claramente sorprendida—. ¿Y la organización lo permite?

—Mira esta foto —dijo, mientras la sacaba de su bolso y se la enseñaba a su tía.

—¿Quiénes son esos? —preguntó Tote, horrorizada por su estilismo para una gala.

—Es una foto de los ganadores al premio al que estoy nominada, en la edición del año pasado. *Catástrofe Ultravioleta* se llaman. Es un *podcast* de divulgación científica, con un toque de humor y ficción.

Tote no paraba de mirar la fotografía, estaba como hipnotizada.

—Pues entenderán de ciencia, pero de vestuario son una auténtica catástrofe ultravioleta, con un toque de ficción y humor. No los podías haber definido mejor. ¿No te estarás planteando ir con ese aspecto?

Rebeca sonrió, pero no le contestó a su tía, que no cejaba en insistir.

—Eres todo un *bellezón* espectacular de veintidós años, no cómo esos tres. Aprovecha y lúcete como un cisne. Déjalos con la boca abierta.

Rebeca se rio a gusto.

—No te creas, no me importaría en absoluto vestir como Javier Peláez, Javi Álvarez y Antonio Martínez, que son unos fuera de serie, pero no.

—Aprovecha y brilla con luz propia —insistió Tote—. Es tu noche.

—Para tu tranquilidad, no voy a ir informal, pero, desde luego, muy diferente a lo que os imagináis. Y no me sigas interrogando, que no pienso confesar. Total, mañana lo verás y saldrás de dudas. Tampoco queda tanto.

—Me dejas preocupada.

—Ya basta de hablar de mí. ¿Y tú? ¿Qué has pensado ponerte? —cambió de tercio Rebeca.

—Como yo no soy protagonista de nada, iré con un Balenciaga clásico, en mi línea habitual. No tengo ninguna intención ni de sorprender ni de horrorizar en violeta a nadie.

Terminaron la conversación y cada una se fue a su habitación para prepararse las maletas. Cuando terminaron, después de más de media hora larga de preparativos, salieron a la cocina. Tote había preparado una comida fría y ligera. Se sentaron en la mesa y, mientras daban cuenta de una ensalada con todo tipo de tropezones, continuaron hablando.

—Tía, quiero que sepas una cosa.

—¿Alguna otra sorpresa del estilo del trío calavera ese? —preguntó Tote.

—No, esto es serio. Cuando llegue el microbús que nos llevará a Barcelona, me sentaré junto a Carlota. No lo haré contigo. Quiero tener una conversación con ella.

—¿Eso te parece serio? Siéntate con quién quieras, ¡vaya bobada! ¿Y para qué me cuentas esa tontería?

—Porque en el trayecto de vuelta, el domingo por la mañana, me sentaré a tu lado. También quiero tener otra conversación contigo, y te aseguro que no es ninguna tontería.

Ahora, del rostro de Rebeca había desaparecido cualquier atisbo de la diversión anterior. Estaba seria, y Tote lo advirtió de inmediato.

—¿Me tengo que preocupar?

—Desde luego que no, pero quizá lo que escuchéis no os guste o no lo comprendáis, pero creo voy a hacer lo que debo de hacer.

—Eso ¿qué significa exactamente? —se extrañó Tote, que seguía sin comprender a su sobrina.

En ese justo momento oyeron el sonido agudo del videoportero.

—Me parece que te has salvado por la campana, nunca mejor dicho, de continuar con esta conversación —comentó Tote—. Son las cinco menos cuarto. Seguramente será el microbús.

—Contesta tú —dijo Rebeca—. Yo voy a por las maletas.

Así lo hicieron. Bajaron a la calle. Efectivamente, allí estaba el microbús, junto con todos sus compañeros.

—¿Somos las últimas en llegar? ¡Si el conductor nos acaba de llamar al interfono! No hemos tardado ni cinco minutos en bajar de casa —preguntó Rebeca, extrañada.

—No —dijo Fornell—. Al final, como tan solo vamos nueve personas desde Valencia, decidí que era más cómodo que el microbús nos recogiera en nuestras casas. A las estrellas las hemos dejado para el final.

—A la estrella dirás, en singular —puntualizó Tote, mirando a Rebeca.

—A la futura estrellada, casi mejor que estrella —contestó, mientras daba besos y abrazos a Mara, Tommy, Carlos, Tere, Fabio, Fernando, Fornell y a un fuerte abrazo a su hermana Carlota.

Metieron sus maletas en el compartimento inferior del microbús y todos subieron. Salió en dirección a la avenida Blasco-Ibáñez, para tomar la autovía hacia Barcelona. Más de trescientos kilómetros les esperaban por delante.

Tal y como le había comentado a su tía, Rebeca le dijo a Carlota que quería sentarse con ella durante el viaje.

—¿Conmigo? —se extrañó—. ¿Y con quién dejas a Tote? No tiene una especial amistad ni relación con nadie.

—Te equivocas —le respondió, mientras observaban cómo se sentaba con el director Fornell.

—¿No me digas? —respondió una sorprendida Carlota.

—Te digo, pero no quiero hablar de eso ahora. Ya llegará el domingo.

Carlota miró a su hermana.

—¿Sabes que dices cosas muy raras? ¿No os habréis bebido, durante la comida, varias de esas cervezas trapenses que tenéis en casa, Chimay o algo así?

Rebeca se rio.

—No, pero no me hubiera importado tomarme una de ellas —dijo, mientras seguía sonriendo.

Carlota observaba a su hermana, divertida.

—Venga, ¿voy a tener que esperar mucho para que me digas qué te pasa?

—¿Cómo sabes que me pasa algo? —respondió Rebeca, al mismo tiempo que se daba cuenta de que era Carlota quién se lo preguntaba, no una persona cualquiera.

—¿Te lo explico?

—No, no creo que haga falta.

—¡Pues desembucha! Ya conoces mi curiosidad —le apremió Carlota.

—Voy a empezar por el final, si no te importa.

—Por dónde quieras, ¡pero ya!

Rebeca le contó a su hermana lo que pretendía, sin más explicaciones. Carlota no se cayó de su asiento porque apenas tenía espacio.

27 11 DE MARZO DE 1525

—No me he vuelto loco ni nada de eso —le replicó Jero—. Pero si Amador no acude a nosotros, nosotros tendremos que acudir a Amador. No nos queda otra alternativa.

—Confirmado —le respondió Batiste—. Te has vuelto loco. ¿Has pensado las consecuencias de que seamos descubiertos, si entramos furtivamente en su casa? Me parece que eso no es lo que le prometimos a mi padre, que fue exactamente no meternos en ningún lío.

—Y no lo vamos a hacer. Jamás incumplo mis promesas, ya lo sabes.

Batiste se quedó mirando a su menudo amigo. No entendía nada.

—¿Qué pretendes? —le preguntó, al fin.

—Las cosas sencillas suelen ser las más efectivas.

—Explícate.

—Muy simple, pretendo entrar en su casa.

—¡Pero si me acabas de decir que no!

—Que no... furtivamente. Le prometí a tu padre que no haríamos ninguna locura, y lo voy a cumplir. Simplemente iremos a la entrada principal de su casa, y llamaremos a la aldaba.

Batiste miraba atónito a su amigo.

—Definitivamente te has vuelto loco. ¡Nos van a recibir a patadas! ¿Acaso no recuerdas que, gracias a nuestras aventuras en casa de las hermanas Vives, pasó una noche en la Torre de la Sala? No creo que, después de aquello, su familia nos tenga mucho aprecio.

—Si Amador no ha contado nada de esa aventura, como así parece, no tienen por qué saber nada de nuestra participación.

Además, ¿se te ocurre alguna otra idea? —le replicó Jero—. Por otra parte, siempre me ha dado la impresión de que la madre de Amador, doña Isabel, es una buena persona. Lo único que puede ocurrir es que no nos permita hablar con Amador, y ya está. En cualquier caso, la situación no va a ser peor que la actual.

—¿Y si nos abre la puerta don Cristóbal? ¿No lo has pensado?

—Claro, una posibilidad entre tres. O nos abre Genoveva, la sirviente, o el padre o la madre. Un tercio, aunque, en realidad, no es exactamente así. Las posibilidades de que nos abra don Cristóbal son muy escasas. O no se encuentra en su residencia, cosa habitual, ya que, por su trabajo como receptor, viaja mucho, o está ocupado en su despacho, leyendo. No me lo imagino abriendo la puerta en persona, además, disponiendo de servicio doméstico.

Batiste tenía que reconocer que Jero tenía razón con sus argumentos, aunque no dejaba de ser una imprudencia meterse en la boca del lobo. Lo pensó durante un instante. Era cierto. No tenían alternativa si querían resolver el enigma del pozo de las hermanas Vives.

—Venga, pero con una condición —admitió Batiste.

—¿Cuál?

—Si por una de aquellas nos abriera la puerta don Cristóbal, ni lo intentamos. No le decimos nada, ni siquiera le pedimos hablar con Amador y salimos corriendo, lo más rápido que podamos.

—Aceptada. Tengo claro que eso no va a ocurrir —dijo Jero.

Dieron la vuelta a la residencia, para volver a situarse en la entrada principal.

—La idea ha sido tuya —dijo Batiste—. Te corresponde el honor de llamar a la puerta. Además, tus formas y tu educación son más refinadas que las mías.

—Gallina —le respondió Jero, riéndose—. Pero no me importa. No le tengo miedo ni a Genoveva ni a Isabel. Me parecen inofensivas.

Jero se acercó a la puerta y, usando la aldaba, golpeó en la puerta.

—Aunque, según tú, sea improbable, estate preparado para salir corriendo, en el caso de que nos abra don Cristóbal —le advirtió Batiste.

—Relájate. No podemos dar la impresión de estar nerviosos. Se supone que es una visita de cortesía.

—¿Qué me relaje? ¡Valiente tontería!

Esperaron, al menos, un minuto. Era una residencia grande, y si la familia y la sirvienta se encontraban en el salón o en la cocina, tenían que recorrer toda la casa hasta llegar a la puerta de entrada, que estaba en el lado opuesto.

—No abre nadie —dijo Batiste.

—No es educado insistir en tan corto espacio de tiempo. Esperaremos un minuto más, y volveré a golpear la puerta con la aldaba.

Todo seguía en silencio.

—Bueno, allá voy de nuevo —dijo Jero, llamando por segunda vez.

—Ahora, abrirán irritados por nuestra insistencia —dijo Batiste.

—De verdad, ¿te quieres relajar? No va a pasar nada.

Efectivamente, no pasaba nada. La puerta seguía sin ser abierta por nadie.

—¿Nos vamos ya? —preguntó Batiste.

—¿No te parece extraño?

—¿Qué exactamente?

—Que don Cristóbal no abra la puerta es normal. Aunque esté en su interior, se encontrará, con toda probabilidad, encerrado en su despacho. Desde allí, quizá no escuche la llamada de la puerta. Pero ¿y el resto de la familia?

—¿Qué pasa con el resto?

—Se supone que Amador está castigado a quedarse en su habitación, encerrado durante una semana. No lo van a dejar solo en casa. Si su madre Isabel hubiera salido, siempre quedaría Genoveva. Lo extraño es que ni siquiera ella abra la puerta.

—¿No se te ha ocurrido la posibilidad de que nos hayan visto? Has montado un buen estruendo, astillando el marco de la ventana de la habitación de Amador. A lo mejor no es que no estén, es que no quieren abrirnos.

—Como posibilidad teórica la podría aceptar, pero algo me dice que no es así. Nos hemos escondido rápidamente y no hemos visto a nadie asomarse por ninguna ventana de la casa. No lo creo.

—Entonces, según tu propio razonamiento, la única posibilidad que queda es que no estén en casa.

—Sí, eso parece ser —reconoció Jero, que tenía una extraña expresión en su rostro.

—En consecuencia, si no hablamos con Amador, no podremos desentrañar el misterio. Me parece que estamos en un callejón sin salida —dijo Batiste.

—Ni mucho menos.

—¿No lo entiendes? Amador no está en su casa. Nada podemos hacer.

—Te equivocas.

—Te has trastornado.

—Anda, en una cosa te doy la razón. Aquí ya no podemos hacer nada —dijo Jero—. Volvamos a tu casa y cumplamos con la promesa que le hemos hecho a tu padre.

Batiste no terminó de respirar tranquilo. No se encontraba nada bien, pero ello no le impedía darse cuenta de que Jero tenía otro plan en su cabeza. Ahora mismo, le temía.

28 EN LA ACTUALIDAD, SÁBADO 20 DE OCTUBRE

—Tu horario de peluquería es a las cinco, y de maquillaje una hora y media después. Acuérdate que tienes que ir con la cara completamente limpia y el pelo como lo llevas ahora, sin ningún producto aplicado —le dijo Mara a una desconcertada Rebeca.

—Pero ¿no os gusta mi pelo, tal y cómo lo llevo, todo liso? Y en cuanto al maquillaje, siempre me he apañado yo misma. No me gusta ir *pintarrajeada* de cualquier manera, como una *mona de feria*. De hecho, creo que menos es más. No me gusta el exceso —le respondió Rebeca.

—Sí, lo reconozco, tienes un pelo precioso, también tienes mucho gusto para pintarte y todo lo que tú quieras, pero la cadena ya se ha encargado de esos detalles. No desean que haya ningún cabo suelto.

—¿Cabo suelto? Pues me parece que tienen una maroma de barco sin atar.

—¿Qué dices? —preguntó Mara, sorprendida por la afirmación de Rebeca.

—Que ni siquiera sabéis qué vestido me voy a poner. ¿Cómo me vais a peinar y maquillar sin conocer ese pequeño detalle sin importancia? Puede condicionar, y de hecho estoy segura de que lo hará, mi peinado y mi maquillaje.

—¡Ah! Eso se me había olvidado, disculpa. Ahora subiremos a tu habitación y te pones el modelo que llevarás esta noche. Te tengo que hacer unas fotos con el móvil para enviárselas al *personal stylist*.

—¿A quién? —ahora la sorprendida era Rebeca.

—Es el especialista en estilo e imagen que te va a dejar impecable, aunque seas Rebeca Mercader y ya vengas estupenda de serie.

—Ni siquiera había oído esa palabra jamás. ¿Existe esa profesión?

—Lo comprobarás por ti misma esta tarde.

—Todo esto me parece una locura. ¿No será otra broma más de Javi y Mar? ¡Mira que ya he picado en otras ocasiones y he hecho el ridículo!

—¿Me ves cara de bromear?

—La verdad es que no, pero...

—Tú hazme caso y calla —afirmó con rotundidad Mara—. Yo no te gastaría bromas en un momento así.

Rebeca se le quedó mirando fijamente.

—Te creo, dices la verdad. Además, eres de las más serias del grupo y tienes cara de buena persona.

—Gracias, aunque cualquier motivo me vale. Bueno, ahora te dejo desayunar con tranquilidad y con tu familia. Cuando termines, haremos la fotografía. No te preocupes de nada, yo vendré a buscarte aquí mismo.

Rebeca estaba manteniendo esta conversación con Mara Garrigues, su compañera de la radio en Valencia, que se la habían asignado como su asistente personal durante todos los preparativos de la gala. Se había acercado a la mesa, donde estaba con su tía Tote y su hermana Carlota, en el bufé del hotel.

—No os olvidéis que a las once tenemos la visita a la emisora de Barcelona, y a las doce la recepción oficial en el Palacete Albéniz —dijo, mientras se alejaba.

Cuando Mara estuvo fuera de su alcance, Carlota se empezó a reír.

—¡Pero qué manera de estresarte! ¿Esto no era un viaje de placer para disfrutar? A mí me engañaste con esas palabras —dijo, dirigiéndose a su hermana, que tenía cara de estar un tanto agobiada.

—Os prometo que no sabía nada de todo esto. Lo que no entiendo es, ¿para qué?

—Quizá para que estés bien guapa, cuando subas a recoger el premio —contestó Tote—, no como esos de *Confluencia*

Amarilla del año pasado, que cada uno iba a su manera, a cuál peor.

A pesar del agobio de Rebeca, su tía consiguió arrancarle una sonrisa.

—Se llaman *Catástrofe Ultravioleta* e iban perfectamente vestidos. Además, si lo hacen porque creen que voy a ganar, están tirando el dinero a la basura —respondió Rebeca, que, sin pretenderlo y sin ninguna necesidad, estaba desayunando a toda velocidad. Mara la había alterado.

—No tengo ni idea de qué son esas confluencias o catástrofes de colores de las que habláis —dijo Carlota—, pero, lo que sí que tengo muy claro, es que a ti no te hace falta ningún *personal stylist*.

—Eso creo yo también —confirmó Tote.

—A ti solo se te puede mejorar rizándote el pelo y poniéndote gafas. Dudo muchísimo que uno de esos *pijos ultrafashion y posmodernos*, que en lugar de llamarse estilistas, como toda la vida, prefieren la horterada anglosajona de *personal stylist*, te vayan a hacer ninguna de las dos cosas. Así que date por no mejorada, por más voluntad que ponga la cadena de radio. ¡Si estás para mojar pan al natural!

—¡Qué bruta eres! —dijo Rebeca, riéndose.

Estaba claro que Tote y Carlota intentaban poner algo de humor y relajar a Rebeca, que se la veía bastante tensa por la situación.

«He venido aquí a disfrutar. Voy a mirar el lado positivo. Este cuento no lo voy a volver a vivir jamás y se acabará a medianoche, como *La Cenicienta*», se dijo Rebeca, que, sin darse cuenta, siguió sonriendo.

—¿De verdad crees que te van a poner gafas? —le preguntó Carlota, al ver el aparente buen humor en el rostro de su hermana.

—¡No, idiota! Y tampoco voy a permitir que me ricen el pelo, por mucho que me pudiera insistir el *personal stylist* ese. Pero te aseguro una cosa —dijo Rebeca, dirigiéndose a su hermana, en un tono de cierto misterio—. Estoy convencida de que te voy a asombrar, y te aseguro que bastante. ¿Estás preparada para ello?

—¿Sin gafas y sin rizos? Lamento confirmarte que, a estas alturas, tú ya no puedes sorprenderme con nada. Deberías saberlo.

—¿Qué te apuestas? —la retó Rebeca, con una sonrisa un tanto enigmática en su rostro. Decirle eso a Carlota era como la frase «¿A qué no tienes ovarios?»

A pesar de que a Carlota no se le pasó por alto la sonrisa de Rebeca, que no pudo descifrar, estaba segura de que iba a ganar el reto.

—Me apuesto un mojito. Si lo consigues, os invito a las dos. Y ya sabes que yo no pierdo apuestas. Eres una insensata.

—Siempre tiene que haber una primera vez —comentó Rebeca, que definitivamente había recuperado su buen humor—, y me parece que acaba de llegar.

—Ni lo sueñes.

Al poco de terminar de desayunar, volvió a aparecer Mara Garrigues.

—Siento interrumpiros. Veo que lo estáis pasando bien, pero tenemos que preparar la fotografía con el modelo que llevarás puesto esta noche.

—Vamos a mi habitación —dijo Rebeca. Se giró hacia su hermana y su tía—. En veinte minutos vuelvo. Esperarme sentadas en el salón principal del hotel.

La cadena de radio no había reparado en gastos. El hotel era un cinco estrellas situado en la plaza Real, junto a Las Ramblas, a apenas cuatro o cinco minutos andando del *Gran Teatre del Liceu*, lugar de celebración de los Premios Ondas. Además, cada invitado tenía su habitación individual.

—¿Qué modelo te vas a poner? El *Caprile* que llevabas en tu cumpleaños era espectacular. Me gusta mucho la moda y sé reconocer un *modelazo* exclusivo como aquel —dijo Mara—. Desgraciadamente, con mi sueldo, no me los puedo permitir, aunque si disfruto mirándolos.

—Pues espérate y verás, lo que vas a observar no tiene nada que ver con todo eso que te imaginas. Ya te lo advierto por anticipado, no me vas a convencer de otra cosa, así que ni lo intentes —dijo Rebeca, mientras se vestía y Mara se esperaba en el salón contiguo a su *suite*.

En apenas cinco minutos estaba lista. Salió al encuentro de Mara.

—¡Dios mío! —dijo, con la boca abierta, absolutamente pasmada, tanto que casi se le cae el móvil de las manos. Después de un par de minutos, y decenas de fotografías, Mara recuperó el habla.

—Ya te puedes cambiar. Desde luego, el *personal stylist* se va a volver loco, como yo. Tengo que reconocer que esto no me lo esperaba jamás de ti. No sé qué decir. Me has dejado sin palabras.

—Pues no digas nada. Ya conoces otra faceta mía.

Rebeca se volvió a poner su ropa habitual y bajaron al salón. Carlota y Tote estaban con el resto de la delegación de la cadena, esperándolas para irse a la emisora de la ciudad.

El recibimiento en la radio fue espectacular. Rebeca estaba abrumada. Se hizo multitud de fotografías con todo el que se lo pidió. Incluso entró en directo en la emisora de radio local, junto con Javi y Mar. Apenas fueron diez minutos, pero muy divertidos. Ahora Rebeca estaba disfrutando de verdad. Había conseguido olvidarse hasta del *personal stylist*.

Cuando terminaron, se desplazaron hasta el Palacete Albéniz, a la recepción oficial de los Premios Ondas, con las correspondientes fotografías. Rebeca conoció a Javier Godó, conde de Godó, con el que mantuvo una breve y sorprendente conversación.

—¿Sabes qué conocí a tu madre?

—¿No me diga? —dijo Rebeca, que le pillo desprevenida la pregunta. No se podía imaginar que le dirigiera la palabra.

—¡Qué mujer! Una desgracia lo de su accidente. Toda mi familia lo lamentó de verdad. Fue un verdadero impacto para todos.

—¿Tanto la conocían?

—¡Pues claro! En aquella época era una joven con una gran responsabilidad. Todavía era soltera, no se había casado con tu padre. Llamaba la atención allá por dónde pasaba. Imposible olvidarla, y no me refiero precisamente a su belleza, que, por cierto, has heredado. Es sorprendente tu parecido con ella, y por lo que he podido conocer, ese parecido no es tan solo físico. Asombroso.

—¿Le puedo preguntar de qué la conocía?

—Me parece que ya sabes esa respuesta —dijo Javier, en un tono de complicidad que Rebeca no comprendió, pero decidió no seguir la conversación por ese camino.

—Les agradezco la nominación al premio. Espero que haya sido por méritos propios y no por otras cuestiones —Rebeca daba por sentado que Javier Godó conocía su historia, por el tono de la conversación.

—Eso te lo aseguro, tanto que pronto recibirás una oferta de nuestro grupo, aunque supongo que la rechazarás. Estás muy a gusto en *La Crónica* de Valencia y con Javi y Mar. Además, tú eres parte de todo ello —dijo Javier, confirmando las sospechas de Rebeca. Conocía su historia.

Se despidieron en un tono muy cordial.

—En un momento nos iremos todos a comer a un buen restaurante, con tranquilidad, que después empezará la locura y ya no pararemos —dijo Fernando López Bajocanal, presidente del conglomerado de medios de comunicación, en un tono muy jovial.

La comida fue muy distendida y divertida, en el reservado de uno de los mejores restaurantes de Barcelona, cercano al hotel, con bromas incluidas, cómo no, a cargo de Javi y Mar. Se levantaron, se subieron a una pequeña tarima e imitaron la gala de los Premios Ondas, haciendo el payaso, como siempre. A Rebeca le caían fenomenal, pero les tenía miedo. Eran imprevisibles.

Javi tomó un tenedor, simulando ser un micrófono, e hizo como si rasgara y abriera un sobre imaginario.

—El mejor podcast del año es... *El misterio de los condes*.

Todos se pusieron a aplaudir, haciendo que Rebeca subiera al escenario. Como no tenían ningún trofeo que entregarle, Javi cogió un botellín de cerveza de una de las mesas, y se lo dio, como si fuera el premio.

—Ahora, aprovecha y practica tu discurso de aceptación y agradecimiento del premio —le dijo Javi Escarche.

—¿Qué discurso? ¡Si no he preparado nada!

—Pues serás la única candidata que no lo ha hecho —dijo Mar Maluenda—, pero eso no te libra de hablar. Toma el micrófono.

—¿Tanta tontería y *pijería* que se destila por todas partes, y no tenéis a un *personal speecher* que me lo escriba? —bromeó Rebeca—. ¿Tengo que ser yo?

Todos se rieron. Se lo estaban pasando bien. Rebeca continuó hablando.

—No pienso soltar el botellín hasta beberme el premio, que para mí es un verdadero honor —dijo, mientras le daba un buen trago hasta vaciarlo—. Ahora, ya puedes darme el micrófono —le dijo a Mar.

Los once invitados estaban carcajeándose y al mismo tiempo expectantes.

—Esto que me habéis hecho es una *cabronada*, pero todavía no me conocéis lo suficiente. No vais a poder conmigo. Lo que sí os puedo prometer es ser la mejor perdedora del mundo y divertirme como nunca. Aunque suene algo tópico, sois mi segunda familia. Os quiero de corazón. ¡Va por vosotros y por los compañeros que no han podido venir! —dijo, levantando el botellín vacío de cerveza, a modo de trofeo.

Todos se pusieron a aplaudir, incluso a Mar Maluenda se le escapó una lagrimita.

—Pues casi mejor que no prepares nada. Ya lo haces de maravilla sin papelitos escritos —le dijo Javi—. Eso sí, te tendremos que subir otro botellín de cerveza al escenario, porque el Premio Ondas no te lo podrás beber. Es una especie de caballito con alas. Mira, tengo una foto.

Ahora tomó la palabra Fernando del Rey, que llevaba bastante tiempo callado.

—¿Sabéis? En la mitología griega, al caballo con alas se le llama Pegaso. Es el caballo del dios de la tierra y el cielo, nada más y nada menos que Zeus. Pegaso tenía un hermano gemelo llamado Criasor. Pegaso eres tú —dijo, dirigiéndose a Rebeca—, y el nombre de Criasor, fonéticamente, suena parecido a Carlota. ¿Te parece una coincidencia? Hermanos y hermanas gemelas.

—¡Valiente majadería más forzada! —le contestó Carlota, sonriéndole.

—No acaban aquí las similitudes —siguió Fernando—. En el *manga* y *anime*, *Saint Seiya*, el caballero de la constelación de Pegaso, está muy vinculado a los dioses Hermes y Atenea. Tú escribes en *La Crónica* bajo el seudónimo de La gran Atenea.

¿Coincidencia también? ¿No dices siempre que no crees en ellas? Ya van dos.

—Eso no son coincidencias, son bobadas —le respondió Rebeca—. De Historia ya sé que eres un experto, todo un doctor, pero ¿cómo sabes de *manga* y *anime*?

—He vivido mucho.

—Pues cómo no dejes de decir tonterías, eso lo soluciono ahora mismo.

—Yo también te quiero —le respondió Fernando, dándole un recatado beso en la mejilla.

Todos se rieron.

—Venga, un poco de optimismo. Si no nos lo creemos ni nosotros mismos, vamos apañados —dijo Carlos Conejos.

—Más que optimismo, realismo. Al caballito ese no lo veré ni de cerca, pero te tomo la palabra —dijo Rebeca, dirigiéndose a Javi—. No ganaré, pero la cerveza la quiero igual.

—Prometido —le contestó—, pero tan solo si ganas.

—¡Eso no vale! ¡Quiero mi cerveza! —le respondió Rebeca, imitando el llanto de un niño.

Todos se siguieron riendo. El ambiente era muy bueno y distendido, quizá porque no tenían la presión de ganar el premio. Aunque no lo dijeran en público, estaba claro, las posibilidades de Rebeca eran mínimas. Todos los presentes lo sabían.

Después de las payasadas habituales, y de terminar de comer, tomó la palabra el jefe.

—Ahora nos iremos a ver el *Gran Teatre del Liceu*, a solas, para que podáis contemplar su extraordinaria belleza, antes de la gala de esta noche —dijo Fernando López—. Algunos de los aquí presentes ya lo conocen, porque ya han participado, y ganado, en otras ocasiones, pero será una visita agradable. A pesar del incendio que sufrió en 1994, fue reconstruido respetando el ambiente de la gran sala, e incluso ampliaron el escenario, derribando algunas casas contiguas. Se reinauguró en 1999. ¿Sabéis que está considerado uno de los mejores teatros del mundo, en el circuito operístico?

—Pero ¿nos permitirán entrar? —preguntó Rebeca, inocente—. ¿No estarán ultimando los detalles del montaje de la decoración y esas cosas? ¿No molestaremos una docena de personas dando vueltas por ahí?

—Eso déjamelo a mí —le respondió, sonriendo.

Salieron del restaurante, anduvieron apenas diez minutos y se encontraron con la fachada del teatro, ya preparado para el acto de esta noche.

Como había comentado Fernando López Bajocanal, en cuánto se identificó, les franquearon el acceso a los doce. Aquello era impresionante. A Rebeca se le pusieron los pelos de punta, al ver la majestuosidad de aquel teatro.

«A ver si me voy a poner nerviosa ahora, cuando está vacío», pensó.

—¿Podemos subir al escenario? —preguntó Carlota.

—Buena idea. Seguramente será mi única oportunidad de conocerlo desde arriba —dijo Rebeca.

—Pues claro —le contestó el director Fornell—. Anda, vamos todos.

Los doce accedieron a un pasillo lateral, que les condujo al escenario. No pudieron verlo entero, ya que el telón estaba echado. porque estaban ultimando la decoración para la gala de esta noche. Aun así, la visión desde allí era imponente.

—Me he quedado sin palabras —acertó a decir Rebeca.

—Pues recupéralas para esta noche —le respondió su hermana—. Ahora está vacío, pero imagínatelo lleno de gente. El micrófono y tú, ante más de dos mil personas y cabalgando hacia la posteridad, montada en el caballito Pegaso ese. ¡Menudo papelón te espera!

—¡Qué tonterías dices! —dijo Rebeca, riéndose.

Estuvieron unos diez minutos en el escenario y caminando por el patio de butacas, y se volvieron al hotel. Ya casi eran las cuatro de la tarde y en breve comenzaría la locura para Rebeca.

Cuando llegaron al hotel, el *personal stylist* ya la estaba esperando. Junto con Mara, fueron a su encuentro.

—Hola, soy Andrea Di Cesare Cavalcante, la persona que te va a convertir en un cisne.

Apenas pudo aguantarse la risa. Entre el nombre de aquel personaje y su aspecto, que parecía un arcoíris, ya que no le faltaba ningún color a su ropa, Rebeca tenía que hacer verdaderos esfuerzos para no carcajearse. Aun así, le salió su vena sarcástica.

—*Això es precís?* —le preguntó en valenciano, aguantando todo lo que pudo la risa. «¿Aquello era preciso?».

—¿Qué dices? —le dijo el estilista—. Perdona, no te he entendido.

—Que si es preciso que me dirija a ti por tu nombre completo, y también lo del cisne —Rebeca estaba haciendo verdaderos esfuerzos para no partirse de risa—. Es que a mí me gustan más las garzas reales de la Albufera de Valencia. Es una manía que tengo desde pequeña, tengo un trauma con los cisnes.

El estilista no pilló la ironía de Rebeca, pero Mara sí. Ella también estaba conteniendo la risa.

—Te voy a convertir en lo que tú quieras, en una garza real de la Albufera, o en un águila real extremeña, si eso es lo que deseas. Y en cuanto a mi nombre, por supuesto lo puedes abreviar. Todo el mundo lo acaba haciendo, comprendo que es demasiado largo.

—Casi mejor, porque si no lo hacemos, se nos va a pasar todo el tiempo de la sesión llamándote. ¿Di Cesare Cavalcante te vale? —le preguntó Rebeca, casi llorando.

—¡No, mujer! Con Andrea será suficiente —le respondió el estilista, que estaba claro que no entendía las ironías de Rebeca.

—No seas mala y levanta un poco el pie —le dijo Mara en un susurro, girándose. Ya no podía aguantar más la risa.

—Las fotos que me ha mandado Mara se ven bastante borrosas. ¿Te importaría ponerte el modelo, para que pueda observar su estilo?

—Claro, Andrea —respondió Rebeca, que agradeció la oportunidad de poder abandonar el salón de su *suite* y reírse a gusto de la inocencia del pobre estilista, que sería un magnífico profesional, pero no pillaba sus ironías.

Aprovechó para secarse las lágrimas y recuperar un poco la compostura. Se puso el modelo y volvió al salón, ya repuesta del ataque de risa.

Nada más verla entrar, Andrea Di Cesare Cavalcante se levantó de golpe del butacón dónde estaba sentado. Los ojos se le salían de las órbitas. Se notaba que intentaba hablar, pero no podía hacerlo, ante lo que estaba viendo.

—Esto es imposible, me supera. Lo siento, no creo que sea capaz —acertó a decir, al fin.

29 | 11 DE MARZO DE 1525

—¿Ya estáis de vuelta de la residencia de Amador? —preguntó Johan, cuando vio entrar a su hijo Batiste y a Jero por la puerta de su casa.

—Sí —le contestó su hijo.

Johan los observó con detenimiento.

—No parecéis muy animados. ¿No os ha aclarado Amador las dudas?

—Más bien poco —respondió Batiste.

—Más bien nada —se unió Jero.

—Os conozco lo suficiente para saber que, esas respuestas, esconden algo que no me estáis contando.

—Es muy simple —intervino ahora Batiste—. No tenemos nada claro, porque Amador no se encontraba en su casa. En consecuencia, no hemos podido hablar con él. Lo más curioso es que no había nadie en su residencia, estaba vacía. Ni él ni nadie.

—¿Y cómo podéis saber eso? Igual no estaba en su habitación y no os ha escuchado.

—Como no nos contestaba desde su ventana, llamamos a la puerta, para hacerle una visita de cortesía.

—¡Os dije que no os metierais en líos! —exclamó Johan

—Y no lo hicimos —respondió de inmediato Jero.

—¿Pero no se supone que Amador estaba castigado en su habitación durante una semana?

—Sí, eso nos dijo, desde la ventana, la última vez que hablamos —respondió Batiste.

—¿Y su madre y el servicio doméstico? Tenéis razón, eso sí que es extraño —dijo Johan.

—Realmente lo es. Cuando más pienso en ello, menos lo entiendo —dijo Jero, reflexivo.

—La cuestión es que, sin las explicaciones de Amador, no podemos saber qué es lo que, en realidad, ocurrió en el pozo de las hermanas Vives —dijo Batiste—. Estamos en el mismo lugar que al principio. Nadando en un mar de contradicciones.

—Eso no es cierto —afirmó Jero.

—¿Cómo qué no? —preguntó Johan—. Sin sus explicaciones, no podemos avanzar.

—Os olvidáis de una cuestión fundamental —siguió hablando Jero.

—¿Cuál? —preguntaron a coro el padre y el hijo.

—Que en este problema hay dos partes, que se corresponden con dos versiones diferentes de los hechos. Una es la que nos dio Amador, pero la otra es...

—¡Las hermanas Vives! —le interrumpió Batiste. Ahora entendía el plan de Jero.

—¡Pues claro! Si no podemos hablar con una de las partes, por motivos desconocidos, siempre nos queda la otra. Podríamos salir de dudas.

—¿Estás insinuando que visitemos a Beatriz y Leonor? —preguntó Johan.

—Además, urgentemente —le respondió Jero—. Algo no va bien. Nada bien.

Johan parecía preocupado. Sabía que su hijo Batiste era muy inteligente, pero Jero era muy intuitivo. Tenía la capacidad de presentir los problemas.

—¿Por qué crees eso? —le preguntó.

—Ya te contesto yo —dijo Batiste, adelantándose a Jero—. ¿Cuál de las dos versiones coincide más con los hechos que conocemos? Es una pregunta retórica. Sin lugar a dudas, la de Amador. Como ya hemos comentado antes, es un hecho que llegó a su casa y que pasó una noche de castigo en la Torre de la Sala. No se explica sin la intervención de las hermanas Vives en este asunto. El verdadero cabo suelto es Arnau y su muerte violenta.

—Eso no es un cabo suelto, es una maroma de barco —intervino ahora Jero.

—Desde luego, pero la versión de Amador sigue pareciendo la más verosímil —le respondió Batiste.

—La más verosímil, pero tampoco es posible, salvo que... — Jero se quedó en silencio.

—¿Salvo qué? —le preguntó Johan.

—No lo quería decir, pero la otra opción nos lleva a considerar que Beatriz y Leonor Vives nunca llevaran a Arnau a casa. En ese supuesto...

Johan le volvió a interrumpir.

—¿No estarás insinuando que ellas le pudieron matar?

—Como comprenderás, no tengo datos para afirmarlo, pero no me puedes negar que es una posibilidad real, al menos son sospechosas —dijo Jero—. Si nos mintieron en lo del pozo, ¿por qué no lo podrían hacer también en eso?

—¿Por qué iban a hacerlo? No tenían ningún motivo para ello. ¿Cuál sería el móvil del asesinato? —le cuestionó Johan— . No tenían ninguno. Además, ya os he dicho que las conozco muchos años. No son unas dementes, y menos para cometer un asesinato. Son buena gente.

—¿Cuánta buena gente tiene ese aspecto exterior, y luego resulta que son unos locos peligrosos? A veces, las apariencias engañan.

—Hay un argumento de peso en contra de esa hipótesis. Si fueran unas dementes asesinas, ¿no hubiera sido más lógico que hubieran acabado con la vida Amador y no con la de Arnau? Odian a muerte a don Cristóbal de Medina, padre de Amador, sin embargo, mantienen unas excelentes relaciones con la familia de Arnau. ¿Y qué lógica tiene que maten al último y dejen con vida al primero?

—Reconozco que no te falta razón —dijo Jero—, pero nos quedan muy pocas opciones.

—En realidad, tan solo una, ¿verdad Jero? —dijo Batiste, que ahora había comprendido lo que su menudo amigo pretendía hacer.

—Veo que me has comprendido —le respondió.

—Pues ahora, ¿me la podéis contar a mí? —preguntó Johan, algo molesto por ser el único que no se enteraba.

—Que nos vamos de visita —respondió Batiste—. Anda, padre, coge algo de abrigo.

—¿Os habéis vuelto locos? —dijo Johan, que ya los había comprendido—. No nos podemos presentar en la residencia de las hermanas Vives así, sin avisar y de improviso. No es de buena educación.

—¿Por qué? —le preguntó Batiste—. ¿No decías que tenías una buena amistad con ellas? ¿Acaso te iban a impedir la entrada?

—Desde luego que no, pero me parece absolutamente inapropiado presentarse de esa manera.

—Quizá lo sea, pero prefiero ser un «inapropiado visitante» con el misterio resuelto, que un ignorante educado —dijo Batiste.

—Sin que sirva de precedente, yo también estoy de acuerdo con Batiste —dijo Jero—. Este tema no me da buena espina, y más habiendo muerto Arnau.

—Recuerda, padre, que a nosotros también intentaron matarnos —insistió Batiste—. Esto no es una broma, es un tema muy delicado. Si se confirmara que tuvieron algo que ver...

Johan estaba pensativo. Tenía que reconocer que los dos jóvenes tenían razón. Si ponía en una balanza la improcedencia de la visita sin avisar a unas amigas, contra el peligro que podían correr su hijo y Jero, la decisión era muy sencilla de tomar.

—Vámonos antes de que me arrepienta —dijo Johan, mientras se dirigía al armario, para coger algo de abrigo.

En apenas diez minutos llegaron a la calle Taberna del Gall, residencia de Beatriz y Leonor Vives. Johan golpeó la aldaba de la puerta. La casa era muy grande, con un amplio jardín, así que esperaron con paciencia, como en la anterior ocasión, que les abrieran la puerta.

Pasaron dos minutos.

—¿Llamas otra vez? —preguntó Batiste.

—Me espero un par de minuto más. Supongo que no esperaban ninguna visita. Igual se tienen que arreglar un poco —dijo Johan, que se sentía incómodo con esta situación.

Pasaron esos dos minutos.

—O vuelves a llamar tú, o lo hago yo —le dijo Batiste a su padre—. Llevamos en la puerta cinco minutos, tiempo suficiente para ponerse algo encima y abrir la puerta.

—Yo lo hago —dijo Johan.

Volvió a golpear la puerta con la aldaba, esta vez con más insistencia.

—¿Os parece bien así? —les preguntó Johan.

Ambos asintieron. Esperaron otros dos minutos, y nadie hacía acto de presencia en la puerta.

—¿Tampoco están? Hoy no tenemos nuestro día, nadie está en su casa —dijo Batiste.

—Es muy extraño. Su vida social es muy limitada, debido a su delicada situación económica. Prácticamente no salen de su casa, salvo para los oficios religiosos y las compras.

—No es hora ni de una cosa ni de la otra —apuntó Jero.

—Por eso he dicho que me parece extraño —repitió Johan.

Batiste y Jero se quedaron mirando. Sus pensamientos estaban sincronizados. Con la mirada, Batiste le estaba preguntando a Jero si era apropiado destapar sus habilidades con las cerraduras. Jero le hizo un gesto, como «vamos a esperar un poco».

Estuvieron un par de minutos más, en silencio, aguardando la presencia de las hermanas.

—Estoy empezando a preocuparme —dijo Johan.

Jero miró a su amigo, como diciéndole, «ahora es el momento». Batiste lo entendió de inmediato y comenzó a preparar el terreno.

—Lo estamos los tres —dijo—. ¿Y si les ha ocurrido algo? Y nosotros, mientras, aquí afuera sin hacer nada.

—No sé —respondió Johan—. Quizá debiéramos llamar a los alguaciles.

—Llegarían demasiado tarde. Podríamos entrar ahora mismo, y luego avisar a los alguaciles, si algo les hubiera ocurrido.

Johan se quedó mirando el perímetro de la casa.

—¿Cómo? ¿Pretendes saltar ese muro? Medirá más de dos metros.

—Entraremos por la puerta —intervino ahora Jero, mientras sacaba su instrumental de hierros de su jubón. Se acercó a la cerradura.

—¿Os habéis vuelto locos? No pienso derribarla —afirmo con contundencia Johan.

—No va a hacer falta —le respondió Jero, mientras empujaba la puerta y la abría.

Johan se le quedó atónito.

—¿Cómo has podido...? —empezó a preguntar.

—No lo quieras saber —le cortó Jero—. Vayamos a lo importante y entremos de una vez.

Así lo hicieron. Atravesaron el jardín y se dirigieron a la puerta de la casa. Estaba cerrada. Dieron la vuelta y se asomaron por una de las ventanas. El interior estaba en completa oscuridad.

—Ahora estoy más preocupado todavía. No me gusta nada lo que estoy viendo, mejor dicho, lo que no estoy viendo.

—Hay algo más alarmante que eso —dijo Jero—. ¿No os habéis dado cuenta?

—¿De qué? —le preguntaron a coro.

—De que las hermanas Vives no van a volver.

—¿Qué tonterías dices? —pregunto asombrado Johan.

—Volvamos al portón de entrada a la casa y me comprenderéis.

Volvieron a rodear la vivienda y llegaron hasta la puerta de acceso.

—¿Qué ocurre? Es una puerta cerrada como cualquier otra —dijo Johan.

—No como cualquiera —intervino Batiste, para sorpresa de Johan y también de Jero. Estaba claro que también se había dado cuenta de detalle que lo cambiaba todo.

—Bueno, ya habéis demostrado que sois muy listos. Ahora, ¿os importaría contarle al tonto del grupo de qué estáis hablando?

—Haz los honores —le dijo Batiste —Tú lo viste antes.

Jero se limitó a señalar la parte baja de la puerta, sin decir ni una sola palabra.

—¡Por los clavos de Cristo! —exclamó Johan.

30 EN LA ACTUALIDAD, SÁBADO 20 DE OCTUBRE

—Los invitados a la ceremonia, pueden ir subiendo en los vehículos. Ya es la hora, nos vamos al *Liceu* —dijo Carlos Conejos.

—¿En coche? ¡Pero si está apenas a trescientos metros de aquí! ¡Vaya tontería! —exclamó Carlota.

—Son cosas del protocolo.

—¿Y Rebeca? —preguntó. Desde que habían vuelto al hotel no la había visto.

—También son cosas del protocolo, lo que ocurre es que, en el caso de los nominados, es diferente al nuestro.

—¿Cómo de diferente? —insistió Carlota.

—Llegan un poco más tarde, incluso algunos cuando ya estemos todos sentados en nuestras butacas. Luego, lo habitual, la alfombra roja, atender a la prensa y a la televisión, fotos y todo eso, para terminar entrando en el teatro.

—Entonces, ¿nosotros no desfilamos por la alfombra roja?

—¿Te preocupa? ¡Pues claro! De eso no os libráis, ni tampoco del *photocall*. La diferencia es que las cosas no ocurren al mismo tiempo que los nominados y nominadas.

—¡Pero yo quiero una foto con mi hermana!

—¡Por supuesto! —dijo Carlos—. Tú y todos la queremos, pero ya tendremos tiempo suficiente. Hay programada una fiesta, después de la entrega de los premios.

Al oír la palabra «fiesta» se animó, aunque a Carlota lo que de verdad le fastidiaba era la apuesta, y no saber si Rebeca, como había prometido, le iba a sorprender o no. Retrasar ese momento hasta el teatro no le hacía ninguna gracia. Su natural curiosidad le podía, además, esta vez no las tenía todas consigo. Pensaba que iba a ganar, porque era muy difícil que su hermana, a estas alturas, le sorprendiera con algo, pero le inquietaba esa sonrisa enigmática que había observado en su rostro. No era habitual en ella. Estaba claro que algo había tramado, que algo se llevaba entre manos, lo que no sabía era exactamente qué. La curiosidad la carcomía.

No se pudo contener.

—Tía, perdona que te haga esta pregunta, que quizá te suene extraña. En estos últimos días, ¿ha ocurrido algo fuera de lo normal en vuestra casa?

—¡Pues sí que me suena extraña! ¿Qué clase de pregunta es esa? —le contestó Tote.

—Me refiero a algo que te haya llamado la atención, algo que no sea habitual.

Tote se quedó, por un instante, pensativa.

—No, que yo recuerde —respondió, haciendo una pequeña pausa—. ¡Bueno, sí! Ahora que me acuerdo, el jueves, Rebeca recibió un paquete en casa.

—¿Y eso es extraño? Yo también los recibo.

—Sí, pero no creo que sean como este. Lo que me llamó la atención era que venía sin remitente. Pude observar, casi imperceptibles, las letras «RAM» o algo así, en un costado, no lo recuerdo bien. Cuando se lo comenté a Rebeca, me dijo que ni me acercara a él, de una forma que me pareció fuera de lugar, muy exagerada. Se expresó como si aquella caja fuera peligrosa. Al día siguiente, desapareció.

—¿Cómo qué desapareció? —preguntó Carlota. Aquello sí que era algo poco corriente.

—Sí, que observé que ya no estaba dónde la había dejado. Rebeca me contó que había guardado su contenido y tirado la caja de cartón a la basura.

—La verdad es que no le encuentro ninguna relación con esta gala, pero, por curiosidad, se lo preguntaré en el viaje de vuelta a Valencia. No se me ocurre qué es lo que puede recibir, que sea peligroso. Lo más arriesgado que Rebeca ha hecho en su vida es tirarse por una tirolina, a dos metros escasos del suclo.

—Ni a mí. Tampoco se me ocurre nada.

Sin darse cuenta, ya habían llegado a su destino. El trayecto en vehículo, desde el hotel hasta el teatro, de trescientos metros, apenas duró un instante No les dio tiempo casi ni a sentarse. Descendieron del coche y se encontraron con la alfombra roja, y un montón de gente alrededor. Carlos Conejos enseñó unos documentos al personal de seguridad, y les abrieron el cordón que franqueaba el acceso a la exclusiva alfombra.

Había multitud de fotógrafos, los *flashes* de sus cámaras eran constantes.

Tote hizo el recorrido por la alfombra lo más rápido posible, sin embargo, Carlota quería disfrutar del momento y se paraba constantemente a hacerse *selfies* con la gente, como si fuera una celebridad. En realidad, a su manera, también lo era. La gente la reconocía por sus activas redes sociales. Era una *influencer* de prestigio nacional.

—Mira tía, esos son Noemí Galera y Tinet Rubira, el director de Gestmusic —le dijo emocionada.

—No tengo ni idea quiénes son.

—¿No me digas que no te suena el programa de televisión «Operación Triunfo»?

—¡Ah! Eso sí. Es o era una especie de concurso de cantantes.

—Sí, una especie... —dijo Carlota, que para sorpresa de Tote, los saludó y se puso a hablar con ambos.

Entraron en el teatro y el *famoseo* estaba por todas partes. Tote estaba desubicada, pero Carlota parecía en su salsa, toda emocionada.

—¿Cómo conoces a esta gente? —le preguntó Tote a Carlota, intrigada.

—Es mi actividad, de ello vivo. Hace muy poco los entrevisté para mi *blog*. ¿Tantos años y aún no sabes cómo me gano la vida?

«Pues no», pensó Tote, pero no se atrevió a reconocerlo.

—Cada día me sorprendes más. No tenía ni idea que estuvieras tan introducida en estos ambientes tan *chic* — acabó comentando.

—Tan *pijos*, lo puedes decir abiertamente. Y no lo estoy, pero conozco personalmente a algunos de los que están aquí. Es más por trabajo que por placer.

«¡Y una porra!», pensó Tote, pero se lo callo. Prefirió ser más diplomática y prudente. Se notaba que su sobrina estaba disfrutando, y no poco.

—Pues yo no tengo ni idea de quiénes son. Bueno, a esos que están en el *photocall* ahora mismo sí que los conozco, pero no sé de qué.

—¿No me digas que no te suena el Gran Wyoming?

—¡Claro! Pero ese no es. El gran Wyoming, o José Miguel Monzón, que es su nombre verdadero. Es de mi época, pero no es rubio ni tan joven. ¡Ya le gustaría!

—¡Por favor, tía! El rubio no es él, es Jesús Calleja, presentador de televisión. La chica monísima que está a su lado es Sandra Sabatés, una profesional como la copa de un pino, que trabaja para el Gran Wyoming. Menudo *modelazo* lleva, creo que de *Tot Hom*, con escote y corte infinito en la falda. De lo mejor que he visto esta noche, sin duda. Es la elegancia hecha mujer.

—¡Ahh! Pues de eso me sonará... —dijo Tote, que andaba perdida—. Pero, no sé por qué, me parece que la «elegancia hecha mujer», esta noche, tendrá otro nombre, Rebeca Mercader —le picó su tía —, y te tengas que comer tus palabras.

—Dudo que pueda superar eso, aunque sea mi superhermana —le respondió.

No obstante, Tote se dio cuenta de que el tono de voz de Carlota denotaba cierta preocupación. Esta vez no estaba segura de poder ganar la apuesta.

—Voy a saludar a Sandra.

—¿También la conoces?

—Sí, pero no por su vertiente televisiva. El mes que viene publicará su primer libro. Se titulará *Pelea como una chica*, dónde narrará la vida de mujeres ilustres a las que la Historia no ha prestado demasiada atención. Es una declarada feminista. Me dio su libro, en primicia, y escribí una reseña en mis redes —dijo, mientras se encaminaba hacia ella—. Siempre ha sido muy amable conmigo.

—No sabía nada de eso.

—¿Cómo lo vas a saber si del trabajo te vas a casa y viceversa? Te hace falta más vida social.

—La odio.

—Ya se te ve, ya... —le contestó Carlota, riéndose, mientras salía al encuentro de Sandra Sabatés.

Tote se quedó mirando el paisaje. Desde luego, aquel no era su ambiente. Carlota volvió a los pocos minutos.

—¿Sales de la comisaría de Policía en alguna ocasión que no sea para trabajar? Parece que hayas estado viviendo todos estos años en otro planeta —dijo, cuando volvió de su conversación con Sandra.

Carlota no paraba de hacerse fotos con todos los que conocía, e inmediatamente las subía a su popular cuenta de Instagram, dónde los *likes* o «me gusta» no cesaban de aumentar.

—A pesar de lo espectacular que es mi hermana, aquí hay muchísimo nivel. Superar a Sandra va a ser difícil. Es de lo mejor que he visto, ya no solo esta noche, sino en bastante tiempo. No se me ocurre cómo piensa sorprenderme. Creo que nos hemos ganado un mojito —dijo una emocionada Carlota.

—No cantes victoria. Conozco mejor que tú a Rebeca, y me parece que esta apuesta la vas a perder.

—¿Por qué dices eso? —le preguntó Carlota, con curiosidad.

—Porque jamás le había visto esa expresión y esa sonrisa radiante, cuando estabais hablando de la apuesta. No sé qué prepara, pero, desde luego, algo muy relevante se lleva entre manos. No olvides que es tu hermana, una oponente verdaderamente formidable. No deberías cometer el error de minusvalorarla. Yo lo he hecho en el pasado, y me arrepiento de cada una de las ocasiones. Es tu némesis intelectual. ¿Sabes que se hace la tonta de maravilla, cuando le interesa? A veces me da la impresión que, en realidad, no es lo que quiere que creamos que es. No se te ocurra menospreciarla jamás. Cometerías un gran error.

Carlota se volvió a preocupar. «Así que Tote también se ha dado cuenta, no soy la única», pensó, con cierto desasosiego, aunque de inmediato se volvió a tranquilizar. En esta velada, era imposible superar a Sandra y, menos todavía, sorprenderla a ella, por muy inteligente que fuera Rebeca, que no le cabía ninguna duda de que lo era.

—Conocemos su vestuario, sus modelos de alta costura y nos dijo que no se iba a poner gafas ni rizar el pelo. Ya me contarás cómo piensa impresionarnos, con todo lo que estoy viendo por aquí. Como no se tiña el pelo de azul...

—No sé, igual no poniéndose uno de sus *modelazos*, por ejemplo.

—¿Rebeca? No me lo puedo creer. Hemos asistido a bastantes fiestas juntas, y siempre ha tenido la habilidad de ir vestida y arreglada de la manera más adecuada para cada ocasión. No olvides que también entiende bastante de moda, aunque no le guste reconocerlo. Jamás acudiría a un *sarao* de estas características de forma inapropiada. Por su actitud puede parecer que no, pero se preocupa por su estilismo mucho más de lo que ella quiere dar a entender. Intenta disimularlo, pero su gusto por la moda y la alta costura lo certifica.

—Nadie ha dicho que no vaya adecuada para esta gala, pero, quizá no de la manera que nos imaginamos. Ahí lo dejo, como mera hipótesis.

«¿Cómo mera hipótesis?», pensó Carlota. «¿Sabrá mi tía más de lo que me cuenta?». Decidió dejar el tema, le iba a salir una úlcera como siguiera pensando en ello.

—Por cierto, Tote, ¿dónde está? Ya están llegando muchos de los nominados, pero a ella no la veo.

—Ten en cuenta que tenemos a más de dos mil personas a nuestro alrededor. Supongo que, en cualquier momento, aparecerá.

—¡La quiero ver ya! —dijo Carlota, que no podía disimular su impaciencia.

Es probable que esté por aquí y ni siquiera nos hayamos dado cuenta, con semejante multitud.

De repente, oyeron un sonido.

—Me parece que tendrás que esperar a verla más tarde —dijo Tote—. Esa campana indica que tenemos que ocupar nuestros asientos.

—¡Menudo fastidio! Yo creo que lo está haciendo adrede. Seguro que ella sí que nos ha visto y nos está evitando a propósito.

—¡No seas infantil! Tenemos unas butacas magníficas, justo tres o cuatro filas detrás de los nominados. En cualquier caso, la vamos a ver en unos minutos.

Entraron en el teatro y ocuparon sus asientos. Algunos de los famosos ya estaban en sus butacas, pero no había ni rastro de Rebeca.

De repente, Tote lanzó una pregunta que Carlota no se esperaba.

—¿Te acuerdas del paquete que recibimos el jueves?

—Sí, ese que llevaba escritas unas iniciales que ponían «RAM» o algo así. ¿El que me has contado antes?

—¿Sabes qué pueden significar? Me lleva rondando por la cabeza una posibilidad inquietante para ti y para el resultado de tu apuesta.

—¿Cuál? —preguntó Carlota, con verdadera curiosidad.

—Podrían significar, *Royal Air Mail*, el servicio postal internacional del Reino Unido.

Carlota lo comprendió de inmediato. Sin duda esa era la «hipótesis» a la que se refería su tía hace un momento.

—¿Estás insinuando que Rebeca se ha podido comprar un modelo de alta costura en el Reino Unido, qué nosotras desconocemos?

—Quizá. Los hechos encajan. Piensa con esa mente brillante que tienes. No quería que tocara el paquete y lo recibió justo hace dos días. Tienes todas las piezas del rompecabezas frente a ti, tan solo tienes que encajarlas. ¿No te gusta decir esa frase a ti?

Ahora, Carlota estaba preocupada.

—No sé. Rebeca es de diseñadores españoles. No tiene ningún modelo de alta costura internacional —decía, mientras su mente pensaba a toda velocidad. Tenía esos ojos brillantes característicos—. A no ser que... —se quedó en silencio.

—A no ser qué, ¿qué?

—Que «RAM» no signifique eso —dijo, de forma enigmática.

—Entonces, ¿qué sentido tiene esta conversación?

En ese momento, vieron como la gente se levantaba y aplaudía a alguien que estaba entrando por el pasillo. Carlota y Tote también se levantaron de sus butacas, para observar qué es lo que ocurría.

Carlota se quedó pasmada con lo que estaba viendo. No lo podía creer.

—Confirmado, «RAM» no significa *Royal Air Mail* —dijo, boquiabierta.

Tote también estaba impresionada con lo que estaba observando. Se había quedado, momentáneamente, sin palabras.

—Entonces, ¿qué significan esas letras? —dijo, cuando recuperó el habla.

—Dos cosas, pero la primera y principal es que acabo de perder la apuesta —dijo Carlota, con los ojos abiertos como platos.

Azul.

31   11 DE MARZO DE 1525

En la parte inferior de la puerta de acceso a la vivienda de las hermanas Beatriz y Leonor había unos tablones de madera clavados a ella. En aquella época, era habitual que, ante ausencias prolongadas o definitivas, se sellara la parta baja de las puertas, para evitar, sobre todo, la entrada de agua al interior de la casa. En la ciudad, no llovía demasiado, pero cuando lo hacía, solía ser de forma torrencial. Las viviendas aisladas con jardín, como la que tenían delante de ellos, estaban especialmente expuestas a los fenómenos meteorológicos.

—¿Lo tenéis claro ahora? —preguntó Jero.

—Además, hemos rodeado la casa. ¿Habéis visto a alguno de sus gatos? Tampoco están.

—Por lo que veo, tengo claro que no van a volver en breve —dijo Johan—. Lo que no entiendo es el motivo. No sabía que se fueran de viaje. Volvemos a estar en un callejón sin salida. Ninguna de las partes nos ha contado nada.

—Eso no es así —dijo Jero —. ¡Y tanto que lo han hecho!

—¿Me puedes explicar en qué momento ha ocurrido? —preguntó Johan, extrañado.

—Ahora mismo padre, por ejemplo —dijo Batiste.

—¿Tú también sacas conclusiones del hecho de no saber nada?

—Te vuelves a equivocar —dijo Jero—. El hecho de que la familia de Amador no estuviera en su residencia es circunstancial, es decir, don Cristóbal de Medina y Aliga es el receptor del tribunal local del Santo Oficio. No ha dimitido ni ha sido cesado de su puesto y también viaja bastante. Su ausencia es justificable. Tener en cuenta que él está totalmente vinculado a la ciudad y no puede huir.

—¿Y qué? —Johan no pillaba el razonamiento de Jero.

—Padre, lo que te quiere decir mi amigo es que la familia de Amador volverá a la ciudad, más pronto que tarde, incluso hoy mismo, pero las hermanas Vives no lo harán. Eso es muy significativo.

—¿Por qué?

—¿No lo entiendes, padre? Te voy a hacer una pregunta importante. Piensa bien la respuesta. ¿Alguna vez han hecho algún viaje prolongado sin que tú lo supieras?

—No me hace falta pensar para responder. Desde luego que no, pero no solo eso —dijo Johan—. Jamás han hecho un viaje prolongado en su vida. Ni siquiera asistieron a la boda de su hermano Luis Vives en Brujas, por ejemplo, pese a estar invitadas. No les gusta viajar.

—¿Y no sacas ninguna conclusión de todo ello? —le preguntó Jero.

—Si pretendéis que deduzca de todo esto que las hermanas Vives son culpables del asesinato de Arnau, y por ello han huido de la ciudad, lo siento, esas palabras no van a salir de mi boca.

—Está claro que es una prueba circunstancial, pero muy evidente —dijo Jero—. ¿Consideras probable que abandonen la ciudad sin tu conocimiento?

Johan se quedó mirando a su hijo y a Jero. Estaba reflexionando acerca de la pregunta y las palabras a emplear

—No —respondió lacónicamente, al fin—. No es nada probable.

—Pues ya vamos dos puntos a cero a favor de la versión de Amador. El primer punto, que es completamente congruente con todo lo que conocemos y ocurrió después de nuestra primera entrada furtiva a su casa y al pozo, y el segundo punto es la desaparición de las principales sospechosas, sin ningún motivo aparente y sin avisar a nadie —afirmó con contundencia Batiste—. Sé que te puede costar asumirlo, ya que son tus amigas, pero que esa cuestión no nuble tu entendimiento. Todos los caminos nos conducen a ellas. Ahora ya parece innegable.

—Tengo que reconocer que podríais tener razón, no soy idiota —dijo Johan—. Pero igual las cosas podrían tener otra explicación. Es difícil sacar conclusiones cuando no puedes hablar con ninguna de las dos partes.

De repente, para su absoluta sorpresa, oyeron ruidos procedentes de la puerta de entrada al jardín de la casa. Se asustaron de inmediato.

—Hemos cerrado la puerta tras abrirla, ¿verdad? —preguntó Batiste, con la voz temblorosa.

—La he abierto y la he cerrado yo, sin dejar ninguna marca —dijo Jero, también con el gesto de alarma en su rostro.

—Pues están intentando abrir la puerta con una llave —dijo Johan, que, aunque también estaba asustado, lucía una pequeña sonrisa en su rostro—. Parece que vuestra alocada teoría de que las asesinas hermanas Vives, que habían huido para escapar de la Justicia, parece descartada ahora, que están volviendo a su casa.

—Eso no es lo importante, ahora mismo —dijo Batiste—. Aquí estamos muy expuestos, vayamos a los setos que están enfrente del pozo. Son los más frondosos del jardín. Allí no nos podrán ver. Una vez que entren, nos será más fácil alcanzar la puerta de salida, sin que hayan notado nuestra presencia en su casa.

Los tres, medio agachados, se dirigieron al lugar donde les había señalado Batiste. Se agazaparon como pudieron. Los setos eran frondosos, pero el espacio muy reducido.

—Me parece que nos vamos a llevar una sorpresa, muy en breve —dijo Jero.

—¿Qué sorpresa? —le preguntó Johan, sin entender a Jero.

—Que las hermanas Vives no son las que están intentando entrar en la casa.

Johan y Batiste se quedaron mirando a Jero.

—Ahora me toca a mí —dijo Johan, que no se pudo aguantar—. ¿Quién va a ser, si no? Todo por no dar tu brazo a torcer y reconocer que te has equivocado en tu hipótesis. Rectificar errores también es de sabios, no te avergüences.

—No lo entiendes. El equivocado eres tú —dijo Jero—. Estamos en verdadero peligro.

—Y todo eso, ¿cómo lo puedes saber? Aún no hemos visto nada.

—No me hace falta utilizar ese sentido para saberlo —respondió con firmeza Jero—. Tan solo con oírlo, tengo suficiente.

—No te entiendo —insistió Johan.

—Ya has visto mis habilidades con las cerraduras, ¿verdad? Pues bien, la persona que ha abierto la puerta no ha utilizado una llave. Ha seguido el mismo procedimiento que yo. Conozco perfectamente los sonidos que produce la manipulación de un cerrojo. ¿Crees que las hermanas Vives no tienen llaves de su casa y necesitan forzarla?

Johan se alarmó aún más.

—Eso no tiene sentido. ¿Quién más puede tener interés en entrar en esta casa, de forma furtiva?

—Me temo que la respuesta la tienes delante de tus narices —dijo Batiste, asomándose con cuidado por uno de los laterales del seto.

Johan se asomó por el otro lateral. Jero, sin embargo, se quedó tranquilamente sentado, sin hacer ningún ademán de moverse, de espaldas a toda la acción.

—Son tres personas, por su complexión parecen hombres —dijo Batiste.

—Sí —confirmó Johan—. Jero tenía razón, desde luego no son las hermanas Vives.

—Es don Cristóbal de Medina, acompañado de dos personas más —dijo Jero, que seguía sentado de espaldas, sin haberse girado a mirar en ningún momento.

—¿Cómo lo puedes saber, si ni siquiera te has asomado? ¿Acaso eres un brujo?

—Vamos a ver, ¿quién, aparte de nosotros, puede tener interés en entrar, de forma furtiva, en esta casa? De todas maneras, os recomiendo que os escondáis mejor. Me temo que se dirigirán hacia aquí, en concreto al pozo. No tienen ningún interés en la vivienda.

Johan y Batiste se le quedaron mirando. Sin terminar de estar convencidos, ya conocían las habilidades de Jero y le hicieron caso.

Apenas un minuto después, oyeron acercarse a los tres desconocidos.

—Ni se os ocurra moveros ni hablar —susurró Jero—. Escuchemos con atención cualquier detalle. Es más importante de lo que parece.

—Haz tu trabajo Pere —escucharon decir a una voz perfectamente reconocible.

—Esta reja está sujeta de forma muy firme a las paredes del pozo. Es de buena calidad. Retirarla no será sencillo, me llevará, al menos, unos quince minutos —respondió al que habían llamado Pere.

Johan también reconoció la voz de esta segunda persona. Todo encajaba.

—Pues vayamos a ponernos cómodos. No tardes más de la cuenta —volvió a repetir la primera voz, la que estaba al mando.

Oyeron alejarse a dos personas, al mismo tiempo que un ruido muy fuerte procedía desde el pozo. Parecía que Pere estaba intentando retirar los anclajes, que sujetaban la reja del pozo a las paredes de piedra.

—No sé cómo lo haces —susurró Johan, dirigiéndose a Jero—, pero tenías razón. La voz al mando es la de don Cristóbal y la persona que está intentando retirar la reja es Pere, uno de los principales herreros de la ciudad. Lo conozco porque también trabaja para mí. El tercero no ha hablado, en consecuencia, no sabemos quién es ni su función en todo este asunto.

—Padre, es obvio —dijo ahora Batiste—. ¿Para qué te crees que están intentando retirar la reja del pozo? La única respuesta posible es para acceder a su interior, y para eso se necesitan tres personas. Una para que descienda y dos más para sujetar la cuerda.

—Pues eso deben ser buenas noticias. En el interior del pozo no hay nada. Eso significa que el receptor va muy despistado con su investigación —afirmó Johan.

—Todo lo contrario, es muy preocupante —dijo Jero, que aún no se había movido de su posición original. Seguía de espaldas a la acción.

—¿En qué te basas? Vosotros mismos ya descendisteis a ese pozo, y comprobasteis que está vacío, ¿Por qué nos tenemos que preocupar? No va a encontrar nada.

Jero se quedó mirando a Batiste. Parecía que su amigo también lo había comprendido. Se explicó.

—Por dos motivos fundamentales. El primero es que don Cristóbal ya ha estado aquí antes y, lo peor, es que sabía que las hermanas Vives no estaban en la casa.

—¿Cómo puedes saber eso? —preguntó Johan.

—Han manipulado la cerradura, igual que nosotros, pero ¿cuál ha sido la diferencia entre su entrada y la nuestra?

—No lo sé, pero presumo que ahora nos la contarás.

—No se han dirigido primero a la vivienda, para asegurarse si las hermanas estaban en la casa o no. Con el escándalo que está montando el herrero, ¿no sería lo primero que tenían que haber comprobado? De haber estado las hermanas, ya habrían avisado a los alguaciles. Eso demuestra que conocían su ausencia. Y por otra parte, por el sonido de sus pasos, se han dirigido directamente al lugar dónde se encuentra el pozo, sin ningún titubeo. Ya conocían el lugar. No es la primera vez que han estado aquí.

—¡Bravo! —exclamó Johan—. ¿Y el otro?

Jero continuó con su explicación.

—Es obvio, si don Cristóbal está aquí, es porque se ha leído, estudiado y comprendido, el legajo de Blanquina, y ha llegado a las mismas conclusiones que nosotros hicimos hace unos días. Está avanzando deprisa. De hecho, en unos veinte minutos, sabrá lo mismo que nosotros acerca del árbol.

—De eso nada —dijo Johan—. Vosotros dos sabéis que Luis Vives y yo ocultamos el árbol en este pozo, de forma provisional. porque os lo dije yo, y yo no he hablado con ellos. Además, el único rastro que nos dejamos fue esa joya que, afortunadamente, vosotros encontrasteis. Según vuestras propias palabras, el interior del pozo, ahora mismo, está vacío. Solo hay arena y humedad.

—Lamento comunicarte que, toda esa información acerca del tesoro oculto de forma provisional, también la va a saber el receptor, en unos minutos —dijo Jero.

—¿Cómo va a ser posible eso? —siguió preguntando Johan, ahora con un gesto de absoluta incomprensión en su rostro.

—Por la tercera persona.

—¿La tercera persona? —repitió Johan—. Pero si ni siquiera la hemos podido ver ni oír. No sabemos quién es.

—Yo sí.

—Jero, ¡pero si ni siquiera te has girado a mirar a ninguno de ellos! Y la tercera persona, tampoco ha hablado.

—¡No seáis tontos! No me hace falta escuchar su voz para saber cuál es su función en toda esta operación.

—¿Acaso eres un brujo con poderes ocultos? —insistió Johan, incrédulo. Aquello le parecía demasiado, incluso viniendo de Jero— Ya nos has dicho que no, pero te pareces mucho.

—Desde luego que no soy ningún brujo, tan solo escucho y pienso. Me ha bastado oír el ruido de unos platos para saber quién es y cuál es la función de la tercera persona en todo este asunto. Y ya os puedo adelantar que la tercera persona será la encargada de descender hasta el fondo del pozo, para vuestra información.

—Y todo eso lo sabes, ¿tan solo por escuchar el ruido de unos platos? Jero, ¿te encuentras bien?

—Perfectamente.

—Pues ya nos lo puedes explicar —intervino ahora Batiste—. Antes te seguía en tus razonamientos, pero ahora ya he dejado de hacerlo.

—No va a hacer falta ninguna explicación —les respondió—. Por los sonidos, la reja ya está casi suelta y don Cristóbal y la tercera persona vienen de camino. Vosotros mismos vais a ser testigos directos. Ahora, quedémonos en silencio y escuchemos. El sentido de la vista es innecesario, de momento. Ya llegará la ocasión de utilizarlo, cuando salga la tercera persona del interior del pozo —dijo, con un tono algo misterioso.

Johan y su hijo se quedaron mirando, sin comprender nada, pero obedecieron a su menudo amigo.

Lo que tenía claro Batiste, aún sin saber qué había deducido Jero, era que estaban en grave peligro. No se equivocaba en esas cuestiones.

32 EN LA ACTUALIDAD, SÁBADO 20 DE OCTUBRE

—Impresionante, espectacular, apabullante, y me quedo corta —dijo Tote—. Jamás la había visto así de radiante. Va a ser la reina de la noche, gane o no gane ese premio de la radio. Eso ya da igual. La prensa gráfica va a disfrutar con ella, por no decir la televisión. Acaparará muchos planos.

Carlota estaba como en una nube. Era evidente que ella también estaba impresionada. Durante unos segundos permanecieron en silencio, observándola, mientras recorría el pasillo central.

—¡Se ha atrevido con el azul!— exclamó Carlota, al fin—. ¡Qué mala persona! ¡Seguro que lo ha hecho para fastidiarme! Sé perfectamente que no le gusta nada. Siempre me ha dicho que odia ese color, porque, según ella, no le favorece. De hecho, en su armario, no tiene ningún modelo en esos tonos, ni siquiera parecidos.

—Querrás decir que no tenía —le corrigió Tote, que no podía evitar cierta diversión por el enfado de Carlota.

—Es obvio que se lo acaba de comprar. ¿Acaso se lo habías visto antes?

—Jamás.

—Pues azul y en botella —le contestó Carlota, de evidente mal humor—. Esto no me lo esperaba nunca. Me ha sorprendido de verdad, lo reconozco.

Tote no terminaba de comprender toda aquella situación. Aunque le hiciera gracia, le parecía una reacción un poco exagerada por parte de Carlota.

—Acabas de decir que has perdido la apuesta. ¿Es esa la verdadera razón? ¿Es solo por el color del vestido? Si quieres que te diga la verdad, tampoco me parece un motivo de suficiente peso. Puede que a Rebeca no le guste nada el color azul, pero en este modelo en concreto, le sienta de infarto.. Eso no lo puedes negar.

Carlota se quedó mirando a Tote fijamente, como pensando las palabras que iba a decir.

—Es verdad, tienes razón. No, el verdadero motivo no es por el color de su vestido. Desde luego, ya es insólito que se vista de azul, pero, como bien dices, no hubiera sido una causa suficiente, por sí misma, como para ganarme la apuesta. No le hubiera valido.

—No te entiendo. Entonces, ¿por qué dices que te ha sorprendido y te das por vencida?

—Aunque te suene extraño, porque, sin darte cuenta, tú tenías razón.

—¿Yo? ¡Pero si no he dicho ni hecho nada!

—Te equivocas. Sí que has dicho algo muy importante. La clave estaba en las iniciales del paquete que Rebeca recibió el jueves en vuestra casa.

—¿«RAM»? ¿Y eso que tiene qué ver? Me acabas de decir que no significan *Royal Air Mail*, o sea, que, según tú, no se compró el modelo en el Reino Unido.

—Probablemente el paquete viniera de allí, en concreto de Londres. Esa no es la cuestión.

Tote miraba a su sobrina Carlota con cara de absoluta confusión.

—Cada vez te entiendo menos. No comprendo ni una sola palabra de lo que dices.

Carlota sonrió. En realidad, Tote disponía de toda la información, pero no de todo el conocimiento. Era normal su desconcierto.

—En realidad, no lo leíste bien. En el paquete no ponía «RAM», sino «RA», sin la letra «M». Eso es lo que de verdad importa, lo verdaderamente significativo.

—Lo será para ti, porque yo aún sigo sin pillarlo —le respondió Tote, que ya no sabía qué decir.

Mientras ellas hablaban, Rebeca se estaba aproximando, andando por el pasillo central. Cuando pasó justo por su lado, se les quedó mirando durante un instante y les sonrió. Le dedicó a Carlota un guiño de ojo.

Carlota se puso completamente roja.

—La puñetera se sabe ganadora de la apuesta y me lo está restregando por toda la cara —dijo, aparentando un mal humor, que a Tote le pareció un tanto impostado. Le daba la impresión que se hacía la ofendida, pero no lo estaba tanto.

No se pudo callar.

—¿Te preocupas de eso? —le replicó Tote—. Rebeca está espectacular, con ese modelo, elegante e informal a la vez. Va a arrasar en la televisión y en todas las revistas del corazón. Ríete de tu amiguita Sandra Sabatés. Con todo lo guapa que es, no le llega ni a la suela de los zapatos a Rebeca, al menos esta noche.

Carlota acusó el golpe.

—No me entiendes —dijo, mientras se giraba hacia su tía, como para hacerle una confidencia al oído

Tote también se aproximó, para escucharla.

—¿Sabes? Ese modelo, que tu llamas informal, es un Reem Acra original y exclusivo. ¿Entiendes las iniciales ahora? «RA». Nunca había visto uno de ellos en persona, tan solo en fotografías en las redes y en revistas de alta costura y moda internacional.

—¿Y qué? —le respondió Tote, que seguía sin comprender la sorpresa de Carlota.

—Rebeca sabe perfectamente que es mi diseñadora favorita. La condenada lo ha hecho a propósito y ahora me está dando un *zasca* en todos los morros. Nunca pude imaginar que se pudiera comprar uno de ellos. No es nada sencillo hacerlo y, además, no es su estilo.

—No sé si será su estilo o no. Ya sabes que de alta costura entiendo lo justo, pero ese *modelazo* parece confeccionado adrede para ella, le sienta como un guante. Destaca su figura y sus ojos azules como jamás la había visto. Me vas a perdonar, pero me parece que su estilismo, en su conjunto, es de lo mejorcito que he observado en toda mi vida, y eso que, insisto, no entiendo demasiado de moda.

—No te falta razón en ninguna de las dos cosas. Desde luego el modelo está confeccionado en exclusiva para ella, si te fijas bien en los detalles del vestido. Le habrá costado una pequeña fortuna. Aunque los mojitos los tenga que pagar yo, desde luego van a ser los más caros de la historia, seguro que de *Récord Guinness*.

—Cuándo dices una pequeña fortuna, ¿de cuánto estamos hablando?

—Antes de que te escandalices, esos modelos exclusivos de Reem Acra son una auténtica joya de la alta costura internacional, además, como es original y exclusivo, se podría hasta decir que es toda una inversión. Podría ser una pieza de museo. Y el tema no acaba aquí. Fijándome en los detalles, estoy segura de que este modelo lo habrá diseñado en persona la propia Reem Acra, no un miembro de su atelier, lo que le otorga un grandísimo valor añadido. Tengo que reconocer que es formidable —Carlota parecía genuinamente impresionada.

—¿Qué significa atelier?

—Su taller de trabajo. Las grandes modistas y modistos tienen a gente trabajando para ellos. En muchas ocasiones, ellas y ellos no diseñan ni confeccionan sus modelos, tal y como los vemos después en las pasarelas internacionales. Simplemente marcan las pautas, dan las ideas conceptuales para las colecciones, supervisan el trabajo y dan su aprobación final, pero, en realidad, el trabajo lo hacen otros. Es una labor de equipo.

—¿Y cómo sabes que este modelo, en concreto, lo ha diseñado esa tal Reem Acra y no cualquier otro miembro de su atelier?

—Porque tiene cada detalle de su estilo plasmado en él, como nunca antes había visto. Es una auténtica maravilla, una joya de la alta costura, en su estilo. Además, ese vestido está hecho adrede para Rebeca. Tan solo ella puede lucirlo así. No forma parte de ninguna colección. Créeme, hablo con conocimiento de causa, sabes que de eso entiendo algo.

—Le das mucho bombo a esa diseñadora, pero jamás había oído su nombre.

—Quizá Reem Acra no te suene, pero supongo que sí lo harán Beyoncé, Madonna, Halle Berry, Angelina Jolie, Jane Fonda, Eva Longoria, Catherine Zeta-Jones, Jennifer López, Kristen Stewart, y, cómo no, Taylor Swift. Ha trabajado para todas ellas, sin olvidarme de la *superlegante* Melania Trump.

—¡Esas sí que sé quiénes son!

—Reem Acra es una diseñadora libanesa de talla mundial, especializada en ropa de novia, pero también tiene una colección de moda similar a lo que estás viendo, del tipo *«ready-to-wear»*, es decir, lista para llevar. Es sencillamente espectacular. Se podría decir que el modelo de tu sobrina va en esa línea, pero sublimándola hasta límites que yo no había visto jamás.

—Pero Rebeca no ha viajado al Líbano. Lo que estás contando no puede ser.

—Eso es lo extraño de esta historia. Desde luego no tiene tienda en España. Que yo sepa, tan solo trabaja en su Beirut natal, en Londres y, sobre todo, en Nueva York, donde se ha establecido y tiene su gran atelier.

—¿Entonces?

—No me sorprendería en absoluto que le hubiera pagado el viaje a España y que haya satisfecho sus astronómicos emolumentos, tan solo para fastidiarme. Solo así le puedo encontrar alguna explicación a este modelo. Rebeca es perfectamente capaz de hacer eso. Bueno, en realidad, estoy segura de que lo ha hecho. Tenemos la prueba delante de nuestras narices.

—¿Tú crees? Yo no lo tendría tan claro. Rebeca es muy mirada para el dinero, aun siendo millonaria. Tú lo sabes muy bien.

—Quería sorprenderme en mi propio terreno. Sabía que eso no me lo iba a esperar jamás, por eso digo que me ha ganado de la única forma posible, jugando con mis propias armas, en mi especialidad, en mi campo. No quería únicamente ganarme, quería humillarme y pisotearme, y después de todo ello, orinarse encima de mí.

—¡No seas ordinaria, que eres una señorita educada! —exclamó Tote, indignada por la expresión— Además, ¿no te parece que te estás pasando de la raya y exagerando las cosas?

—¡Desde luego que no! Para que me entiendas, te planteo un símil futbolístico. Tú eres del Levante, como yo. Pues imagínate perder con el Valencia por 0-4, en campo propio. Rivalidad de dos equipos de la misma ciudad.

—Sigo pensando que eres una exagerada. Además, insisto, ¿estás segura de lo que dices? Supongo que una cosa así no se podrá organizar en dos días

—¡Claro que no! La muy ladina y retorcida lo tenía previsto desde hace una larga temporada. Un modelo de esas características no se confecciona de la noche a la mañana. Lo debía llevar organizando en secreto desde hace bastante tiempo, casi te diría que desde el mismo momento que se enteró de la nominación al premio.

Antes de escuchar más exabruptos de boca de Carlota hacia Rebeca, Tote le interrumpió para volver a centrar el tema. Se habían ido por las ramas.

—Déjate de monsergas de hermana refunfuñada y algo celosa. Aún no has contestado a mi pregunta. inicial ¿De cuánto dinero estamos hablando? ¿Cuánto puede haberle costado ese modelo?

—No me entiendas mal, tía. No estoy celosa. Estoy encantada de que Rebeca sea la estrella de la noche. Lo único que me fastidia es que he perdido la apuesta, además en mi propio terreno —se volvió a explicar Carlota.

—¡Contesta de una vez a mi pregunta y deja de una vez el tema de la apuesta! —exclamó Tote, que quería saber qué valor podía tener ese modelo de Reem Acra.

—Así, sin entrar en detalles, no te extrañe que tu sobrina pueda llevar perfectamente varias decenas de miles de euros encima.

—¡La Virgen! —exclamó Tote, sin poder evitarlo—. ¿Eso es cierto?

—Recuerda que ese *modelazo* exclusivo es una inversión y una joya de colección. Es único en el mundo.

—Lo que tú quieras, pero cuando hable con ella se va a llevar una buena bronca. No la he educado para que se gaste esas absurdas y ridículas cantidades de dinero en un simple trajecito, aunque lo haya confeccionado una libanesa famosa que ni conocía.

—Tía, el dinero ya no nos importa, es una variable que no nos cuenta, y lo sabes.

—Eso no es excusa —Tote no daba su brazo a torcer.

—Además, estoy segura de que la inmensa mayoría de la gente que asiste a esta gala no tiene ni la más remota idea de los detalles que te estoy contando, ni siquiera sabrán quién es Reem Acra y mucho menos lo que puede valer el modelo que lleva puesto Rebeca. No todo el mundo tiene por qué ser experto en alta costura. Verán una chica guapa muy bien vestida, *monísima de la muerte*, y ya está.

—Quizá el público en general no lo sepa, pero la prensa especializada...

Carlota le interrumpió.

—... conocen perfectamente el modelo que luce, de eso no te quepa ninguna duda. Ahora mismo estarán deseando preguntarle cómo puede, una «chica de provincias», llevar semejante *modelazo*, fuera del alcance de los simples mortales, y haberse convertido en la estrella de la velada, sin ser un rostro conocido.

—Es posible que no tengáis en cuenta el dinero, pero lo que sí cuenta es el llamar la atención de esa manera tan exagerada. Ya sabes que es la undécima puerta. Luego me dirá que, lo de destacar, no lo hace a propósito, como siempre me cuenta. Hablando de contar, ya sé que son *cuentos chinos*. No hace falta que me lo recalques.

Carlota se rio.

—En este caso, desde luego, no te podrá poner ese pretexto. Es perfectamente consciente de lo que está haciendo —dijo

Carlota, medio riendo, a pesar de la adversidad de haber sido derrotada.

—Me va a oír cuando acabe todo esto.

Carlota intentó tranquilizar a Tote y poner un poco de cordura en este asunto.

—De todas maneras, tía, Rebeca destaca por ella misma, aunque, en esta ocasión, tengas razón. Pero esta es su noche de gloria, aunque no gane el premio. Olvídate de grandes consejos y árboles judíos por hoy. Que disfrute de haberme vencido en una apuesta, por primera vez en su vida. Conociéndola, te aseguro que eso es lo que más le importa de esta gala. Estoy convencida de que el premio se la trae al pairo.

Ahora, la que se rio fue Tote.

—¿No crees que estás exagerando y sacando las cosas de sus casillas? Está claro que estás dolida porque tu hermana te ha sorprendido, pero de ahí a que ese sea su único objetivo, hay un abismo. Sé qué está disfrutando, y no por ganarte la apuesta precisamente.

—Te equivocas. Está disfrutando a mi costa. Lo de Reem Acra ha sido un golpe bajo.

Mientras Tote y Carlota no paraban de hablar, la gala ya había comenzado, incluso ya se habían repartido algunos premios.

—A ver si cotilleando se nos pasa la entrega del premio, en la categoría a la que está nominada Rebeca —dijo Tote—. Nos mata.

—Pues si no lo ha hecho ya, no creo que falte mucho. Al ser uno de los premios menores de la radio, supongo que los entregarán al principio del evento, y se dejarán los importantes para el final.

Prestaron atención al desarrollo de la gala. Ahora le estaban entregando el premio al mejor concierto, gira o festival del año, que había recaído en el que ofreció Vetusta Morla, en la Caja Mágica de Madrid.

Carlota sonrió porque daba la casualidad de que había asistido a ese mismo concierto. Rebeca le había convencido para que la acompañaran, junto con Almu, el año pasado. Lo recordaba perfectamente. «Premio merecidísimo», pensó, rememorando lo bien que lo habían pasado junto con las 38.000 personas que asistieron al espectáculo. Aún le temblaban las piernas recordando el tema *Guerra Civil* en directo.

Dicho y hecho. Cuando Vetusta Morla abandonaron el escenario, escucharon la voz del presentador de la gala, Juan Carlos Ortega, continuar con el espectáculo.

—Ahora llegamos al Premio Ondas de la radio al mejor *podcast* del año. Pedimos que suba al escenario el periodista Pablo Romero.

Se produjo la ovación de turno, como cada vez que anunciaban a alguien.

Carlota estaba muy tranquila, sin embargo, Tote estaba hecha un flan, de los nervios.

—Relájate, Rebeca ya ha ganado —dijo Carlota.

—¿Cómo?

—A mí, que era su objetivo principal.

Tote no pudo evitar reírse. Ni en un momento así de emocional, Carlota no podía evitar ser Carlota.

33 11 DE MARZO DE 1525

Johan, Batiste y Jero seguían agazapados detrás del seto, detrás del pozo de la residencia de las hermanas Vives. Podían escuchar perfectamente los pasos de dos personas aproximándose. El herrero había concluido su trabajo y había retirado la reja, que impedía el acceso al pozo.

—Ya he terminado. La condenada reja estaba bien sujeta, pero ya tenemos libre acceso al interior del pozo —dijo la voz que habían identificado como Pere, el herrero.

—Estupendo —dijo don Cristóbal—. Vamos a coger la cuerda y preparar el descenso.

Los tres, ocultos tras el seto, pudieron escuchar los sonidos que producía la cuerda, al ser desenrollada. La tercera persona seguía sin hablar.

—Esto ya está listo —dijo Pere—. Cuando usted lo ordene, podemos proceder a descender hasta el fondo del pozo.

—Pues ya. No tenemos tiempo que perder. ¿Estás preparado?

No se escuchó ninguna respuesta.

—Supongo que la tercera persona habrá hecho un gesto afirmativo con la cabeza —aventuró Jero.

—¿Y por qué no habla? —preguntó Johan.

—Quizá porque no sea necesario que lo haga, de momento —le respondió Jero.

Escucharon con claridad como enrollaban la cuerda alrededor de una persona.

—¿Preparados todos? —dijo Pere.

—Vamos allá —dijo el receptor—. El pozo parece profundo. Seguramente las paredes amortiguarán tu voz y no te podremos escuchar desde la superficie. Cuando llegues al fondo, da un tirón a la cuerda y cuando termines tu trabajo, también. Así sabremos el momento preciso para izarte a la superficie.

Seguían sin escuchar la voz de la tercera persona, pero si volvieron a escuchar el sonido del choque de, dos platos entre sí. Uno era metálico y otro parecía de cerámica o algún material similar.

—Tenías razón —le reconoció Johan a Jero—. La tercera persona es la que va a descender, y se lleva con el dos platos. ¿Cómo lo sabías?

—No solo se lleva eso. También un pequeño frasco de cristal. Si escucháis bien, no hay duda —dijo Batiste.

—Ya os he dicho que hay que oír lo que hacen, es importante. Ante tu pregunta, Johan, sabía que iba a descender por los platos. El frasco no lo había escuchado, pero sabía que tenía que existir.

—¿Por qué? —le preguntó Batiste.

—Porque es lo le da el verdadero sentido a los platos, una cosa va con la otra.

—¿Nos lo piensas explicar? —dijo Johan, que cada vez comprendía menos la situación—. Porque no consigo ni siquiera imaginar, para qué necesita una persona descender a un pozo con dos platos y un frasco.

—¿Acaso se va de merienda al interior del pozo? ¿Se lleva la vajilla para comer? ¿Eso os parece normal? —preguntó Batiste, asombrado.

Los tres, incluido Jero, tuvieron que aguantarse la risa, imaginándose la absurda situación.

—En unos minutos, si os calláis, vosotros mismos lo podréis escuchar. Hacedme caso de una vez —dijo Jero, llevándose un dedo a la boca.

Johan y Batiste obedecieron al renacuajo. Hasta ahora, parecía llevarles ventaja con sus deducciones. Había acertado en todo.

Tuvieron que esperar alrededor de media hora en silencio, hasta que fue roto por la voz del receptor.

—Luis acaba de tirar de la cuerda. Eso significa que ya ha concluido su trabajo. Vamos Pere, hagámosle subir —dijo.

—Por fin, ya sabemos cómo se llama la tercera persona. —dijo Johan.

—Habla por ti —le respondió Jero.

—¡Claro! Ahora querrás convencernos de que ya lo sabías. A ver, dime su nombre completo —le retó Johan.

—Se llama Luis de Centellas.

—¿Luis de Centellas? —preguntó asombrado Batiste—. ¿No me digas? ¿Y cómo lo sabías desde el principio?

—¿Alguien me puede explicar de qué estáis hablando? —casi exigió Johan, que parecía enojado por no enterarse de nada.

—Luis de Centellas es un conocido alquimista de la ciudad. Lo hemos estudiado en la escuela hace muy poco —explicó Batiste.

—¿Y qué pinta un alquimista con dos platos, en el interior de un pozo vacío? —siguió Johan.

—Precisamente por los platos y el frasco que lleva, he deducido quién era, desde el principio, la tercera persona. Si guardáis silencio —dijo Jero—, nos enteraremos de resto de lo que planean.

—Tú ya lo sabes, ¿verdad? —le preguntó Batiste—. Te lo veo en los ojos.

—Claro que lo sé, lo que desconozco es el resultado que ha obtenido.

—¿El resultado de qué? —preguntó Johan.

—¡Shhhh! —insistió Jero, al ver que Luis ya salía del pozo.

Los tres se quedaron en silencio, oyendo como elevaban al exterior del pozo a Luis de Centellas. A los pocos minutos, ya estaba en la superficie.

—Vamos, no me tengas en ascuas —dijo don Cristóbal.

—No me lo explico, no tiene sentido —escucharon por primera vez la voz de Luis.

—¿Eso qué quiere decir? —insistió en receptor.

—Que tenía razón. He obtenido un positivo en ambas pruebas.

—¡Lo sabía! —gritó—. ¿Estás completamente seguro?

—No hay ninguna duda, ya que las dos pruebas han dado positivo. Puede verlo por usted mismo. Creo que lo podemos considerar como un hecho irrefutable.

Desde detrás del seto, Johan, Batiste y Jero escuchaban la conversación, aunque no podían ver nada de lo que estaba sucediendo.

—¡Extraordinario! —volvió a gritar el receptor—. Esto sí que es un gran avance.

—Ahora que ya lo tenemos claro, deberíamos irnos de aquí cuánto antes —dijo Pere—. Voy a volver a colocar la reja sobre el pozo, para que no se note nuestra presencia, aunque la voy a dejar suelta. Para anclarla, necesitaría un tiempo del que no disponemos.

—Haz lo que quieras —le contestó don Cristóbal. Cuando salgamos de esta condenada casa, nos vamos a celebrarlo a la taberna. Hoy invito yo.

Los tres escucharon como se iban del pozo, volvían a abrir la puerta que daba acceso a la calle Taberna del Gall y la cerraban tras de ellos.

Johan, Batiste y Jero volvían a estar solos.

—¿A qué hemos asistido exactamente? —preguntó Johan, mientras se levantaba del suelo, aun sin comprender nada de lo que había ocurrido.

—A un auténtico desastre —le respondió Jero.

34 EN LA ACTUALIDAD, SÁBADO 20 DE OCTUBRE

Rebeca, era perfectamente consciente de que era la sensación de la noche. Le habían entrevistado varias televisiones, le daba la impresión que su sesión en el *photocall* había sido de las más largas, había posado para innumerables fotógrafos con gente que no sabía ni quiénes eran y hasta había firmado autógrafos, y eso que estaba nominada a uno de los premios menores. Pensaba que era una desconocida a nivel nacional, pero parecía que no era así. Todo el mundo quería cruzar unas palabras con ella.

«Menos mal que el cuento de *La Cenicienta* se acabará en un momento», pensó. «No creo que me pudiera acostumbrar a llevar este estilo de vida».

—¿Estás nerviosa? —Mar le sacó de sus pensamientos.

—La verdad es que no. ¿Debería estarlo?

—Pues sí, es lo normal. Estás a pocos minutos de poder ganar un premio importante.

—Cuando todo esto acabe, ¿me convertiré en una calabaza o perderé un zapato? —le preguntó Rebeca, pensando en *La Cenicienta*, divertida.

—¿Qué tonterías estás diciendo? —le contestó Mar, sin comprender, en un principio, sus palabras.

—Nada, cosas mías —respondió Rebeca, sonriendo—. Estoy muy tranquila y relajada. Es lo que tiene saber que no vas a ganar, que te permite disfrutar del momento y de los pequeños detalles, sin nervios.

Ahora, Mar cayó en la cuenta de lo que quería decir Rebeca con esa extraña pregunta.

—¿No me digas que te crees *La cenicienta*? —le preguntó, también divertida—. ¡Qué bueno!

Javi se anticipó a la respuesta.

—Anda, no digas bobadas y calienta, que sales en dos minutos —dijo Javi Escarche, como si fuera un entrenador de fútbol, dirigiéndose a uno de sus jugadores

—Hablando de bobadas, otro que tal... —respondió Rebeca.

—Me parece que la categoría de mejor *podcast* del año es la próxima en anunciarse —dijo Mar—. En el programa de la velada venía después del mejor concierto, gira o festival musical.

—Eso no lo verán tus ojos. —le contestó Rebeca a Javi—. Pero estad tranquilos, lo tengo asumido. Estar aquí es todo un triunfo. Me lo he pasado genial con vosotros y habéis logrado que me sienta como una reina, aunque solo fuera por un día. En pocos minutos todo terminará, pero el recuerdo de lo vivido permanecerá. Ha sido una experiencia increíble.

—Tus palabras te honran, pero este partido aún no ha terminado —le respondió Javi, siguiendo con los símiles futbolísticos.

—Después de la fiesta de mi veintidós cumpleaños, este ha sido el evento más divertido que he disfrutado en toda mi vida, aunque me sienta como un pez fuera del agua. Yo no pertenezco a este mundo.

—Te equivocas en ambas cosas. Sí que eres una de las nuestras, y no te olvides que el verdadero triunfo es ganar, déjate de monsergas. Lo de que lo importante es participar, lo dicen los perdedores, y tú no eres una de ellas. El pasarlo bien es otra cosa. Ten fe hasta el final —le replicó Javi—. *Hope*.

«Pues si me tengo que encomendar a la fe, lo llevo claro», pensó divertida la agnóstica de Rebeca.

—Además, ¿no te has percatado del detalle que tenemos a un fotógrafo pendiente de nosotros? —insistió Javi.

—No me líes. El fotógrafo está pendiente de todos los nominados, no me intentéis poner nerviosa, que no lo vais a conseguir.

—Esos del escenario son el grupo Vetusta Morla —dijo Mar—. Son buenísimos.

—¡Qué me vas a contar! Estuve, junto con dos amigas, en el concierto en la explanada exterior de la Caja Mágica de Madrid del año pasado —respondió Rebeca.

—¿No me digas? —le preguntó Javi, con cierto toque de envidia—. Pues por ese mismo concierto están recibiendo este premio.

—Vaya, no lo sabía.

Lo cierto es que Javi tenía razón. Rebeca notó que los fotógrafos acreditados estaban muy pendientes de ellos, de hecho, no cesaban con sus *flashes*.

—Ahora llegamos al Premio Ondas de la radio al mejor *podcast* del año. Por favor, pedimos que suba al escenario el periodista Pablo Romero.

—Por eso están los fotógrafos aquí —cayó en la cuenta Rebeca—. En este lugar estamos sentados todos los nominados al mejor *podcast*. Alguno de nuestros vecinos de butaca subirá al escenario a recoger el premio.

—No te hagas la pesimista —le dijo Mar—, no es tu estilo. Además, llevas un traje azul.

—¿Y eso qué tiene qué ver? ¿Dan los premios por colores?

—¡No, mujer!, pero el azul es el color de la fe. Anda, pongámonos en pie y aplaudamos a Pablo.

El periodista Pablo Romero subió al escenario, acompañado de cuatro personas más.

Tomo el sobre que le dio la conductora de la gala, y se lo guardó en un bolsillo.

—Bueno, os presento a mis compañeros de Cuonda, Ángel Jiménez, Ana Ormaechea, Pablo Juanarena y Luis Quevedo. Ruego un aplauso para ellos también, sin su ayuda yo no estaría hoy aquí.

El público volvió a aplaudir.

—Me cae bien este tal Pablo Romero, aunque no lo conozca —dijo Rebeca—. Me gusta que se haya acordado de sus colaboradores.

—No son sus colaboradores —le respondió Javi—, y, anda, calla, que si no, no nos enteramos.

—Ya sé, ya sé que lo que os interesa de verdad es este sobre. Aquí dentro tengo al ganador o ganadora del Premio Ondas al mejor *podcast* del año —anunció, ante la expectación de todos los presentes en el *Liceu*.

—¿De verdad que no estás nerviosa? ¿Ni siquiera un poquito, en este momento preciso, a segundos de conocer el resultado? —le preguntó Mar.

—Pues no. Lo que tengo es curiosidad.

—¡Qué desahogada que eres! —exclamó Javi—. A mí, cuando me entregaron el Premio Ondas en 2012 a la mejor cadena musical, ya no me quedaban uñas que morderme. También es verdad que era bastante más joven que ahora, Pero te digo una cosa, si llegan a tardar tan solo quince minutos más en nombrarme, empiezo por los dedos y acabo con muñones, en vez de manos.

Rebeca y Mar se rieron, porque lo creyeron.

—Venga, que llega el momento estelar de la gala, al menos para nosotros —dijo Mar.

Mientras tanto, en el escenario, Pablo, con toda la parsimonia posible, se sacó el sobre del bolsillo donde se lo había guardado, y lo abrió. También se tomó su tiempo para extraer la tarjeta que había en su interior. Parecía a cámara lenta.

—Vamos al lío. El Premio Ondas al mejor *podcast* del año es para...

—Que lo diga ya o subo al escenario y le quito la tarjetita esa —dijo Javi, visiblemente nervioso,

Pablo Romero continuó con su parsimoniosa lectura.

—En esta edición, se lleva el galardón el *podcast* titulado Las *tres muertes de mi padre*.

El público presente en el *Gran Teatre del Liceu* prorrumpió en una gran ovación.

—Nuestra más sincera enhorabuena al ganador. Todos los presentes aquí arriba, rogamos suba al escenario su autor, con el fin de hacerle la entrega del premio —continuó Pablo Romero.

—¡Veis! —dijo una sonriente Rebeca, dirigiéndose a Javi y Mar—. Ahora ya se ha acabado todo. ¿Os parezco triste o decepcionada?

Para su sorpresa, ambos se estaban riendo y aplaudiendo a rabiar al mismo tiempo.

—¿De qué os reís? —les preguntó Rebeca—. ¿Es un *podcast* gracioso?

Javi se giró hacia ella.

—No se me ocurre una palabra más inapropiada para definirlo. Habla de un joven de 17 años que presenció la muerte de su padre a manos de un comando terrorista de ETA en 1993, y de cómo, cuándo se hizo mayor, investigó ese mismo asesinato, que permanecía sin resolver por la Policía. Lo he oído completo, los cinco episodios, y es francamente bueno. Si tuviera que definirlo en una palabra, desde luego no sería «gracioso», sino «sobrecogedor».

«Pues entonces, no entiendo las risas», pensó.

Aunque, para Rebeca, lo verdaderamente importante es que ya se había terminado su particular cuento de *La Cenicienta* y que, el lunes, volvería a su bendita rutina diaria, sin sobresaltos. Estaba visiblemente aliviada.

«Ahora, ya relajada y fuera del foco de la atención, a continuar disfrutando», siguió pensando.

Mientras tanto, tres filas más atrás, Tote y Carlota escucharon el fallo del jurado.

—Al final tenía razón Rebeca. No ha ganado —dijo Tote, con un tono un tanto triste—. Lo ha hecho *Las tres muertes de mi padre*, no *El misterio de los condes*, título del podcast grabado por Rebeca. Sinceramente, creía que tenía posibilidades reales de ganar.

Sin embargo, Carlota estaba sonriendo, con ese brillo tan característico en sus ojos. Algo había despertado su cerebro.

—¿Te pasa algo? —preguntó Tote—. Si es por el título del *podcast* vencedor, es verdad, tiene poco de alegre, *Las tres muertes de mi padre*, pero, sea como fuere, ha ganado otra persona diferente a Rebeca. Por fin se ha acabado esta locura. A partir de mañana, vuelta a la normalidad, si vuestra vida se puede calificar así. Queda mal que lo diga yo, que soy su tía, pero casi me alegro. Mejor que se haya terminado de una vez esta historia.

La respuesta de Carlota la dejó helada.

—¿Estás segura de que se ha acabado la historia?

—¿Qué quieres decir? —preguntó Tote, completamente asombrada.

—¿*Las tres muertes de mi padre*? ¿En serio no te dice nada el título?

—No te entiendo, Carlota. ¿Qué insinúas?

—¿No te lo imaginas?

—Pues no.

—Lo que quiero decirte es que, esta locura que tú dices, no se ha acabado todavía. De hecho, se podría decir que esta historia empieza ahora mismo.

35 | 11 DE MARZO DE 1525

Salieron de detrás del seto, donde estaban escondidos. Los tres, Johan, Batiste y Jero, se aproximaron al pozo de la residencia de las hermanas Vives.

—Cuidado con la reja —dijo Johan—. Ya habéis escuchado a Pere, el herrero, decir que la había dejado suelta, no vaya a ser que os caigáis al interior del pozo.

—No va a hacer falta ni que nos asomemos —dijo Jero.

—¿Ahora, por fin, nos vas a explicar de qué hemos sido testigos, exactamente?

—De un desastre, ya os lo he dicho —contestó Jero.

Batiste estaba en silencio. Observó unos objetos apoyados en una parte lateral del muro del pozo.

—Mucho cuidado con ellos —advirtió Jero—. No los toques con las manos, de forma directa.

—¿Por qué? —preguntó Batiste.

—Por la botella y el líquido con el que están impregnados los platos. Me temo que si los manipulas, además de producirte quemaduras de gravedad, tus manos se volverán de color amarillo.

—¿Qué líquido es ese? ¿Un colorante?

Jero no pudo evitar sonreír.

—Nada parecido. Es ácido nítrico.

—¿Cómo lo sabes, si ni siquiera te has aproximado a examinarlo? —siguió preguntando Batiste—. ¿Acaso lo has olido?

—El ácido nítrico es incoloro e inodoro, así que no se puede oler. De ahí su peligro, si no conoces su existencia.

—Entonces, ¿cómo la conoces tú? —preguntó Batiste, que no comprendía los razonamientos de Jero.

—Por los platos que tienes enfrente de ti. Ya os he dicho que una cosa va con la otra.

Johan había permanecido en silencio, pero no se aguantó más.

—Por favor, Jero, explícate de una vez, no alarguemos este tema. Recuerda que estamos en una propiedad privada y hemos entrado de forma furtiva. No quiero problemas con la ley. Ya hemos visto como el propio receptor, una vez concluida lo que fuera que estuvieran haciendo en el interior del pozo, se han largado a toda prisa.

Jero se dispuso a explicarse.

—Cuando Batiste y yo descendimos a este mismo pozo, ya os contamos que no tenía agua, aunque sí había mucha humedad. El musgo verde colonizaba todas las paredes, por eso nos costó tanto salir de él, sin ayuda exterior, porque te resbalabas constantemente.

—Eso ya se lo contamos, tanto a Johan como a tu padre, don Alonso —dijo Batiste.

—Sí, pero hay un detalle del que me di cuenta cuando me fui a asear, después de aquella conversación. Recordaréis que salimos del pozo hechos unos zorros, con la ropa rota y muy sucios. Antes de meterme en el baño, al quitarme la ropa, observé que no todas las manchas eran de color verde, por el musgo. También había algunas, muy pequeñas pero distinguibles, de color amarillo.

—Bueno, eso ya os lo explicamos —intervino Johan—. El árbol judío estuvo en el interior del pozo. Con esa humedad, es posible que el oro manchara un poco algún fragmento de la pared.

—Ahí es donde quiero ir a parar —continuó Jero—. Ahora entran en juego el plato metálico, el plato de cerámica y el pequeño frasco de ácido nítrico.

—¡Claro, qué idiota! —exclamó Batiste—. Yo también me di cuenta de esas minúsculas manchas amarillas en mis ropajes, pero pensé que serían de algún insecto que aplastamos en nuestra salida. Ahora lo comprendo todo.

—¿Pues me lo podéis terminar de explicar a mí? —dijo Johan.

—¿Cómo distinguir el oro de cualquier otro material? —preguntó Jero—. Lo leí en un libro de alquimia, hace un par de años. Además, Batiste lo recuerda por la escuela. El profesor Urraca, el curso pasado, nos dio una breve explicación de este tema.

Jero se aproximó a los objetos apoyados en el muro. Valiéndose de la manga de su jubón, tomó entre sus manos el plato metálico. Se acercó a ellos.

—Mirad —dijo—. ¿Observáis unos pequeños trozos de piedra, probablemente procedentes del muro?

—Sí —respondió Johan.

—Seguramente, Luis de Centellas, el más famoso alquimista de la ciudad, raspó allá dónde vio las manchas amarillas. Una vez obtenidos estos pequeños guijarros, los roció con el ácido nítrico, por la parte amarilla. Lo podéis observar por vosotros mismos. Ni se os ocurra tocarlos, solo mirarlos.

Efectivamente, vieron unos pequeños guijarros, en cuyo extremo parecía haber hecho reacción algún tipo de producto químico corrosivo. Era muy evidente.

—¿Qué color observáis en la parte amarilla?

—Sorprendente —dijo Johan—. En parte, se ha trasformado en color verde.

—El oro reacciona de diferentes maneras con el ácido nítrico. Si, por ejemplo, tomas una moneda de oro puro y la rocías con ácido nítrico, no obtienes ninguna reacción. La moneda seguirá teniendo su aspecto amarillo ordinario. Nada ocurre.

—Pero en estos guijarros sí se ha producido una reacción. Por su extremo amarillo, se han vuelto verdes.

—Lo que os voy a explicar ahora ya no nos lo dijo el profesor Urraca, es algo más complejo. Lo recuerdo del libro de alquimia que leí. Si rociamos algún resto de oro con ácido nítrico, si no ocurre nada, es oro puro. Si se vuelve blanquecino, en realidad, estamos ante una pieza de plata con baño de oro. Si el color que obtenemos es verde, el resultado es incierto.

—Pues aquí, el color es claramente verde —recordó Batiste, señalando los guijarros.

—Voy a explicarme algo mejor. Cuando me refiero a «resultado incierto», es que existen dos posibilidades. O el fragmento tiene un baño de oro, o estamos hablando de otro metal diferente.

—En ese caso —intervino Johan—, no han obtenido un resultado concluyente. Eso no es congruente con lo que acabamos de ver. ¿Me puedes explicar a qué venía la evidente alegría del receptor?

—Porque, en realidad, sí que obtuvieron resultados concluyentes —afirmó Jero, exhibiendo una pequeña sonrisa en sus labios.

—Nos estás mareando adrede —dijo Batiste—. Te estás divirtiendo.

—Desde luego que no. Recordad, ¿qué más se ha llevado al interior del pozo Luis de Centellas?

—Es cierto, ha descendido con dos platos. Está aquí —dijo Batiste, señalándolo—, pero no es metálico, parece de cerámica o algo similar.

Jero se acercó al segundo plato, y repitió la operación que había hecho con el primero, se sirvió de su manga para asirlo con su mano.

—Por eso Luis ha bajado al pozo con dos platos. Si la primera prueba no era concluyente, como así ha sido, siempre le quedaba la segunda para corroborar los resultados. El plato, como bien ha indicado Batiste, es de cerámica pura, sin ningún tipo de recubrimiento que pudiera alterar los resultados de la prueba. Anda, acercaros a él sin tocarlo, y observar su superficie plana.

Los dos lo hicieron.

—Está rayado. Parece que hayan frotado alguna piedra sobre él —dijo Johan.

Jero continuó.

—Si rayas un plato de cerámica como este, sin ningún tipo de pigmento decorativo que lo adorne, con algún fragmento de cualquier metal, se obtiene un trazo de color oscuro, casi negro. Sin embargo, si contiene oro, las rayas que se producirán serán de color amarillo.

—¡Son amarillas! —exclamó Batiste.

—Pues ya sabéis lo que eso significa. Don Cristóbal de Medina y Aliaga, mediante un sencillo procedimiento alquimista, ha demostrado que, en el interior de este pozo, en alguna ocasión no muy lejana, hubo oro escondido. Eso es lo que pretendía que comprendierais.

—Ahora te entiendo, cuando has dicho que habíamos asistido a un desastre —dijo Johan—. El receptor sabe que los papeles de Blanquina no mentían en ese extremo, pero, si lo pensamos bien, tampoco es para asustarse tanto. Podría imaginarse que la familia Vives ocultó algún tipo de tesoro en este pozo, en un pasado reciente. Pero no creo que sepa nada relacionado con el árbol judío. No tenemos ninguna prueba que nos confirme que conoce su existencia. Y, aunque así fuera, en la actualidad, este no es su verdadero emplazamiento. En conclusión, no sabe nada relevante. No olvidéis que ha llegado hasta aquí con una pista indirecta. Miguel Vives, en sus declaraciones de 1501, no sabía nada, porque el árbol lo ocultamos Luis Vives y yo ocho años después.

—Te equivocas padre, eso no es lo importante. El origen del tesoro le dará igual, pero ahora sabe que existe uno, oculto en algún lugar. Sin ninguna duda pondrá muchísimo más empeño en encontrarlo, porque ya no son unas simples declaraciones de un demente, es una realidad, y ya conocemos su avidez por el oro y las riquezas. No piensa en otra cuestión. Su único sentido en la ciudad es poder cumplir su promesa con el rey, y nivelar las cuentas del tribunal del Santo Oficio de Valencia. Ahora tiene una prueba física y concluyente. No soltará su presa con facilidad, más bien todo lo contrario.

—Además —dijo Jero, dirigiéndose a Johan— ¿No te das cuenta de que nos ha alcanzado? Ahora sabe exactamente lo mismo que conocemos Batiste y yo. Que un tesoro estuvo aquí, pero desconocemos dónde se encuentra, en la actualidad. Eso no es nada bueno.

—Jero tiene razón —intervino Batiste—. ¿No crees que llegado el momento de que nos entreguéis las dos partes del Gran Mensaje? Somos las dos undécimas puertas, pero vamos a ciegas. Y lo que es peor, el receptor nos ha alcanzado en sus pesquisas. Y seguirá avanzando, mientras nosotros estamos estancados. Insisto, tiene razón Jero, esto es un desastre. Padre, no intentes restar importancia a lo que acabamos de ver, no somos idiotas.

«Desde luego que no lo son», se dijo Johan, que se quedó pensativo. De repente, las cosas se habían complicado mucho.

Si a eso le añadíamos el asesinato de Arnau, temía por la seguridad personal de su hijo y de Jero. Era un pensamiento muy perturbador.

«Quizá tengan razón y haya llegado el momento», se dijo, preocupado.

36 EN LA ACTUALIDAD, SÁBADO 20 DE OCTUBRE

Una gran parte del público presente en el *Gran Teatre del Liceu* se había levantado de sus butacones. Seguía aplaudiendo a rabiar.

—¿Qué pasa? ¿Me he perdido algo? —preguntó Rebeca, extrañada—. La gente aplaude pero no veo subir al ganador o ganadora.

—Igual es que está sentado lejos del escenario —le contestó Mar, riéndose.

—¿Y eso te hace gracia?

—La verdad es que sí, teniendo en cuenta que todos los nominados están sentados junto a nosotros.

«¡Claro!», pensó Rebeca. «El ganador debe estar en esta misma fila». Se giró a ambos lados. Nadie se movía de sus butacas.

—Pues ninguna persona de nuestro alrededor hace ademán de subir al escenario. ¿Por qué?

Javi y Mar estaban partidos de risa, mientras Rebeca estaba desconcertada.

—Quizá es que el ganador no tenga por qué subir —le dijo Javi.

—¿Y por qué no lo va a hacer? ¿Qué no quiere el premio? ¿Se puede renunciar a una cosa así?

—Anda, calla, que si no, no nos vamos a enterar de lo que está pasando.

Rebeca volvió a prestar atención a lo que ocurría en el escenario. Se dio cuenta de que el periodista Pablo Romero también se estaba riendo, junto con sus colaboradores, compañeros o lo que quisiera que fueran.

—Vaya, tenemos un problema —dijo Pablo.

El público continuó riéndose.

—Uno no, en realidad tenemos dos problemas —dijo Pablo Juanarena, una de las personas que estaba junto a Pablo Romero.

—¿Dos? —preguntó Ana Ormaechea, que también estaba junto a los Pablos.

—¿De qué va todo esto? —le preguntó Rebeca a Javi, que seguía riéndose.

—Escucha y ahora te enterarás —le contestó.

—¿Nadie sube a recoger el premio? Pues me temo que lo tendremos que declarar desierto —dijo Pablo Romero.

El público en el *Liceu* seguía riéndose.

—¿Por qué será? —preguntó Luis Quevedo, también desde encima del escenario.

—¿Quizá porque no haga falta que suba? —le respondió con otra pregunta Ángel Jiménez, la quinta persona que estaba en el escenario, y que todavía no había hablado.

Tomó el micrófono Pablo Juanarena.

—Efectivamente, el ganador no hace falta que suba —dijo, mientras le quitaba el sobre a Pablo Romero y extraía de su interior la tarjeta.

—Voy a leer otra vez la cartulina, esta vez de forma completa.

«¿De forma completa?», se preguntó Rebeca. «¿No lo han hecho ya?». El desconcierto de Rebeca iba a más, no comprendía absolutamente nada.

El Premio Ondas de la radio al mejor podcast del año es para *Las tres muertes de mi padre*, de Pablo Romero.

La ovación se multiplicó. Ahora, Rebeca, por fin, lo comprendió todo. No hacía falta que subiera el ganador, porque ya lo había hecho, estaba justo encima del escenario.

—¡Vosotros lo sabíais y no me habéis dicho nada! —se giró hacia Javi y Mar.

—¡Pues claro! Y tú también deberías haberlo sabido. ¿No me digas que no te has leído ni siquiera la lista de nominados en tu categoría? Pablo Romero era uno de ellos. Cuando lo han llamado al escenario, ya te lo tenías que haber imaginado.

Rebeca se puso colorada. No lo había hecho. Javi y Mar tenían razón, la culpa era de ella.

La acción en el escenario continuaba. A Rebeca le daba la sensación de que era un *sketch* humorístico, perfectamente guionizado.

—Ya hemos resuelto un problema, pero seguimos teniendo otro —insistió Pablo Juanarena.

—Así es —dijo Pablo Romero, el ganador—. Las cuatro personas que os he presentado son los miembros de Cuonda, la plataforma de *podcast* que han permitido que hoy pueda estar en lo alto de este escenario, con todos vosotros. Son tan ganadores de este Premio Ondas como yo.

Durante un momento se quedó en silencio, como pensando las palabras que decir. Su rostro se había trasmutado. Ahora reflejaba cierta melancolía.

—Las Tres muertes de mi padre es un podcast en el que investigo lo que el Estado y sus cloacas prefirieron no hacer, por el asesinato de mi padre, en un atentado del grupo terrorista ETA, hace 25 años. Comprenderéis mi emoción, en este momento —dijo, haciendo una pequeña pausa—. Pero de lo que verdad estoy orgulloso es de haber conseguido que se creara un grupo para investigar los crímenes sin resolver de ETA. Eso es memoria histórica. Hasta que no conozcamos la verdad, las heridas no empezarán a cerrarse.

No fue capaz de continuar hablando. La ovación del público del *Liceu* se lo impidió. La emoción le embargaba. Como pudo, continuó su discurso.

—Este es un homenaje increíble, me hace una ilusión tremenda porque supone el reconocimiento a muchísimas horas de trabajo en solitario, por un lado, y luego con un equipo de personas excelentes, cuando me lancé a producir la historia. No quiero olvidar a mi madre, por su testimonio sereno, sin odios ni rencores, alejada de valoraciones políticas, tan limpio y claro. En definitiva, tan digno.

Otra ovación de órdago.

—También quiero reconocer el esfuerzo de los miembros de Cuonda, Ana Ormaechea, Ángel Jiménez de Luis, Pablo Juanarena y Luis Quevedo, quienes se han volcado para que este *podcast* pudiera ver la luz, y hoy estar aquí con vosotros, pero eso nos lleva al segundo problema que antes comentábamos —dijo.

Ahora su tono había cambiado de nuevo, de la melancolía al buen humor.

—¡Claro! Ahora te entiendo —le replicó Ana Ormaechea—. Si todos los ganadores estamos encima del escenario, ¿quién nos entrega el premio?

—Calienta, que sales —le dijo Javi a Rebeca, de nuevo.

—¡No te cachondees de mí! ¿Qué pinto yo ahí?

—¿Por qué no buscas dentro del sobre, a ver si está el nombre de la persona que nos tiene que entregar el premio? —preguntó Luis Quevedo, dirigiéndose a Pablo Romero.

—Buena idea, voy a ver —le contestó, mientras rebuscaba dentro del sobre—. ¡Efectivamente! Tenías razón Luis, aquí dentro hay otra tarjeta. Esto parece el *Un, dos, tres*, si es que alguien de los presentes se acuerda de aquel mítico programa de Chicho Ibáñez Serrador. Todo son tarjetitas —dijo, mientras levantaba dos dedos de su mano.

Volvieron las risas al *Liceu*.

—¿Qué es el *Un, dos, tres*? —preguntó Rebeca.

—Tú eres insultantemente joven para conocerlo —le dijo Javi—. Luego te lo cuento, ahora calla, a ver qué dice Pablo.

—Os voy a leer la persona que nos va a entregar el premio —dijo Pablo, mientras desdoblaba la cartulina.

—Esto también tiene su emoción, ¿verdad? —preguntó el otro Pablo, Juanarena, de Cuonda.

—Pues quién nos va a entregar el premio, según está escrito en esta tarjeta es... ¡Alexa!

Se produjo otra ovación.

—¿Alexa? ¿Esa quién es? —preguntó Rebeca—. ¿Otra nominada a los premios?

Ahora, la cara de Javi y Mar era de desconcierto e incomprensión.

—No hay ninguna nominada que se llame ni siquiera parecida a Alexa. Ahora veremos quién sube al escenario.

Efectivamente, por el pasillo central del patio de butacas, apareció una chica joven, que tenía todo el aspecto de tripulante de cabina de línea aérea. Subió hasta el escenario y depositó un objeto en la mesa, con forma de altavoz, junto a la radio antigua que llevaba presidiendo toda la entrega de galardones. A continuación, se bajó y volvió sobre sus pasos.

—¿Qué está pasando? —preguntó Rebeca—. La tal Alexa no se ha quedado en el escenario.

—Estamos igual de sorprendidos que tú —le respondieron a coro Javi y Mar.

—¿Esto qué es? —preguntó Pablo Romero, junto a la mesa que acompañaba a la decoración escénica.

—Parece uno de esos modernos asistentes, que les das instrucciones y te encienden las luces de casa, te conectan la calefacción y esas cosas.

—¿Y este objeto nos va a entregar el premio? —preguntó Pablo, que parecía genuinamente incrédulo, aunque Rebeca supuso que formaba parte del espectáculo.

—No sé, es un asistente, se lo puedes preguntar, igual te contesta —le dijo el otro Pablo—. El Premio Ondas al mejor podcast, con esa denominación, es la primera vez que se entrega. El año pasado se había denominado *Premio Ondas al mejor programa, radio o plataforma radiofónica de emisión online.*

—Tienes razón —le contestó Pablo Romero—. Este es un premio nuevo, con un componente algo tecnológico. Ahora me explico la presencia de este asistente, como maestro de ceremonias, junto a la radio tradicional de toda la vida. Duelo entre lo moderno y lo clásico.

—Es cierto —respondió Luis—. Quizá podrías intentar mantener una conversación con la asistente, porque la voz suele ser femenina.

—Creo que también puede ser masculina, que no se nos enfade nadie —precisó Ana.

Todos estaban expectantes ante la astracanada que estaban observando. No entendían nada.

—Bueno, por probar no creo que pase nada. A ver, Alexa. ¿Te han subido al escenario para entregarnos el premio al mejor *podcast* del año?

—No —respondió una voz femenina, proveniente de aquel artilugio.

Pablo Romero y los miembros de Cuonda se quedaron mirando entre ellos, con un gesto de incomprensión.

—Entonces, ¿qué haces aquí? ¿Para qué te han subido al escenario?

—Para anunciar el premio, Pablo.

—En ese caso, ¿te importaría hacerlo?

—Por supuesto que no. Ahora mismo procedo. El Premio Ondas para el mejor podcast del año es para Pablo Romero, por *Las tres muertes de mi padre*, un relato periodístico hecho por el hijo de una víctima de ETA, de gran impacto emocional e importantes consecuencias políticas —dijo Alexa.

—No es por nada, Alexa, pero eso ya se había anunciado —protestó Pablo—, hasta había pronunciado mi pequeño discurso de agradecimiento.

—Todavía no he terminado, Pablo —dijo la voz femenina del asistente.

—¿Cómo qué no? Pero si me has dicho antes que no me ibas a entregar el premio —continuó protestando—. Disculpa, Alexa, pero no entiendo nada.

Rebeca, sentada en su butaca, tenía la fuerte sensación de que estaba todo preparado y guionizado. No se podía creer que una cosa así estuviera sucediendo de forma espontánea.

—Por favor, Pablo, déjame terminar —dijo Alexa—. El espectáculo todavía no ha concluido. También quiero solicitar que suba al escenario la nominada Rebeca Mercader.

—¿Por qué, Alexa?

—Porque te aseguro que querrás conocerla. Además de muy elegante, es toda una personalidad.

—Bueno, pues en ese caso, ruego a Rebeca Mercader que haga caso a nuestra maestra de ceremonias, Alexa, y suba a este escenario, con todos nosotros.

La cara de perplejidad de Rebeca era antológica. No comprendía qué pintaba ella en toda esta historia.

—¿Qué haces ahí parada? —le dijo Mar, casi empujándola fuera de su butaca.

—¡Pero si esto es una broma! ¿En serio os creéis el *show* de Alexa? No quiero ser parte del espectáculo. Ya hay un ganador, ¿para qué me necesitan? Forma parte de un guion que no me sé. Además, ni siquiera han tenido el detalle de comentármelo de forma previa.

—Me parece que no tienes alternativa. Todo el teatro está pendiente, ahora mismo, de ti. Te miran —insistió Javi.

El *Liceu* al completo comenzó a aplaudir. Rebeca, muy a su pesar, comprendió que no tenía más remedio que hacer caso a sus compañeros.

—Toma —le dijo Javi, dándole un pequeño objeto, que Rebeca ni miró ni le prestó atención— y sube al puñetero escenario de una vez. Si no lo haces, vendrán a buscarte, y será peor para la vergüenza que te invade.

Desconcertada, se levantó de su butaca y se dirigió hacia la escalinata central que daba acceso al escenario, sin comprender qué estaba ocurriendo. Cuando levantó la vista para acceder, se encontró con una sorpresa que no se esperaba ni comprendía. Su tía Tote estaba allí, esperándola.

—¿Qué haces tú aquí? Parece que todo el mundo está al corriente de este guión menos yo.

—Lo has conseguido, además contra todo pronóstico. Tus padres te estarán observando ahora mismo, donde quiera que moren, orgullosos de ti. Todo el cielo estará de fiesta con ellos —dijo Tote, mientras no podía evitar llorar.

Rebeca estaba convencida de que todo era una broma.

Se abrazaron a los pies del escenario. Rebeca se había dejado llevar por la emoción, ante la mención de sus padres. No comprendía nada, pero tenía que reconocer que estaba tan turbada como su tía.

El participar, aunque fuera de figurante, en aquel *sketch* humorístico, ya era un gran honor, aunque, paradójicamente, no le hiciera demasiada gracia. Lo que ahora tenía muy claro era que todo estaba guionizado. Si no fuera así, Tote no estaría allí, esperándola. Se olvidó de su vergüenza inicial.

—Vas a conseguir que llore también, y no quiero. Anda tía, vamos a soltarnos. Me temo que, muy a mi pesar, tendré que subir al escenario. Me reclaman para no sé qué. Supongo que el espectáculo debe continuar. *The show must go on.*

Subió las escalinatas. Cuando llegó a la altura de Pablo Romero, se saludaron. Rebeca felicitó a Pablo con un efusivo abrazo por su premio.

—Bueno, Alexa, Rebeca Mercader ya está conmigo en el escenario. Tenías razón en cuanto a lo de la elegancia y la personalidad, pero tengo curiosidad. ¿Me podrías explicar por qué debía de conocerla? Y que conste de que estoy encantado, ¿eh?

El público continuó con sus risas.

Alexa tardó unos interminables cinco segundos en contestar. Rebeca no pudo evitar que le recordara a Abraham Lunel y a sus habituales pausas teatrales, que tan solo buscaban captar la atención del público.

—Porque también es la ganadora, *Ex Aequo*, del Premio Ondas, por su podcast *El misterio de los condes*, un relato que ha cautivado a millones de radioyentes por su frescura y originalidad. Además, os cuento un secreto. Rebeca no sabía que sus grabaciones caseras iban a ser emitidas a través de la radio, y, menos aún, que acabaría en esta gala ganando este premio. Estoy segura de que estará tan sorprendida como todos vosotros lo estáis ahora mismo. ¿Sabes, Pablo? Estoy orgullosa de Rebeca, es una mujer formidable —dijo Alexa, con su característica voz.

Javi y Mar saltaron como un resorte de sus butacones, mientras el *Liceu* prorrumpía en otra ovación de escándalo. Aquello era completamente inesperado.

Mientras todo ello ocurría en el escenario, Tote llegó a su asiento y no pudo evitar mirar a Carlota. Estaba llorando, como una magdalena.

—¿Emocionada? —le preguntó.

—¿A ti qué te parece? Y tú, ¿no te imaginabas que le iban a dar el premio?

—No —respondió Tote a duras penas—. En un principio, la organización tan solo me indicó que estuviera a los pies del escenario, sin más comentarios. Pensé que formaría parte del espectáculo, sin embargo, una vez llegué allí me lo dijeron. Imagínate, me quedé sin palabras, atónita.

—Es curioso. Muy curioso, en realidad —dijo Carlota, que estaba emocionada por su hermana, pero, al mismo tiempo, pensativa.

—Por cierto, ¿cómo sabías que la historia no había terminado? —preguntó Tote—. Cada día me sorprendes más con tus habilidades para las deducciones. Supongo que sería porque, desde protocolo, me habían anunciado que debía levantarme de mi butaca para esperar a Rebeca a los pies del escenario, y lo supusiste.

—No —respondió Carlota, secándose las lágrimas con un pañuelo—. Me he quedado igual de sorprendida que tú. En realidad, no lo sabía. Para comprobarlo, tan solo tienes que ver mi reacción ante lo que acaba de ocurrir.

—¡Pero si me lo has dicho hace un momento! —exclamó Tote, asombrada —. Que con *Las tres muertes de mi padre* no acababa la historia.

—Tía, no me refería a esta historia.

37   11 DE MARZO DE 1525

—Creo que aquí ya no tenemos nada que hacer —dijo Johan. Aún se encontraba, junto con su hijo Batiste y su menudo amigo Jero, sentados, apoyados en una de las paredes del pozo de la vivienda de las hermanas Vives.

Johan se levantó. Jero lo acompañó, pero Batiste permaneció sentado.

—¿Qué haces ahí, hijo? Vayámonos cuánto antes. Solo nos faltaría que se presentara la Justicia.

—En eso, precisamente, estaba pensando.

—¿No pretenderás que nos presentemos ante los alguaciles, y les contemos lo que acaba de ocurrir? —preguntó Johan, espantado.

—No eso, pero algo parecido —le contestó, mientras se incorporaba del suelo.

—¿Te has vuelto loco?

—Ya veo que no me entiendes —le respondió Batiste.

—Lo que te está queriendo decir tu hijo —intervino Jero—, es que hay otra fuente de información que no hemos tenido en cuenta. Hasta ahora, hemos hablado de dos versiones y de dos partes en este asunto. Amador por un lado, y las hermanas Vives por otro.

—¿Acaso existe una tercera versión de los hechos? O Amador miente o lo hacen las hermanas. Eso me parece que ya lo habíamos dejado claro hace un buen rato.

—Sigues sin comprenderme —dijo Batiste—. Hay otra fuente de información y, quién sabe, quizá otra versión de los hechos diferente, que ni siquiera hemos explorado.

Johan se quedó pensativo.

—¿La justicia? ¿Es eso lo que quieres decir? —preguntó incrédulo.

—Exacto padre, a eso me refería, y creo que Jero también lo ha entendido.

—¿Qué proponéis que hagamos ahora? ¿Una visita a Bernardo, el justicia criminal de la ciudad?

—Tú lo has dicho. Es tu amigo y seguro que tiene mucha información importante que contarnos, que seguro que desconocemos. Es la tercera pata de todo este galimatías, que no comprendemos.

Johan lo valoró.

—Podríamos visitarle, sí, pero eso no nos garantiza que nos dé ninguna información. Ya sabéis con la discreción que ha procedido en todo este asunto. Ya conocéis el poder que tiene la familia Ruisánchez en la ciudad.

—¿Tenemos alguna otra cosa que hacer en este momento? Si no nos quiere informar de nada, tan solo habremos perdido algo de tiempo, y de eso, ahora mismo, nos sobra.

Johan seguía sin estar plenamente convencido.

—Es mi amigo, pero no sé si será abusar de su confianza presentarnos en su casa, sin avisar, para que nos informe de cuestiones que se suponen confidenciales.

—Bueno, las dos veces que le he escuchado hablar, me ha parecido una persona inteligente —intervino Jero—. Estoy seguro de que no nos contará nada que no quiera.

—Eso es cierto —le respondió Johan, dando su brazo a torcer—. Está bien, vayamos a ver si se encuentra en su domicilio, antes de que me arrepienta. Salgamos de esta casa de una vez, que ya llevamos demasiado tiempo en ella.

Así lo hicieron. Jero manipuló de nuevo la cerradura y, en apenas un minuto, ya estaban en el exterior, en la calle Taberna del Gall, en la parroquia de San Martín.

Se dirigieron hacia el domicilio de Bernardo, que se encontraba, más o menos, a mitad del camino de la casa de Johan y Batiste.

—¿Qué pensáis preguntarle exactamente? Porque no podemos contarle nada de lo que acabamos de ser testigos, ni siquiera de la extraña y repentina desaparición de las hermanas Vives.

—Eso es obvio, padre. ¿Cómo se supone que hemos obtenido toda esa información? Estaríamos reconociendo que nos hemos colado en su casa. Y tampoco podemos contarle lo que ha hecho el receptor. Primero porque no nos conviene hablar de supuestos tesoros ocultos, y segundo, porque, ¿quién tiene más poder a nivel judicial? ¿Un prominente miembro del tribunal del Santo Oficio de la ciudad, nombrado por el mismísimo rey de España, o nosotros tres?

—Entonces, ¿qué esperáis obtener por parte de Bernardo que no sepamos ya?

Ahora fue Jero el que intervino.

—Simplemente información. Cualquiera. Recordad que no pude asistir a toda la charla que nos dio en la escuela. No sé qué fue lo que contó, en su totalidad, ya que me puse a vomitar y tuve que entrar en el interior de la escuela.

Mientras iban charlando, casi sin darse cuenta, llegaron al domicilio de Bernardo. Johan golpeó la aldaba. No tuvieron que esperar mucho, ya que en apenas unos segundos una persona les abrió la puerta.

—¡Caramba, qué agradable sorpresa! —dijo Bernardo, abrazándose a Johan y saludando a Batiste y Jero.

—Supongo que después de todo lo ocurrido —dijo Johan—, no esperabas esta visita.

—Todo lo contrario. Lo de la sorpresa lo decía porque habéis venido más pronto de lo previsto. Cuando visité la escuela y vi a Jero vomitar en el patio, ya sabía que acudiríais a mí de nuevo. Anda, pasar. En la anterior ocasión nos quedamos hablando en la puerta, pero me temo que, esta vez, la conversación será algo más larga.

Así lo hicieron. Se acomodaron en una pequeña salita. A los tres les pareció muy curioso la modesta vivienda. Bernardo era el justicia criminal, una autoridad en la ciudad.

—Vivo aquí porque es la casa de mi padre, y antes lo fue de mi abuelo. No os extrañe su tamaño. No necesito más espacio para mí solo —dijo Bernardo, que había sabido interpretar las expresiones de sus visitantes.

«Confirmado, es muy inteligente», pensó Jero. «Habrá que proceder con extrema cautela».

—No queríamos... —empezó a disculparse Johan.

—Amigo, no hace falta que sigas. Sabes perfectamente que no es necesario.

Johan se calló. Para sorpresa de todos, fue Jero el que tomó la palabra, iniciando la conversación.

—Don Bernardo, ante todo, disculpe por mi repentino malestar, el día que vino a la escuela. No sabía que me había reconocido.

—Fuiste al primero que busqué con la mirada —respondió—. Aunque te esforzaste por disimular, situándote al final del patio, oculto entre la multitud de alumnos, te tenía perfectamente localizado. Lo que me extrañó fue no ver a Batiste.

—Estaba, de hecho, aún lo estoy, enfermo y con algo de fiebre —se justificó, deseando que no le preguntara el motivo. No sabía el porqué, pero la figura de Bernardo le imponía mucho. En su presencia le costaba hablar.

—Bueno, supongo que el motivo de esta visita, es conocer más información acerca de la desgraciada muerte de vuestro amigo.

—Así es —contestó Jero, que parecía que había asumido el peso de la conversación—. Me maree y no pude escucharle en la escuela. No sé cómo terminó su discurso.

Bernardo se rio, para sorpresa de los tres.

—Pues igual que comenzó, no te perdiste nada. Informé del hallazgo del cuerpo, que fue justo cuando te pusiste a vomitar y te ausentaste. Después de aquello, pedí ayuda a vuestros compañeros, por si alguno había oído o visto algo. Nadie me respondió. Ninguno tenía ni idea que podía estar haciendo vuestro compañero, en ese lugar tan extraño y desagradable, en la misma desembocadura de una acequia. Es un lugar apestoso. También les dije que había evidencias de que no estaba solo, cuando ocurrió el fatal desenlace. Todos negaron haber estado allí. Bueno, en realidad, para no faltar a la verdad, todos no.

—¿Alguien lo reconoció? —siguió preguntando Jero, sorprendido.

—Más bien algunos no lo reconocieron, porque no pude preguntarles. Curiosamente, da la casualidad de que los tengo delante de mí, ahora mismo —dijo, mientras miraba a Batiste y Jero.

—¿No pensará que tenemos algo que ver con este asunto? Era nuestro amigo. Es cierto que jugábamos con él, incluso en alguna ocasión en el cauce del río, pero jamás me hubiera acercado a ese lugar en concreto. Odio a las ratas —respondió Jero, con una seguridad impropia de su edad.

—No os preocupéis, no sois sospechosos —dijo, sonriendo—. Después de las correspondientes comprobaciones, pudimos conocer, por los maestres médicos, que no murió ahogado en el rio. Fue a consecuencia de un fuerte golpe en la cabeza, por eso, desde el principio, sospechamos que se trataba de un asesinato, no un accidente. Unos niños como vosotros no tenéis la fuerza suficiente para infligir ese tipo de daños. Los golpes que presentaba fueron propinados por un adulto, sobre todo el definitivo, el que le causó la muerte.

Se produjo un pequeño silencio. Parecía que todos estaban intentando asimilar las palabras del justicia criminal.

—¿Ha averiguado qué hacía en ese lugar tan extraño? —preguntó Jero, con cierto temor. Esperaba que Bernardo no se diera cuenta de su miedo.

—No, no lo sabemos, pero no es un sitio donde los niños acostumbren a jugar. Por ello, suponemos que un grupo de personas, incluyendo vuestro amigo, se debieron aventurar hacia el interior de la acequia, por el sendero que trascurre junto a ella.

—¿Y eso le parece normal? —siguió Jero.

—No tengo respuesta a esa pregunta, aunque supongo que sabéis que esa acequia trascurre por debajo del Palacio Real. Los chismorreos populares siempre han comentado que existen entradas secretas al palacio, aunque jamás se ha encontrado ninguna, Es una leyenda popular, pero podría ser un motivo que justificara su presencia allí. De todas las acequias en la ciudad, quizá sea la más interesante y misteriosa, si quieres vivir una aventura.

Johan seguía callado, con una mueca de sorpresa en su rostro. Batiste también permanecía mudo, pero, a diferencia de Johan, se le notaba muy pensativo. Jero lo conocía de sobra, y sabía que alguna idea le estaba rondando por la cabeza.

—Pero nos acaba de decir que el daño se lo propinaron unos adultos. ¿Qué podría estar haciendo nuestro amigo con gente mayor que él? ¿Jugando por el sendero de la acequia? ¿No le parece algo fuera de lugar?

—Os reconozco que eso nos extrañó mucho, al principio de las pesquisas. Aunque las investigaciones están muy avanzadas, comprended que no os pueda revelar ningún detalle más, sobre todo siendo su padre quién es —le respondió Bernardo—. Lamento no poder ser de más ayuda, os aseguro que os he contado más de lo que hubiera debido, pero mi cargo y mis responsabilidades me lo impiden.

—Lo entendemos perfectamente —ahora intervino Johan—. Te agradecemos mucho tu amable recibimiento Bernardo, sobre todo por visitarte, así, sin avisarte y con cierta precipitación. No te queremos robar más tiempo del necesario —concluyó, mientras se levantaba de la silla.

Se despidieron del justicia criminal, y salieron a la calle.

Una vez se alejaron lo suficiente de su domicilio, Johan tomó la palabra.

—¿Os dais cuenta? Ha sido una visita estéril, no hemos averiguado nada que no supiéramos con anterioridad, salvo detalles sin importancia.

—De eso nada —le replicó Jero—, ¿No te ha llamado nada la atención?

—Sí, hay algo que me ha sorprendido: el extraño silencio de mi hijo Batiste, cuando suele ser siempre el que más habla —dijo Johan—. ¿Te encuentras bien? ¿Aún estás afectado por las fiebres?

Cuando oyó su nombre, Batiste pareció salir de su falso aturdimiento.

—Perfectamente padre. Por otra parte, ¿para qué iba a decir nada?

—No sé, se supone que veníamos en búsqueda de respuestas, y no has formulado ninguna pregunta. No me parece demasiado coherente.

—Precisamente por eso he permanecido callado. Ya tengo todas las respuestas que necesitaba, ¿para qué iba a hacer preguntas?

—No te entiendo —dijo Johan.

—Ahora lo harás. Os anuncio que he resuelto el enigma que nos ocupa —dijo, con una extraña sonrisa en el rostro.

—¿Tú has resuelto el enigma? —le preguntó ahora Jero— Yo también —dijo, mientras miraba a su amigo con un gesto de evidente sorpresa.

Johan observaba a los dos, con cara de no comprender nada de lo que estaban diciendo.

—Me parece que no estamos hablando del mismo enigma, ¿verdad? —le preguntó Batiste, mirando fijamente a la cara de su amigo.

—Por la expresión en tu rostro, ya veo que no —le respondió Jero.

—Pero ¿cuántos enigmas hay pendientes de resolver? —preguntó Johan, que no entendía nada a sus menudos acompañantes.

—Más de los que tú te crees —le contestó Jero.

—En lo único que creo que coincidimos —dijo Batiste, dirigiéndose a su padre—, es que tienes que convocar una reunión urgente con don Alonso Manrique. Ya no podemos esperar más. La situación es límite.

—Estoy de acuerdo en que la situación es límite, pero no estoy seguro de que, en este momento, mi padre nos pudiera ayudar más.

—¿Más? —le preguntó Batiste, extrañado—. ¿Acaso nos ha ayudado algo, más allá de la falsificación de los documentos de Blanquina? Hace un momento estabas de acuerdo en convocarlo.

—En lo que estoy de acuerdo es en ver a mi padre, ¡cómo no! Siempre es una alegría. Lo que no tengo tan claro es que nos vaya a ayudar más. Insisto en la palabra «más». Creo que ahora tenemos suficientes elementos como avanzar por nosotros mismos, sin su ayuda.

—Yo tampoco te comprendo Jero, pero es una decisión que, me parece, ya habíamos tomado frente al pozo de las hermanas Vives, con tu consentimiento. No recuerdo que te opusieras a ella.

—Lo que yo no entiendo es esa manera que tienes de recalcar la palabra «más» —respondió Batiste, intentando escrutar el rostro de Jero.

Johan estaba en medio de la lucha de dos mentes, que tenía que reconocer que estaban por encima de la de sí mismo, con tan solo nueve y trece años.

—Y ahora —dijo—. ¿Le podéis explicar a un pobre ignorante qué enigmas habéis resuelto? Porque estoy perdido.

—Estamos cerca de vuestra casa —Jero se dirigió a ambos—. Creo que será conveniente que escuches las explicaciones sentado en una silla, y no de pie, en medio de la calle, más que nada para que no te caigas de espaldas.

38 EN LA ACTUALIDAD, SÁBADO 20 DE OCTUBRE

—¿Para qué llevas eso en la mano? —le preguntó Pablo Romero a Rebeca, mientras le ayudaba a subir al escenario.

—¿Qué?

—Pues el botellín de cerveza. Es todo un detalle, pero somos muchos. Podrías haber traído alguno más.

Rebeca ni se había dado cuenta de que Javi había cumplido su promesa y que, cuando se había abrazado con él y con Mar, se lo había entregado. Recordaba haber cogido algo, pero no le prestó atención.

—Este es mi verdadero premio, no el caballito ese —le respondió a un sorprendido Pablo.

—Lo que tú digas —le contestó, sin saber bien qué comentar ante semejante extravagancia.

Pablo Romero le presentó a todo el equipo de Cuonda. Después de los besos y abrazos correspondientes, dejó el botellín de cerveza encima de la mesa, al lado del caballo alado, y le dieron el micrófono, esperando que pronunciara unas palabras.

«¿Y ahora qué digo?», pensó Rebeca, que todavía estaba en una nube.

—Bueno, lo primero que creo que debo aclarar es que me llamo Rebeca Mercader, y que estaba nominada al mejor *podcast* del año en esta gala, lo digo por si pensáis «¿qué hace esa chica en el escenario?», No, no soy una espontánea —hizo una pequeña pausa, mientras el público se reía—. Creo que nadie me conoce, salvo mi familia, mis compañeros y Alexa, aquí presente, a la que quiero agradecer su amabilidad —dijo, mientras retiraba el micrófono de su sujeción de la mesa, para poder moverse en libertad por el escenario.

—No hay de qué, Rebeca —contestó el asistente, con su voz característica.

El público continuó riéndose.

—Lo segundo, me vais a permitir que me beba el premio. Es una promesa que debo cumplir —dijo, mientras tomaba el botellín de cerveza y le daba un buen trago. Se la pasó a sus compañeros de escenario, que también bebieron.

La hilaridad en el teatro iba en aumento. Rebeca se acercó al público, tomando el micrófono entre sus manos y dejando atrás el atril. Le gustaba la cercanía con la gente.

—Ahora en serio, creo que no me merezco estar aquí, ya no como ganadora, no merecía ni siquiera la nominación. Ver a tantos profesionales fantásticos a mi lado me produce genuina vergüenza. Quiero agradeceros a todos vosotros el cariño que me habéis dispensado por los aplausos y los que me daréis cuándo termine de hablar, pero en especial, a todo el equipo de la cadena de radio. No voy a nombrar a todos, los que han venido y tampoco a los que no han podido hacerlo, pero sí a Javi Escarche y Mar Maluenda. En su *magazine Buenos días* se inició todo. ¡Ah!, y también a los miembros del *Speaker's Club*, que si no me acuerdo de ellos, me matan. Y me dejo para el final a lo más importante de mi vida, a mi tía Tote y a mi hermana Carlota. Tampoco me quiero olvidar de mis padres, allá donde estén.

Hizo una pequeña pausa, ya que se le escaparon, de forma involuntaria, unas pequeñas lágrimas. Los asistentes a la gala le volvieron a aplaudir con estruendo.

—Guardaros los aplausos para el final, que, para vuestra desgracia, aún no he terminado. Mis últimas palabras quiero que sean para una persona muy especial. Sin ella, no estaría hoy aquí. Quiero dedicar este premio a Bernat Fornell. Él sabe por qué... —dijo, en tono un tanto enigmático.

Dio su discurso por concluido, levantando la mano y saludando a todo el público, que la recompensó con la ovación más cerrada de lo que iba de gala.

Rebeca observó que había dos caballitos alados encima del atril. No se había percatado de ese detalle, y debían de estar allí desde el principio.

—Bueno, como no sube nadie, tendremos que entregarnos mutuamente los premios —dijo Pablo Romero.

Dicho y hecho.

—Rebeca Mercader, es un placer entregarte el Premio Ondas al mejor *podcast* del año, por *El misterio de los condes* —dijo, mientras le entregaba la estatuilla.

—Pablo Romero, no sabes lo que significa para mí este momento, y supongo que, para ti, también será algo muy especial. Te entrego este merecidísimo Premio Ondas al mejor *podcast* del año, por *Las tres muertes de mi padre.*

Rebeca ya no se pudo aguantar, y, en este preciso momento, se puso a llorar. Tanto Pablo como el resto de miembros de Cuonda se abrazaron con ella, en medio del escenario. Era una imagen preciosa, aunque, quizá, pocos entendieran los motivos reales. Pocos no, en realidad, tan solo dos personas, que, estaban presentes en el teatro.

Se bajaron del escenario. Rebeca volvió a su butaca, dónde estaban esperándole Javi y Mar. Se fundieron en otro fuerte abrazo.

—Se ha hecho de rogar, pero lo has conseguido —le dijo Mar, emocionada—. No teníamos ninguna duda, hasta Javi se había traído el botellín de cerveza que te había prometido, fíjate si lo tenía claro.

—No, no lo he conseguido. Lo hemos conseguido, en plural —respondió Rebeca—. En realidad, el premio no es mío, es de todos. Si lo pienso, es más vuestro que mío.

El resto de la gala se le pasó en un abrir y cerrar de ojos. Seguía en la misma nube en la que se había subido hacía un rato, y no había manera de bajarse de allí arriba.

—Señorita Mercader, ¿hace el favor de acompañarme?

—¿Qué? —dijo Rebeca, volviendo de inmediato de la nube al planeta Tierra.

—Ahora hemos de componer la fotografía protocolaria de todos los ganadores, encima del escenario.

Rebeca cayó en la cuenta que la ceremonia había concluido. Ya habían entregado todos los premios.

—Claro, claro —respondió, mientras se levantaba y acompañaba al guapo y amable azafato que había venido a buscarle. Junto con todos los premiados, se hizo la foto en el escenario. Impresionaba ver el *Gran Teatre del Liceu*, abarrotado de personas y aplaudiendo.

La ceremonia había acabado, pero no los actos de la gala de entrega de los Premios Ondas. Ahora debía atender a la prensa, un millón de fotos y la fiesta privada que estaba organizada al concluir la entrega de premios. Ya tenía ganas que llegara ese momento y poder estar con su familia y compañeros, no obstante, quiso bajarse la última del escenario, para poder exprimir aquel momento al máximo. *La Cenicienta* ya no era tal. Ni calabaza ni zapato perdido.

Cuando lo iba a hacer, se dio cuenta de que la asistente de voz, que había anunciado su premio, estaba todavía encima de la mesa. Se acercó. A pesar de que suponía que ya estaba desconectada, no pudo evitar dirigirse a ella, a modo de broma.

—Hola, Alexa. Quería darte las gracias por todo. Has sido muy amable conmigo y te lo agradezco.

No esperaba ninguna respuesta, pero, para su absoluta sorpresa, aquel objeto le contestó.

—Hola, Rebeca. Ha sido un placer. Te merecías tu premio como pocas. Ahora, si no te importa, te voy a despedir con una canción que da título a lo que acabáis de hacer junto a mí, una fotografía.

De repente, empezó a sonar, a través de su altavoz, el tema *Photograph*, de Ed Sheeran.

Rebeca se estremeció.

—¿Cómo sabes que me gusta esa canción?

—No olvides jamás quién eres y lo que te une —contestó Alexa.

—¿Con Ed Sheeran? ¿Pero quién eres, Alexa, en realidad? Y no me digas que un simple asistente doméstico.

—Tienes razón, no lo soy. Se podría decir que soy la conciencia global. No olvides que estoy conectada con millones de personas.

El cacharro ya no dijo nada más, tan solo dejó que sonara la canción.

«¡Qué cosa más extraña!», pensó Rebeca, mientras se bajaba del escenario. «Ha elegido la misma canción que Carol, en la fiesta de cumpleaños. Parece que hubiera estado allí. Lo que asusta es que quizá, su conciencia global, sí que lo estuviera».

Toda la expedición de la cadena la estaba esperando, a los pies de la escalera del escenario. Rebeca se olvidó del extraño comportamiento de Alexa y se abrazó con sus compañeros. Se pusieron a saltar, el presidente incluido, como si fueran unos niños, mientras proferían gritos ininteligibles más propios de hinchas futboleros.

—Has conseguido emocionarme, bandida, y eso no es fácil —dijo el director Fornell—. No me lo esperaba y te confieso que me ha caído alguna lagrimita, aunque lo negaré fuera de este recinto. Uno tiene que mantener su reputación de hombre gris y anodino, ya sabes, como tú misma creías que era, hasta hace bien poco.

Rebeca no tenía claro si había comprendido el motivo de su mención, pero ahora no era el momento de razonar nada.

—Ha tenido su gracia que haya tenido que ser una máquina la que haya anunciado tu premio —dijo Carlota, muy divertida, mientras abrazaba a su hermana.

Rebeca tampoco tenía eso muy claro, pero no quiso decir nada.

Se dejó para el final a Fernando del Rey. Después de la última conversación que habían mantenido en su coche, no sabía cómo reaccionaría. No le dio tiempo ni de pensarlo. Se acercó a Rebeca y le plantó un beso en la boca, delante de todo el mundo.

—Caramba con la mosquita muerta —dijo Tere, riéndose—. No perdéis el tiempo. El rey y la reina de la noche, nunca mejor dicho.

—Anda, vamos a hacernos un *selfie*, para inmortalizar este momento —dijo Carlota, mientras todos posaban junto al escenario.

—Venga, vamos a la fiesta, que llegamos los últimos, no vaya a ser que nos quedemos sin copas —dijo Fabio.

—Bueno, Tote y yo tenemos un mojito asegurado —dijo Rebeca, mientras miraba a Carlota, con un gesto descaradamente burlón.

—Reconozco mi derrota y pagaré mi apuesta, pero de ese tema tenemos pendiente una conversación muy seria —dijo Carlota, intentando parecer enfadada, aunque sin conseguirlo. En el fondo estaba eufórica, como todos los demás.

Accedieron al local exclusivo, solo para premiados, nominados e invitados especiales. Todos se lanzaron como locos hacia la barra.

—Parecemos «de provincias» —dijo Fabio, riéndose—. Da la impresión de que nunca nos hayamos tomado una copa en nuestra vida. Somos una turba desesperada.

—Es que estamos desesperados y desesperadas de verdad —le respondió Tere.

—Alguna nos hemos tomado copas, pero no en este ambiente —dijo Rebeca, mientras era rodeada por periodistas. Todas querían unas palabras de ella.

—Soy Paula Calleja, encantada de conocerte, Rebeca.

—¿Eres la hermana de Jesús, el premiado hoy?

—La eterna pregunta —contestó, riendo—. No, no tengo nada que ver con él. Trabajo en la sección de moda, actualidad y tendencias de la revista ¡Hola! Me gustaría hacerte algunas preguntas. Fotos ya tenemos muchas tuyas, desde todos los ángulos.

—¿En serio? ¿De mí? ¡Si no soy nadie!

—¡Pues claro que lo eres! Es la primera vez que veo en esta ceremonia a alguna persona enfundada en un genuino y exclusivo Reem Acra. La inmensa mayoría de los presentes no sabrán lo que llevas puesto, pero yo sí. Está claro que eres algo más de lo que pareces. Salta a la vista. Se ven muy pocos de estos en España Resulta que la premiada al mejor *podcast*, un premio menor, es la mujer más elegante y mejor vestida que he visto en mucho tiempo. Esto se merece algo más que una simple mención en nuestra revista.

«Mal empezamos», pensó Rebeca, aunque se lo tenía bien merecido. Igual se le había ido un poco la mano en el tema de la apuesta con Carlota.

Después de atender a Paula Calleja durante unos quince minutos, continuó con otros compañeros de la prensa, que también querían hablar con ella. Así estuvo, por lo menos, una hora y media. Cuando, por fin, quedó libre, se fue en busca de su tía y de su hermana, para caer en brazos de su ansiado mojito.

—Ya estará aguado. Anda, te voy a pedir otro —dijo Carlota, al verla llegar.

Rebeca lo tomó con una mano y se lo bebió de un trago.

—Ahora me pides otro, y cuando me lo acabe, otro más. Creo que me lo merezco. Ganarte una apuesta me ha costado más de catorce años.

—¡Y una pequeña fortuna, con un Reem Acra confeccionado por ella misma! ¿Te crees que soy idiota y me chupo el dedo? ¡Eso no vale, has jugado con las cartas marcadas!

—Que yo sepa, no había condiciones ni reglas en la apuesta —le contestó Rebeca, riendo—. Además, no me riñas ahora, que no es el momento.

La fiesta se prolongó hasta altas horas de la madrugada. Rebeca, sin pretenderlo, había sido el centro de atención. David Broncano, que había ganado uno de los principales *Ondas,* al mejor programa de radio, por *La vida moderna,* había tratado de ligar con ella de forma muy simpática. Rebeca no consiguió averiguar si iba en serio o no, cosa habitual con David.

También estuvo hablando un buen rato con Jesús Calleja, que ganaba mucho en las distancias cortas. Carlota le presentó a Sandra Sabatés, que la felicitó por su premio y su extraordinario estilismo. Le hizo mucha ilusión conocer en persona a Manolo García, uno de los fundadores, junto con Quimi Portet, del legendario grupo musical de *El Último de la Fila.* Aunque Rebeca era muy joven, conocía toda su trayectoria musical, desde *Los Rápidos,* pasando por *Los Burros* hasta fundar el grupo definitivo. De hecho, una de las canciones que más me gustaba, era *Tú me sobrevuelas,* de su época de *Los Burros,* en la década de los ochenta del siglo pasado.

—¡Qué memoria más prodigiosa! Debes ser la única persona viva que recuerda ese tema menor —se rio Manolo García—, y además con tu edad, que seguro que te faltaban un montón de años para que nacieras, cuando Quimi y yo compusimos esa canción. Me hace ilusión de verdad, aquella época fue muy especial en nuestras vidas.

También se cruzó con Pucho, el cantante de Vetusta Morla. Para su sorpresa, él se dirigió a ella y no al revés.

—Hola, Rebeca. Cantas y tocas el piano de maravilla. ¿No te interesaría una colaboración con nosotros? —le dijo, a modo de presentación, así, de sopetón.

—¿Cómo me conoces? Tendría que haber sido yo la que me hubiera acercado a ti. Estuve en vuestro concierto del año pasado en la explanada exterior de la Caja Mágica, en Madrid. Impresionante. Iba con unas amigas y te aseguro que lo disfrutamos cada minuto.

—¿Y por qué no te identificaste? Os habríamos facilitado pases de *backstage* y habríais estado con nosotros.

Rebeca se rio.

—El año pasado no me conocían ni en mi casa, pero aún no has respondido a mi pregunta.

—Es obvio. Te escuché en tu cumpleaños con Ed Sheeran y The Waterboys, por la radio. Vaya pasada, ¿no? Ni siquiera nosotros somos capaces de conseguir esas colaboraciones. Ya nos contarás tu truco.

Rebeca se puso colorada.

—Ambas cosas fueron completamente espontáneas. No estaban preparadas ni habíamos ensayado antes.

—Pues, desde luego, no lo pareció. Aún tiene mucho más mérito del que creía. No dudes que te llamaré.

La fiesta continuó en un tono muy jovial y divertido, hasta que observó cómo se acercaban a ella los jefes, Carlos Conejos, Bernat Fornell y Fernando López Bajocanal, acompañados de Javi y Mar.

«Reunión de pastores, oveja muerta», pensó. «Y aquí la oveja soy yo».

Empezó hablando el jefe supremo.

—Rebeca, los cinco hemos pensado que...

«¿Pensado a estas horas? Malo», siguió Rebeca, en su mundo interior.

—... te vamos a dar el lunes libre. Después de todas las emociones de hoy, preferimos tenerte fresca para el martes. Descansa y no acudas a la radio a tu sección habitual —dijo Fernando López.

—¿Qué va a ocurrir el martes? —preguntó, algo preocupada.

—Por la mañana, en nuestro programa —ahora hablaba Javi— haremos un especial acerca de los Premios Ondas. Como comprenderás, tu intervención será más extensa de lo habitual, al menos unos veinte minutos. Serás la estrella y te queremos bien despierta y despejada.

«Eso es que no saben dónde voy a estar estos días», pensó divertida Rebeca. «No creo que duerma mucho de aquí al martes».

—Y, cuando termines con el programa, quiero hablar contigo en mi despacho, en privado —dijo Carlos, más serio.

Rebeca supuso que Carlos le iba a comunicar que cancelaban su programa de los martes por la tarde en el *Speaker's Club*, después del descontrol que se organizó en el primero, donde no siguieron las instrucciones del propio Carlos. Suponía que no quería decírselo esta noche. Ahora estaban en la fiesta de celebración de su premio, y quizá no fuera el momento más adecuado, aunque no le hubiera importado que se lo comunicara ahora mismo. Ese programa le daba bastante igual. «Fueron ellos los que me buscaron a mí, y no al revés», pensó.

Ahora tomó la palabra el que faltaba por hablar, el director Bernat Fornell.

—Tenemos un artículo tuyo para publicar el martes, así que tienes vacaciones en el periódico hasta el miércoles por la mañana. No te quiero ni ver por la redacción, y hablo completamente en serio, por si te queda alguna duda.

Rebeca estaba sorprendida. Tanta amabilidad no le parecía normal.

—¡Caramba!, debería ganar premios de estos, todas las semanas —exclamó divertida.

—¡Ojalá! —contestó Fernando López, riéndose.

La conversación continuó por caminos intrascendentes, recordando detalles curiosos de la ceremonia, hasta que Rebeca observó cómo su hermana le hacía gestos con la mano, desde un rincón del local. De la manera más educada posible, después de innumerables mojitos, se despidió de sus jefes. Cuando llegó al lado de Carlota, esta le cogió del brazo y se la llevó aparte.

—¿Qué te pasa? ¿No te lo estás pasando bien? —le preguntó Rebeca—. Por si fuera poco, a mí me acaban de dar un día libre en la radio y dos en el periódico.

—Me lo estoy pasando de maravilla.

—¿Entonces?

—Algo no está bien en todo este montaje. No me gusta.

Ahora, Rebeca se puso seria. Su rostro se trasmutó. Parecía otra persona.

—¿Tú también te has dado cuenta?

—Llevo toda la gala con esa incómoda sensación.

—Igual que yo.

—La diferencia es que ahora estoy segura de que es más que una simple sensación —concluyó Carlota—. De hecho, tengo miedo.

—¿Por qué? —preguntó Rebeca, algo asustada.

—Esta expedición era de doce personas, aunque, en realidad, ha sido de once. Reflexiona y lo entenderás. ¿No has echado en falta a alguien, durante gran parte de nuestra estancia en Barcelona?

Rebeca se quedó pensativa.

No la entendía, pero lo que tenía muy claro es que si Carlota decía que había que tener miedo, es porque había alguna causa justificada para tenerlo, aunque no pensaba reflexionar en este momento.

Tenía otras cosas en mente.

39 11 DE MARZO DE 1525

En apenas cinco minutos llegaron a la residencia de Johan y Batiste. Estaba muy cerca de la casa de Bernardo. Entraron y se dirigieron directamente a la cocina. Tomaron asiento alrededor de la mesa.

—Bueno, ya estoy bien sentado —dijo Johan—. Ahora, ¿me podéis explicar los enigmas que habéis descubierto?

Batiste y Jero se quedaron mirando.

—Empieza tú primero —dijo Batiste.

—¿Por qué?

—Porque yo he resuelto el enigma del asesinato de nuestro amigo común. No se lo he contado ni al justicia criminal, cuando estábamos en su casa. No sé qué enigma has resuelto tú, pero te garantizo que el mío nos dará mucho más que hablar. Es preferible dejarlo para el final.

—Bueno, supongo que da igual quién empiece. Está bien, lo haré yo, pero con una pregunta, dirigida a los dos.

—Adelante —dijo Batiste—. Toda la atención para ti.

—Os habéis extrañado mucho, hace apenas quince minutos, de porqué he afirmado que no considero necesaria la intervención de mi padre para que nos ayude en este asunto, en este preciso momento. ¿No os imagináis el motivo?

—Creo que ya te hemos dejado bastante claro los dos que no te entendíamos —respondió Johan.

—Sabéis que mi padre es una persona ocupada, que viaja por toda Europa. La última vez que estuvo en la ciudad, fue de incógnito. ¿Lo recordáis?

—¡Cómo olvidarlo! —exclamó Batiste—. Precisamente fue el día en que nos quedamos encerrados en el pozo de las hermanas Vives, donde hemos estado hace un momento.

Llegamos tarde a la cita con mi padre y el tuyo, y, aunque fuimos capaces de hacerlo, lo más normal es que hubiéramos muerto allí dentro, sin poder salir.

—Muy bien, veo que lo recordáis. Sigamos razonando juntos. ¿Qué le pedimos a mi padre?

—Básicamente, le pedisteis ayuda porque estabais muy apurados y creíais que os ocultábamos información —se anticipó Johan—. En un principio, mi hijo estaba preocupado por conocer la naturaleza del árbol, cosa que me imagino que ya sabréis, después de todos los acontecimientos vividos desde entonces, sobre todo hoy.

—No —dijo Batiste—. Me lo contó Jero, que ya sabía, en realidad, en qué consistía el árbol judío, bastante antes de esa reunión.

—¿De verdad lo conocías? —preguntó Johan, asombrado.

—Desde el principio. Era algo demasiado obvio —respondió Jero—. Pero dejar que siga mi explicación, no nos desviemos de la conversación.

—Adelante —le dijeron.

—Quedémonos con la primera parte que acaba de comentar Johan. Tiene razón. Lo que le pedimos a mi padre fue ayuda. Recordad que estábamos en una situación desesperada. Mi padre lo comprendió perfectamente, incluso haciendo referencia a sus poderes como inquisidor general de España, cosa muy poco habitual en él. Ya sabéis que tiende a ser muy discreto en esa materia.

—Y nos la prestó, ¡vaya si lo hizo! —le respondió Batiste, que no comprendía dónde quería llegar su amigo.

—Si te refieres a la falsificación de la documentación de Blanquina, desde luego —siguió Jero.

—¿Acaso nos prestó alguna otra ayuda aquel día?

—Por fin, nos acercamos al meollo del asunto.

—¡Venga! Déjate de rodeos y suelta lo que sea que se te haya ocurrido.

—Es muy simple. Su principal ayuda no fue la reconstrucción de los papeles de Blanquina.

—¡Qué dices! —exclamó Batiste—. Es lo único que hizo. Entiéndeme bien, no es por restarle méritos a tu padre, porque hizo casi brujería y nos sacó de un buen atolladero. Pero no recuerdo que hiciera nada más.

—Más bien di que no nos hemos dado cuenta de que hiciera algo más —puntualizó Jero.

Johan no entendía nada, pero prefirió quedarse callado y observar el diálogo entre su hijo y Jero.

—Así que, según tu teoría, nos ayudó más, pero nosotros no nos hemos dado cuenta de que lo había hecho.

—Exacto. Además, tengo la sensación de que esta segunda ayuda pueda ser mucho más importante que la primera con los documentos de Blanquina.

—Entonces, si nos intentó ayudar pero no lo advertimos, ¿cómo te has dado cuenta tú? Y si lo has hecho, ¿por qué no lo has contado antes? ¿Para qué te has esperado a este preciso momento?

—Porque lo acabo de comprender. Bernardo me ha abierto los ojos.

—Pero Bernardo no tiene nada que ver con tu padre. Dudo muchísimo que se conozcan.

—No, ni se conocen.

—Entonces, ¿me quieres volver loco?

—Ahora, hagamos un ejercicio de imaginación y viajemos con nuestras mentes al mes de marzo del año 1.500.

—¿Te refieres a la redada que hizo el Santo Oficio en la sinagoga clandestina de Miguel Vives?

—A ese preciso momento. La inquisición irrumpió en plena celebración de un Gran Consejo. ¿Cómo lograron sus miembros zafarse de las garras del Santo Oficio?

—Había una habitación secreta escondida detrás de un armario de la sinagoga. Dentro de esa habitación había una rejilla que comunicaba con una acequia subterránea, que a su vez desembocaba en el río. Por allí escaparon.

—¿No aprecias la sutil semejanza con un hecho muy reciente?

—¿Acaso pretendes relacionar nuestra huida de aquella estancia secreta del Palacio Real, con lo que ocurrió hace veinticinco años?

—No, pero no me negarás que es una curiosa coincidencia.

—Era otra acequia, otras personas y otras circunstancias. Tienen poco que ver, más allá de la forma de escaparse.

—Tienes razón. En realidad, ambos acontecimientos, aunque con similitudes muy curiosas, no tienen nada que ver con lo que te quiero explicar. Fue una coincidencia sin importancia.

—¿Acaso estás jugando conmigo? —dijo Batiste, que se empezaba a impacientar.

—No, simplemente te estoy poniendo en antecedentes, para que comprendas lo que ahora te voy a decir. Sin esta introducción, quizá no lo entendieras.

—Vale, pues ya lo has hecho. Ahora ve al grano de una vez.

—Voy a poner a prueba tu memoria. ¿Qué es lo que más me extrañó y me llamó poderosamente la atención, en el tema de la falsificación de los papeles de Blanquina por parte de mi padre?

Batiste se quedó un momento en silencio, reflexionando.

—¿Su envoltorio?

—¡Muy bien Batiste! Sabes que siempre tuve claro que las iniciales que envolvían los documentos no eran, en realidad, la dirección de tu casa. Tú creías que «B-M, III y V», significaba calle **B**lanqueríes esquina con la calle **M**orer, números **III** y **V**, es decir, donde nos encontramos ahora mismo,

—Y lo sigo creyendo.

—Pues no es así. Como te estaba contando, Bernardo me acaba de abrir los ojos. Une el episodio de la fuga de la sinagoga de Miguel Vives con ese envoltorio.

—No te sigo —reconoció Batiste.

—Mira que te he hecho una explicación muy detallada, incluso en exceso, para que pudieras resolverlo por ti mismo, pero ya veo que no eres capaz.

—Pues no, la verdad.

—Vamos a ver, ¿cuáles son las iniciales más famosas de este primer cuarto de siglo, relacionadas con el árbol judío?

Ahora sí. Batiste se levantó de la mesa de un salto. Los ojos parecían que se le iban a salir de sus órbitas.

—¡Claro! ¡Ahora comprendo todo tu rollo! «B-M», **B**lanquina **M**arch. ¿Cómo no se me había ocurrido?

—Cuando Bernardo nos ha contado la aventura de nuestro malogrado amigo por el sendero lateral de la acequia, mi mente ha relacionado ese incidente con el de la huida de

Blanquina, hace veinticinco años. De repente, se ha hecho la luz en mi cerebro.

—Está bien, pudiera ser un punto de arranque, pero ¿qué significan los números III y V? Y, sobre todo, ¿por qué piensas que es un mensaje cifrado de tu padre?

—Volvamos al principio de la conversación, ¿qué le estábamos pidiendo a mi padre, aquel día, en el Palacio Real, de forma desesperada?

—¿Ayuda?

—Claro, y eso fue lo que hizo. Ayudarnos. Pero la ayuda no estaba en el contenido del legajo, como pensamos desde un principio, sino en el continente, es decir, en el envoltorio. Ya sabes que, desde el principio, me llamó mucho la atención.

—¿Y qué clase de ayuda es esa?

—«Blanquina March, tres y cinco». ¿No lo entiendes? Esa es la ayuda.

—¿La ayuda es una muerta desde hace más de dieciséis años?

—¡No hombre! No se refería a la persona en sí misma, sino al cargo que desempeñaba. Si hubiera escrito «1, 3 y 5» no le hubiéramos comprendido jamás, pero con las iniciales de Blanquina March al principio, las cosas cambian bastante. Hacen que el mensaje secreto pueda ser descifrado.

—¿Qué quieres decir?

—Que pedimos ayuda a mi padre, y él nos contestó diciendo que nos pusiéramos en contacto con las puertas 3 y 5. El encabezar el mensaje con las iniciales de Blanquina March era para que lo entendiéramos. Sabíamos que ella fue la primera puerta.

Batiste se quedó pensativo. Durante unos interminables segundos, la cocina permaneció en silencio. Lo terminó rompiendo Jero.

—Sabemos quién es el número tres, ya que asistimos a aquel extraño Gran Consejo, escondidos debajo de la mesa, y mi padre sabe que lo sabemos, porque nosotros mismos se lo contamos. Desconocemos quién es la quinta puerta, pero ya es un comienzo conocer a la tercera.

—¿Y eso te tranquiliza? ¿Quieres decir que hemos de ponernos en contacto con la tercera puerta? —preguntó Batiste, con cierto temor.

—Esa es la verdadera ayuda que nos prestó mi padre. Lo demás era secundario. Por eso os he dicho que es inútil una reunión con él, ahora mismo. Aún no hemos explorado su respuesta a nuestra petición de ayuda.

—¡Qué Dios nos acoja en su alma! ¡Nada más y nada menos que la tercera puerta! —exclamó escandalizado Batiste.

—Nos ayudará, si mi padre nos lo ha dicho. No me cabe ninguna duda.

—O nos matará por descubrirle, una de dos. No olvides quién es.

40 EN LA ACTUALIDAD, DOMINGO 21 DE OCTUBRE

—Anda, juntaros más.

—¿Más? Si parecemos lapas.

—Rebeca, enseña el caballito, que se vea bien.

—Con la resaca que llevo de anoche, es todo lo que puedo levantar la mano. De verdad que lo intento, pero el brazo no me obedece.

Estaban en el exterior del microbús, y Toni, el conductor, se había ofrecido amablemente a fotografiarles, antes de regresar a Valencia.

—Con las caras que lleváis, va a parecer un retrato de la *Familia Monster*, pero bueno, supongo que es lo que hay, a estas horas de la mañana y después de una noche intensa —dijo Toni, mientras utilizaba el móvil de Carlota para las fotografías. Era el mejor de todos, ya que era su herramienta principal de trabajo.

«Y tan intensa», pensó Rebeca. «Mis neuronas aún no se han despertado».

Sin embargo, Carlota parecía bastante más animada que ayer, hasta de buen humor.

—Mientras no salga fea Rebeca, cosa casi imposible de conseguir, el resto damos igual. Somos el *attrezzo*, meros complementos de la estrella.

Una vez cumplido con el trámite, todos se subieron al microbús. Antes de sentarse, Rebeca se dirigió a su hermana.

—¡Caramba! Te veo radiante, te ha sentado bien dormir, aunque tan solo hayan sido unas pocas horas.

—Te equivocas. Me ha sentado bien el no dormir. No he pegado ojo en toda la noche.

—¿Y eso cómo puede ser? Tienes el mejor aspecto de todos nosotros, que parecemos *zombies*.

—Ya hablaremos. Me he pasado la noche pensando y eso me suele venir bien. Ahora, siéntate con tu tía, tal y como habías decidido en el viaje de ida. Yo me pienso dormir, una vez hechos los deberes. —dijo, mientras se acurrucaba en uno de los asientos—. Vamos a tener tiempo de sobra para hablar, no te preocupes.

Rebeca, para variar, le costaba seguir los pensamientos de su hermana. Le iba a preguntar qué deberes eran esos, pero el microbús iba a arrancar, así que buscó a su tía y se acomodó a su lado.

—¿Cómo estás? —le preguntó Tote.

—Dormida.

—¿A qué hora te acostaste? Cuando yo me retiré, parece que empezaba la fiesta de verdad.

—La pregunta adecuada no es cuándo me acosté, sino cuándo me dormí —respondió, intentando darle el tono adecuado para que su tía entendiera el sentido de la respuesta, sin seguir la conversación por ese camino, que le daba cierta vergüenza, aunque tuviera veintidós años. Parece que lo consiguió, ya que Tote no hizo más preguntas al respecto.

El microbús enfiló la Diagonal para salir camino de Valencia. Rebeca se giró. Casi todo el mundo estaba intentando descansar. «¡Qué envidia!», pensó. «Yo no puedo, tengo deberes, además un tanto desagradables».

—Vi que estabas hablando con un montón de periodistas. ¿Tengo que esperarme alguna sorpresa?

—No lo sé, tía. A pesar de haber ganado un Premio Ondas, no olvides que era una categoría menor, y, además, lo gané a medias. Hubo premiados de mucha más importancia mediática y tirón que una chica desconocida «de provincias», de tan solo veintidós años de edad, como yo. Claro que harán reseñas en sus medios, pero la parte importante se la llevarán los grandes, como Julia Otero, Jesús Calleja, David Broncano o Sandra Sabatés, sin olvidarme de Manolo García o todos los componentes de Vetusta Morla, en la parte musical. Ellos son conocidos, yo no soy nadie.

—No lo tengo tan claro —dijo Tote—. Una chica espectacular como tú, enfundada en un traje que te ha costado una cantidad indecente de dinero, llamaba la atención sí o sí, al menos de determinados medios.

—Ya veo que Carlota te lo ha contado.

—No ha querido darme demasiados detalles, pero con lo poco que me dijo, ya tengo suficiente. Si no es indiscreción, ¿ese era el paquete que recibiste el jueves? ¿Y cuánto te ha costado? No puedo hacer mi trabajo si me ocultas cosas.

Rebeca se giró hacia su tía.

—De eso precisamente quería hablarte —le respondió, con un semblante mucho más serio—. Por eso quise sentarme en el trayecto de ida con Carlota, y en el de vuelta contigo. Era importante hablar con ambas. Con mi hermana ya lo hice el viernes, ahora te toca a ti.

—¿Me tengo que preocupar? —preguntó Tote, al observar el tono de voz de su sobrina.

—La verdad es que sí, para que te voy a engañar. Ya basta de paños calientes y de hacerme la ignorante en ciertas cuestiones, para evitar discusiones contigo. No soy la idiota que puede parecerte alguna vez. Creo que más vale dejar las cosas claras de una vez. Prefiero una bronca a diez enfados. Ese momento ha llegado, y va a ser ahora. Como comprenderás, hubiera preferido estar más despejada y haber dormido ocho horas, pero no lo puedo ni lo debo retrasar más.

Tote no acababa de entender a Rebeca, pero se percató de que se avecinaba una tormenta, y de las gordas.

—Venga, empieza. Lo malo, cuanto antes mejor.

—Me voy de casa —soltó Rebeca, así, de sopetón.

A Tote casi le da un vuelco el corazón.

—¿Qué dices?

—No me voy para siempre, tan solo por unos días, de momento.

—¿Y a dónde, si se puede saber?

—A casa de Carlota, por eso hablé con ella el viernes, en el trayecto de ida. Debía pedirle permiso e informarle antes que a ti, como es lógico. Es su casa.

—No me ha dicho nada, y eso que ayer estuve todo el día con ella.

—Porque le pedí que no lo hiciera. Por eso estoy aquí y ahora, hablando contigo. Una cosa así creo que debía contártela en persona y no a través de ella.

¿Y por qué lo vas a hacer? —Tote estaba a punto de llorar.

—Por el simple hecho de que me hagas esa pregunta. No comprendes nada, ¿verdad?

—No, la verdad es que no te entiendo.

—A pesar de que la vivienda de *La Pagoda* sea propiedad legal mía y de Carlota, siempre la he considerado y la consideraré tu casa. Así ha sido siempre, y entiendo que, mientras esté en ella, debo acatar ciertas normas. Pero estos últimos días, las cosas se te han ido de las manos. Debo recordarte que, mientras conviva bajo tu tejado, en cuestiones domésticas puede que mandes tú, pero en temas del Gran Consejo, yo soy la undécima puerta y tú me debes cierta obediencia. Es algo que no me gusta nada tener que decírtelo, pero como veo que no lo tienes claro, no me queda más remedio que recordártelo. No te puedes comportar conmigo como lo has hecho hasta ahora. Así las cosas no funcionan ni van a funcionar jamás.

—Ya sé que últimamente te has enterado de ciertas cuestiones que no te habrán gustado.

—¿Gustado? ¡Menuda palabra más inapropiada!

Tote se veía venir el chaparrón.

—Me temo que ya sé lo que me vas a decir.

—¡Ah! ¿sí? Porque ni yo misma sé por dónde comenzar, de tantas cosas que me hierven en la cabeza —dijo Rebeca, que parecía enfadada de verdad, como pocas veces.

—Ya sé que eres muy celosa de tu privacidad. También sé que conocer por tu hermana Carlota, y no por mí misma, la existencia del dichoso micrófono oculto en tu mesa de trabajo, no te sentaría demasiado bien.

—El problema no es ese. Veo que sigues sin comprenderlo.

Tote se quedó perpleja. Pensaba que ese era precisamente el problema.

—Pues tienes razón, ahora ya no te entiendo nada —respondió, mientras pensaba a qué se podía referir su sobrina, sin conseguirlo.

—El micrófono y el resto de cuestiones son el humo, no el fuego. Para que me entiendas mejor, son el síntoma, no la verdadera enfermedad.

—Sigo sin comprenderte, pero todo lo que he hecho ha sido para protegerte.

—Eso lo puedo entender, pero me llevas engañando demasiado tiempo, desde bastante antes del famoso tentempié, aquel sábado por la tarde, en nuestra casa con los compañeros del periódico y con el misteriosamente desaparecido Richie Puig, de camarero disfrazado. No es tan solo un problema de privacidad, ahora se ha convertido en una cuestión de confianza. Ya conoces el dicho, la confianza cuesta mucho ganarla, pero muy poco perderla.

—Lamento lo del micrófono, pero como ya te dije, era necesario, al igual que lo era que tú no conocieras su existencia. Debía permanecer oculto.

—¿Por qué?

—Porque no te habrías comportado con naturalidad si hubieras sabido que las gemelas Alba te estaban escuchando. Eso no lo puedes negar.

—Supongo que no —reflexionó Rebeca.

—Te necesitaba natural, necesitaba a Rebeca Mercader. Sabía que estaban ocurriendo cosas extrañas y no podía dejar ningún cabo suelto. Y aun así, casi te matan.

—Te repito que Álvaro Enguix no quería matarme, aunque me dijera que debía morir. Si hubiera querido hacerlo, no estaríamos hablando ahora mismo. Tan solo quería asustarme, lo que me preocupa es no saber el motivo —dijo Rebeca.

No le había contado nada a su tía de las averiguaciones que había hecho, junto a su hermana, acerca de la inexistencia de Álvaro Enguix, ni tampoco de lo que había descubierto con la inspectora Sofía Cabrelles. Además, no le pensaba informar a su tía, de momento. Estaba muy enfadada con ella. No merecía saberlo.

—¿Y la vergüenza del tema de las gemelas Alba? ¿No me podías haber contado eso, por lo menos? —siguió preguntando Rebeca—. Esa cuestión no afectaba a mi seguridad.

—Ya veo que has hablado con Bernat Fornell —dijo Tote, apartando la mirada de los ojos de Rebeca por la vergüenza que estaba sintiendo.

—Claro, antes de este viaje a Barcelona. Le puse entre la espada y la pared y me lo contó todo. No tuvo más remedio que reconocerlo.

—Tampoco me ha dicho nada —Tote parecía abatida.

—Tu rostro refleja la vergüenza que este tema te da hasta a ti. ¡Qué me tenga que enterar por Fornell de esa cuestión! ¿Acaso te importa lo que piensen de mí las personas que me rodean?

Aquello no era del todo cierto. Lo que le contó Fornell, la tercera sorpresa que el director le había anunciado, ya la había deducido Rebeca con anterioridad a su conversación con él, pero estaba enfadada con su tía, así que le atacaba con todo lo que tenía a mano.

—Sí, supongo que en eso tienes razón, te lo podía haber contado —reconoció Tote.

—Al menos, me podías haber ahorrado el bochorno de tener que enterarme, por el propio director Fornell, que las gemelas, a las que llamamos Alba, en realidad, son sus hijas. Evidentemente, Alba solo se llama una de las dos, aunque no sé quién es quién.

—Ya te he dado la razón en ese extremo —Tote parecía ahora completamente derrotada.

—¿Y el *teatrillo* que montaste el día que acudiste a la redacción de *La Crónica*, simulando no conocer de nada a Bernat Fornell, para invitarlos a nuestra casa? ¿De eso no me dices nada? —Rebeca continuaba con toda su artillería. No tenía intención de soltar la presa. Habían sido demasiados engaños en demasiado poco tiempo.

—Una vez más, tienes razón. Conozco muy bien a Bernat Fornell desde hace bastantes años, y sabía que era el conde de Ruzafa y, por supuesto, el número uno, el *Keter*.

—Y a pesar de ello, dejaste que acudiera a un Gran Consejo, conociendo sus intenciones. Dices que tu misión es protegerme, pero me dejaste a los pies de los caballos. Si no llega a ser por las puertas cinco y siete, que salieron en mi auxilio, no sé cómo hubiera acabado aquella reunión, pero desde luego nada bien para mí. Y te recuerdo que, precisamente aquella noche, tú no estabas allí para protegerme. Estaba Joana.

—No sabía sus intenciones —respondió una Tote cada vez más decaída. «Pero sí que me las podía haber imaginado, conociendo a Fornell», pensó, cada vez más abatida.

Tenía que admitir que su sobrina tenía razón. Con su extrema inteligencia, era una simple cuestión de tiempo que averiguara toda la verdad. Aún había tardado demasiado. No debía de haberle ocultado todo aquello. Se había comportado con cierta indolencia, sin tener en cuenta a quién tenía enfrente. «Me merezco la reprimenda que me acabo de llevar», se dijo, con el rostro muy triste.

—Como comprenderás, necesito reflexionar, y creo que tú también lo necesitas, igual más que yo misma —dijo Rebeca, muy seria.

—¿Qué quieres decir con esas palabras? —dijo Tote, que ahora estaba algo asustada. Conocía a su sobrina y no le gustaba lo que veía en su rostro.

—Como ya te he dicho al principio de la conversación, me voy de casa, a pasar unos días con Carlota. Creo que me vendrá bien despejarme un poco. De repente, el ambiente de lo que era nuestro hogar me parece algo agobiante. Y a ti también te vendrá bien, Piensa un poco en cómo te has comportado conmigo en estas últimas semanas. Sabes perfectamente lo que valoro la sinceridad y la confianza, y tú me has fallado en ambas cuestiones. Mi propia y única tía. Eres la persona que más quiero en el mundo, eres casi todo lo que tengo en esta vida. Y ahora no puedo evitar la desagradable sensación de que no confías en mí plenamente y, siendo sincera, visto lo visto, no sé si yo en ti. Quizá será mejor que abramos un paréntesis temporal entre nosotras.

Tote no reaccionó. No sabía qué decir. Se produjo un instante de silencio embarazoso entre ambas. La situación era muy desagradable.

Rebeca aprovechó y se levantó del asiento del microbús y, sin mediar una palabra más con Tote, se fue junto a su hermana, que estaba dormida. Ni se enteró que se sentaba a su lado.

Lejos ya de su tía, soltó un sonoro «¡bufff!» que casi despierta a Carlota.

No le había hecho ni pizca de gracia tratar así a Tote, que era un pedazo de pan y que siempre se había preocupado por ella, incluso por encima de su propia vida personal. Sabía que había llegado hasta el extremo de sacrificar a una de sus parejas por ella, a Sandra, justo después del accidente de sus padres. Antepuso proporcionarle un hogar, que ella creía más estable, a su vida sentimental, aunque a Rebeca jamás le importó su relación con Sandra. Con ocho años era mucho más madura que otras con dieciocho y lo comprendía perfectamente, pero, a pesar de ello, su tía la eligió sobre Sandra, aún sin tener porqué hacer ninguna elección, pero así era Tote. Todo corazón.

Era consciente de que había sido muy dura con sus palabras, quizá en exceso, pero, en este momento, consideró que era necesario. Tenía que remover conciencias, y creía que lo había conseguido.

En realidad, ahora el *teatrillo* lo había montado ella. No estaba, ni mucho menos, tan enfadada con su tía como acababa de escenificar.

Además, había mentido a Tote. No se iba a pasar unos días a casa de su hermana para reflexionar acerca de la discusión. En realidad, existía otro motivo de más peso y que le tenía muy preocupada.

A pesar de la aparente fortaleza de Carlota, había perdido a su pareja, al supuesto Álvaro Enguix. Rebeca se daba perfecta cuenta de que, aunque se esforzara en disimularlo, le gustaba mucho, «Hasta a mí me caía muy bien, era un encanto de persona». Pensó Rebeca. «Me parece que se ha puesto una coraza y no deja traspasar sus verdaderos sentimientos internos». Esas cuestiones, si no se sacan del cuerpo a tiempo, podrían terminar en una depresión. Su hermana no estaba acostumbrada a ellas, era una vitalista y optimista nata. De hecho, no sabía si se había visto en alguna situación similar en toda su vida. No se quería arriesgar. «*Pa'fuera lo malo*», pensó. Mejor prevenir que curar.

«Es muy curioso, Carlota ha pasado infinidad de *findes* en mi casa, pero este va a ser el primero que yo lo haga en la suya».

Lo que Rebeca tenía claro es que no quería dejarla sola, dándole vueltas a ese coco privilegiado. A saber cómo podía acabar aquello. Era su hermana gemela y la conocía perfectamente, al menos, eso creía.

¿La conocía en realidad?

41 11 DE MARZO DE 1525

Ahora ya he explicado la resolución de mi enigma —dijo Jero—. Mi padre don Alonso nos comunicó que debíamos dirigirnos a las puertas tres y cinco en busca de ayuda. Ahora es tu turno, te toca desvelar tu enigma.

—No —respondió Batiste.

—¿Cómo qué no? —preguntó Jero, con cara de enfado—. Yo he cumplido con mi parte. Ahora te toca a ti desvelar el misterio de la muerte de nuestro amigo.

—No me habéis entendido. Digo que ahora no os lo puedo contar. Antes, hemos de hacer una comprobación muy básica —replicó.

—Pues adelante, hazla —dijo Johan, que tampoco comprendía a su hijo.

—Para ello tenemos que salir de esta casa.

—¿Para qué? —preguntó sorprendido Johan.

—Hacer el favor de no entrar en bucle —dijo Batiste—. Necesito confirmar un dato, y no se encuentra aquí.

—¿Y está muy lejos ese dato? —pregunto Johan.

—No, está cerca. Más concretamente en la residencia de los Medina y Aliaga.

—¿Pero no habéis ido ya y no estaba? —preguntó Johan.

—Eso fue antes de ver a su padre en el pozo, ¿acaso no lo recordáis?

—Entonces, ¿quieres hablar con Amador para que te confirme algo? —preguntó Jero, sorprendido.

—Todo lo contrario —dijo Batiste, con una mezcla de mueca burlona y de misterio, que ni Johan ni Jero fueron capaces de interpretar.

—No te comprendo —dijo Jero—. ¿Quieres ir a la residencia de Amador para no hablar con Amador?

—Más o menos.

—Más o menos, ¿qué?

—Que es cierto que intentaremos hablar con él, pero ese no es el verdadero motivo de la visita.

—Tus palabras suenan muy extrañas. ¿Y cuál es, si se puede saber?

—Todo a su debido tiempo —respondió Batiste, que ahora estaba sonriendo abiertamente.

—De verdad, hijo, no se te entiende nada.

—Anda, coged algo de abrigo y vayamos hacia allí —dijo Batiste, dando por terminada la conversación, mientras se dirigía al armario.

Johan y Jero se quedaron mirando, incrédulos. Johan se levantó de la mesa de la cocina para seguir a su hijo.

—Ahora sí que os pienso acompañar. Después de lo visto en el pozo, ya no sé si la residencia de los Medina y Aliaga es un lugar seguro. No os voy a dejar solos —dijo.

—De acuerdo, pero no te pongas en primera línea. Desentonas acompañándonos —dijo Batiste—. Simplemente espera en la esquina. Si ocurriera algo, que te aseguro que no va a pasar, podrías intervenir de igual forma.

—Eso no me importa, pero no os dejo solos —sentenció Johan.

Salieron de la casa y en apenas un momento ya estaban en la puerta principal de la residencia de los Medina y Aliaga.

—Anda, vamos a dar la vuelta y volver a dirigirnos a la ventana de Amador —dijo Batiste.

Jero notaba que la actitud de su amigo era muy extraña. Le daba la impresión que la visita a la ventana no era el verdadero objetivo de acudir a casa de Amador. No sabía por qué, pero era una sensación muy fuerte.

Los tres llegaron a la altura de la ventana. Permanecía en el mismo estado que la dejaron. No había sido movida.

—Ese marco astillado, ¿no habrá sido cosa vuestra, verdad? —preguntó Johan, escandalizado.

—En concreto mía —le respondió Jero—. Se me fue un poco la mano y lancé el guijarro con demasiada fuerza.

—Sois unos insensatos —les replicó Johan—. Ahora tendréis que tener mucho cuidado en no golpear la ventana en el mismo sitio. La terminaríais de romper. La familia de Amador podría suponer que estáis hablando con él, a través de ella.

—Tranquilo padre, eso no sucederá —dijo Batiste, con una extraña seguridad.

«¿Cómo puede saber que no le vamos a acertar justo en ese lugar?», se preguntó. «Está muy alta y no tenemos tanta puntería. Siempre hemos lanzado como hemos podido».

Jero tenía claro que algo se le estaba escapando. La actitud de Batiste no era nada normal. Decidió forzar a que se pronunciara.

—¿Cómo puedes estar tan seguro? —le preguntó Jero.

—Muy sencillo, porque no vamos a arrojar ningún guijarro a esa ventana.

—¿Qué? —preguntó sorprendido Johan—. ¿Para eso nos has hecho venir?

—No hace falta tirar ningún guijarro, porque la ventana se encuentra, exactamente, en la misma posición que la dejamos ayer. Está claro que no se ha movido ni un ápice. No resulta difícil deducir que no hay nadie en el interior de la habitación de Amador.

—No entiendo nada —dijo Jero, que sabía que su amigo tramaba algo, pero no lo terminaba de descubrir.

—No pongáis esas caras de sorpresa. Ya os he dicho, antes de salir de casa, que hablar con Amador no era el verdadero motivo de esta visita, ¿acaso no lo recordáis?

—¿Y si no es hablar con Amador, para que hemos...? —Jero, de repente, cortó el final de su pregunta, cuando comprendió la verdadera intención de su amigo.

—Veo que lo has entendido —dijo Amador, con cierta sorna en su tono de voz—. Te ha costado bastante, para ser tú.

—¿Te has vuelto loco?

—Jamás he estado más cuerdo.

Johan estaba escuchando la conversación sin comprender nada.

—Anda. ¿os importaría explicarme de qué estáis hablando? No os comprendo.

—Muy sencillo —dijo Jero—. Tu hijo no ha venido a hablar con Amador, sino con su padre, don Cristóbal. Sabe que estará en su residencia porque lo hemos visto en la ciudad hace un momento.

—¿Es eso cierto? —preguntó asombrado Johan. Jamás se lo hubiera imaginado.

—Sí, y además, no puedes estar presente en la conversación. Tenemos que hablar Jero y yo a solas. Disponemos de un pretexto. Hace días que no lo vemos por la escuela y vamos a preguntar cómo se encuentra. Entiende que tu presencia desentona con esa excusa. No tiene ningún sentido que nos acompañes para eso.

—¡No lo permitiré! —exclamó Johan—. Don Cristóbal de Medina puede ser una persona peligrosa.

—Eso ya lo sé, pero no te estoy pidiendo que nos abandones. Tan solo que el receptor no te vea. Puedes ocultarte en una esquina de la casa. Si necesitamos ayuda, puedes intervenir, aunque dudo mucho que sea preciso. No creo que nos haga ningún daño.

—¿Cómo puedes estar seguro?

—Me conoces, padre. Sabes que no haría una cosa así, sin tener un propósito concreto.

Johan se quedó durante un instante en silencio, valorando la situación.

—Está bien —respondió, al fin—. Pero si veo que la conversación sube de tono, intervendré. Aunque don Cristóbal sea bastante más joven que yo, estoy seguro de que podría con facilidad con él. Es lo que tiene ser *pedrapiquer*.

—No la líes. No será necesaria su intervención. Además, presumo que la conversación será muy breve —aventuró Batiste—. Apenas dos o tres preguntas, a lo sumo. Ni a él le apetecerá hablar con nosotros ni a nosotros con él, más allá de lo estrictamente necesario.

—Bueno, cuanto antes mejor —dijo Johan, que se puso a caminar hacia la parte opuesta de la casa, donde se encontraba la entrada principal. Tal y como había dicho, se quedó en una esquina. Batiste y Jero se dirigieron a la puerta.

—Tú sabrás lo que haces, pero esta vez, si alguien abre la puerta, hablarás tú —le dijo Jero.

—Por supuesto. Además, ya te adelanto que la persona que nos recibirá será el propio receptor. No se te ocurra salir corriendo. No nos va a pasar nada.

—¿Cómo puedes saber que nos va a abrir él? Te recuerdo que tienen servicio doméstico.

—Todo a su debido tiempo —le respondió sonriendo, mientras golpeaba la puerta con la aldaba.

Silencio.

—No hay nadie, vayámonos —dijo Jero.

—Espera un poco. Don Cristóbal tiene que salir de su despacho y llegar hasta la puerta. Démosle algo de tiempo.

Efectivamente, al poco de pronunciar esa frase, escucharon unos pasos dirigiéndose hacia la entrada. Se abrió. Tal y como había previsto Batiste, se encontraban frente a frente con don Cristóbal de Medina y Aliaga. Jero estaba acongojado, sin embargo, Batiste parecía despreocupado.

—Hola, don Cristóbal. Disculpe que nos presentemos en su casa, sin avisar. ¿Se acuerda de nosotros?

El receptor los miró de arriba abajo.

—¿Cómo olvidaros? Aquel incidente en la Torre de la Sala fue de lo más desagradable que he vivido. ¿A qué se debe esta inesperada visita? —respondió, yendo al grano.

Ambos notaron que su aspecto no era bueno, sobre todo teniendo en cuenta los progresos que había hecho en el caso de Blanquina. «Igual lo hemos pillado descansando y por eso ha tardado en abrir. La tarde ha sido demasiado intensa, incluso para él», pensó Jero.

—Estamos preocupados por Amador. Lleva sin acudir a la escuela unos días, y estamos intranquilos por si se encuentra enfermo. Desde el incidente que ha comentado, no lo hemos vuelto a ver, así que nos tememos que pudiera haber contraído alguna enfermedad en la cárcel.

—Sí, así fue. Nada importante, pero, por precaución, el maestre médico nos recomendó que guardara reposo.

—¿Supondría un inconveniente que lo pudiéramos ver? Ya sabe que somos muy amigos en la escuela.

—Lo siento. Desde el mismo día de aquel incidente, se marchó con su madre a nuestra residencia de recreo. Pensamos que, en el campo, se recuperaría con mayor rapidez de su enfermedad. Los aires del monte sientan bien.

—Bueno, en ese caso, no le queremos molestar más. Cuando lo vea, si se acuerda, dele recuerdos nuestros y que se mejore cuánto antes.

—Gracias por vuestra visita, así lo haré —dijo el receptor, dando por concluida la conversación y cerrando la puerta en sus narices. Estaba claro que no tenía ningún interés en perder su tiempo, hablando con dos mocosos como ellos.

Cuando todo terminó, se reunieron con Johan, que estaba pendiente de toda la conversación, oculto en la esquina, tal y como habían convenido.

—¡Nos ha mentido en nuestra cara! —exclamo Jero, indignado—. Ni está enfermo ni se marchó a ninguna finca de recreo. Hablamos con él desde la ventana de su habitación, después de ocurrir los hechos, y no se había ido a ningún lugar.

A pesar del evidente enfado de Jero, Batiste lucía una sonrisa de oreja a oreja.

—No me malinterpretéis. No es que esté alegre por la evidente mentira del receptor, pero esto es exactamente lo que quería demostrar. Era el sentido de la visita a su residencia. Ya os había dicho que no íbamos a hablar con Amador.

—¿Por qué estabas tan seguro? —preguntó Johan, que seguía sin comprender a su hijo.

—Porque es evidente, ya no estaba en su casa. Una vez ausentado, ya sabía que no iba a volver.

Johan y Jero se le quedaron mirando, sin comprender qué quería decir con esa frase tan extraña.

«Me parece que nada bueno», intuyó Jero.

42 EN LA ACTUALIDAD, DOMINGO 21 DE OCTUBRE

—¡Princesas!

—¿Qué? —se despertó sobresaltada Rebeca.

—Que ya estamos en Valencia. En apenas unos minutos os iremos dejando en vuestras casas —dijo Bernat Fornell.

Rebeca se desperezó, sin vergüenza. Se había quedado dormida junto a Carlota, que no se había dado por enterada del aviso de Fornell.

—¡Bella durmiente! —le susurró al oído de su hermana—. ¿Hace falta que te dé un beso para despertarte?

—Sí, por favor. Si puede ser, en los morros —le contestó Carlota.

—Confirmado. ¡Estás despierta!

—Eso creo. Con los gritos de tu jefe, a ver quién es capaz de seguir durmiendo en este microbús. Tiene la delicadeza de un erizo.

—Llegaron a la altura de los jardines de Viveros, enfrente de *La Pagoda*. Tote se levantó y se bajó del microbús, sin dirigir ni una sola mirada a sus sobrinas, a pesar de que pasó por delante de ellas.

—¡Rebeca! ¿Qué esperas para bajarte? Ya hemos llegado —gritó Fornell.

—Yo sigo. Me voy a casa de Carlota.

A Rebeca le dio la impresión de que el director se había percatado que algo no iba bien, pero no dijo nada. Carlota se le adelantó.

—Fornell lo sabe.

—¿Sabe qué?

—Que algo ha ocurrido entre Tote y tú.

—Bueno, tampoco hace falta ser un lince para eso. Ha visto que me he sentado con ella al principio del trayecto. Luego me he levantado y el resto del viaje lo he hecho contigo, aunque dormidas. Y como confirmación, nuestra tía ni siquiera se ha despedido de nosotras, cuando ha bajado del autobús, con una cara de auténtico funeral. «Elemental, querida Watson», que dirías tú.

—No me tomes por idiota. No lo digo por esas cuestiones tan obvias.

El microbús siguió repartiendo a la gente por sus respectivas casas, hasta llegar a la Malvarrosa. Tan solo quedaban, como pasajeras, Carlota y Rebeca.

—Bueno, fin del trayecto —dijo Toni, el conductor.

—O el inicio, depende cómo se mire —le contestó Carlota, como siempre poniendo el toque enigmático. Evidentemente, Toni ni la entendió ni lo intentó.

—Rebeca, ¿te importaría sacarte una foto conmigo? —preguntó con educación Toni—. Mi hijo es un seguidor tuyo. ¡Ya verás cuando le diga que te he llevado en mi microbús hasta Barcelona!

—¡Claro que no! Anda, Carlota, déjate de frases misteriosas y haz de fotógrafa, que se te da muy bien.

Así lo hizo. Se despidieron de Toni. Carlota sacó las llaves de su vivienda, aunque era más que eso. Vivía en una antigua casa valenciana, de las que ya quedaban muy pocas, con un patio central cuadrado, llamado corral, con pozo de agua incluido, y todas las estancias pivotaban alrededor de él, en dos alturas.

Rebeca se acomodó en una de las múltiples habitaciones de la casa, y bajaron a hablar al corral. Hacía otro día fantástico. En Valencia, casi todos los días de octubre, salvo una o dos tormentas, solían ser casi primaverales.

—No te creas que no sé por qué quieres pasar algún día en mi casa —le dijo Carlota, nada más verla—. Ese rollo de tu tía se lo cuentas a ella, pero conmigo no cuela.

—A ver listilla, ¿por qué crees que estoy aquí? —preguntó incrédula Rebeca.

—Álvaro no me importaba tanto como tú te crees. No necesito ningún consuelo y mucho menos voy a caer en ningún tipo de depresión. Me encuentro perfectamente, de hecho, ahora que lo pienso, creo que incluso mejor que antes.

«¿Cómo lo hace?», se preguntó Rebeca. «No hay manera de sorprenderla».

—De todas maneras, antes que me sueltes el rollo de hermana preocupada, quiero que me concedas un deseo, como si fueras el genio de la lámpara de *Aladdin* —continuó Carlota, con media sonrisa en sus labios.

—¡Cómo no! A su disposición, mi bella *Jasmine*. Tus deseos son órdenes para mí.

—Enséñame el Reem Acra original y cuéntame todo acerca de él. Si no lo haces, te largas con tu tía a tu casa, además de inmediato.

Rebeca no pudo evitar reírse.

—La curiosidad te puede, ¿verdad?

—Es más que curiosidad. Es trabajo, ya sabes que me dedico a hablar y escribir de moda. Jamás he tenido un modelo exclusivo como ese entre mis manos.

—¿No será que estás picada por haber perdido, por primera vez, según tú, una apuesta?

—En absoluto. Reconozco que, en un primer momento, me enfadé, pero luego lo comprendí todo, acepté con elegancia mi derrota y supe ver la serena inteligencia y hasta la extrema belleza de un cerebro Rivera-Mercader en plena acción, detrás de tan sucia y rastrera maniobra, impropia de mi hermana gemela, sangre de mi sangre. ¡Rata tramposa!

Rebeca se volvió a reír.

—Habías empezado muy bien tu discurso, pero te cuesta reconocer que te vencí con tus propias armas, en justa lid. Sabía que jamás te esperarías una cosa así.

—Lo que tú quieras, pero déjame verlo.

Rebeca subió a la habitación y bajó con una funda, que seguramente ya valdría más que muchos modelos de alta costura. La abrió, y dejó el Reem Acra encima de la mesa, en todo su esplendor.

Carlota no dijo nada durante los cinco minutos siguientes. Lo estaba observando, con un detenimiento fuera de lo normal. Miraba hasta las costuras del traje. Cuando concluyó, sentó cátedra con una seguridad asombrosa.

—Lo confeccionó la propia Reem Acra en Londres, pero se desplazó hasta Valencia para verte y conocerte en persona.

—¿Y eso lo sabes tan solo viendo el modelo? —dijo Rebeca, sorprendida—. No lo puedo creer. Ya sé lo inteligente que eres, pero no tienes poderes mágicos. Te lo acabas de inventar, a ver si cuela y te lo confirmo.

—El vestido tiene su sello personal, es inconfundible. La tela es de altísima calidad y está fabricada en exclusiva para ella, de hecho, la encargó en la prestigiosa feria «The London Textile Fair» en Islington, exactamente el día 19 de julio de este mismo año y se la entregaron justo a tiempo para confeccionarte este modelo, es muy reciente. El hilo de las costuras también es inglés, de altísima calidad. Este vestido está hecho adrede para ti, no pertenece a ninguna colección, aunque sí a su estilo «*ready-to-wear*». Está claro que este modelo es de un solo dueño, a nadie le sentaría tan bien como a ti. Para eso tuvo que conocerte e implicarse en persona en este proyecto. A Reem Acra le gusta hacer eso, y sé que tú no has salido de España desde tu viaje a Noruega de este último verano.

Rebeca sonrió.

—Está claro que cuando explicas tus «trucos», todo parece más fácil, pero me has sorprendido igual. Todo lo que has contado, hasta donde yo conozco, es cierto.

Ahora también sonreía Carlota.

—Bueno, por todo eso, y por la etiqueta, que pone «Reem Acra, London» con su propia caligrafía. Eso tan solo lo hace con los modelos exclusivos confeccionados por ella —concluyó su explicación.

—¡Tramposa!

—Lo cierto es que te has gastado, así a ojo, cerca de treinta mil *eurazos* tan solo para ganar un mojito, el más caro de la historia. Y luego me dirás a mí que derrocho el dinero. Eso sí, tienes una auténtica joya. Sin duda, va a ser la estrella de tu armario.

—¿No me digas que también has accedido a mi cuenta bancaria?

—Podría, ya sabes que entiendo de informática y tengo amigos que hacen eso y mucho más, pero no. Simplemente sé lo que valen las cosas a las que me dedico.

Rebeca volvió a guardar su *modelazo* en la funda, y lo subió a su habitación. Cuando bajó, volvió al tema original que le había llevado a casa de su hermana.

—Bueno, después de demostrarme tus conocimientos de moda, vayamos al grano. No te hagas la dura. No me digas que no te afectado, ni siquiera un poquito, el tema de Álvaro —se descaró Rebeca—. Sencillamente no te creo. A todas nos afectaría una cosa así.

—En parte, tienes razón. Te tengo que confesar que me ha fastidiado, pero tan solo por dos motivos —admitió, al fin, Carlota.

—Empezamos bien, comienzas a reconocerlo, que es la primera fase para solucionar los problemas. ¿Y cuáles son esos motivos, si eres tan amable de compartirlos conmigo?

—El primero es que se atreviera a atacarte a ti, ¡maldito bastardo! ¡Si lo pillo lo crujo, y créeme que es literal! Te puedo parecer inofensiva, pero te aseguro que no lo soy en absoluto, y menos cuando me enfado. *Alvarito* no me hubiera durado ni cinco segundos. Le parto las piernas.

Rebeca sonrió ante lo que le pareció, en un principio, una fanfarronada de su hermana, aunque, ahora que se fijaba mejor, le dio la sensación de que decía la verdad. Era curioso, no se imaginaba a Carlota en esa situación, pero no estaba mintiendo.

—En realidad, solo me asustó. Las heridas en las manos me las hice yo misma, intentando apartarme la navaja del cuello. Por lo demás, todo se quedó en una simple amenaza.

—¡Amenaza de muerte, no lo olvides! Te dijo que debías morir.

—Sí, pero me pudo matar y no lo hizo. No olvides ese pequeño detalle.

—No, ¡si aún lo defenderás! Pobre *Alvarito* infeliz, maltratado por la vida.

—No, no lo defiendo, pero me parece que entre vosotros había una química especial. No sé por qué, pero tengo el pálpito que este *pollo* no ha sido uno más de tu extensa colección de hombres. Te costará más pasar página.

—Te equivocas —dijo Carlota, extrañamente risueña—. Hablando de pasar página, exactamente me costará dos. Ese es el segundo motivo que me fastidia, pero tan solo un poquito.

—Pero ¿qué tonterías dices ahora?

—Me costará exactamente pasar del «Plan A» al «Plan C», Dos páginas, dos letras, como te estaba diciendo.

—¡No me digas que tenías previsto hasta esto! ¡No me lo puedo creer, ni siquiera viniendo de ti!

—Mujer, previsto, previsto, no es que lo tuviera... —le respondió Carlota, aguantándose la risa.

«¿Qué ocurre aquí?», pensó Rebeca. «Se supone que me iba a encontrar con una hermana algo deprimida, y me da la sensación de que está de magnífico humor y hasta se está atreviendo a tomarme el pelo».

—Entonces, ¿cómo me acabas de decir que pasas del «Plan A» al «Plan C»? —preguntó Rebeca, sin terminar de comprender nada.

Ahora Carlota ya no se pudo contener la risa.

—Claro, paso del Plan **Á**lvaro al Plan **C**harly. «A» y «C». ¿Lo entiendes ahora o te hago un diagrama? —dijo, casi llorando de la risa.

—¡Tú no tienes vergüenza ni la conoces! —contestó Rebeca, que ahora también se estaba riendo a gusto con su hermana. Estaba claro que no podía con ella. Siempre iba dos pasos por delante. O tres.

—Lo de la vergüenza ya lo sabías, no sé de qué te extrañas —siguió con las risas—. Que tú hayas salido la mojigata de la familia es un acontecimiento paranormal. Estoy por llamar a Iker Jiménez y su *Nave del misterio*. Darías para varios programas. Hasta nuestra madre te superaba, y eso que era otra época.

—¡Oye! Qué tampoco soy una monja, pero, desde luego, no tengo tu trayectoria amorosa. Simplemente soy un poco más selectiva.

—Eres un poco más idiota. No sabes lo que te estás perdiendo.

Ambas hermanas, a pesar de todo, se lo estaban pasando bien y riéndose juntas. Mejor que disfrutaran ahora, porque se avecinaban curvas.

43   11 DE MARZO DE 1525

Johan, Batiste, junto con Jero, volvieron a su casa. Todo el trayecto lo hicieron en completo silencio. Batiste se negó a darles ninguna explicación hasta que no estuvieran sentados alrededor de la mesa de la cocina. Jero declinó hacer ninguna pregunta. Tenía claro que Batiste daría las explicaciones a su manera, y cuando él quisiera, aunque no dejaba de estar intranquilo por la conversación con el receptor. Su instinto le gritaba que algo no iba bien. En realidad, nada bien.

Entraron en su casa y se dirigieron directamente a la cocina, que parecía su lugar de reunión habitual, al menos últimamente.

Jero permaneció callado. Tuvo que ser Johan el que rompiera el hielo de la incomodidad.

—Creo que nos debes algunas explicaciones.

—Es cierto, así es. Pero lo voy a hacer a la manera de Jero, para que razonéis conmigo y seamos todos juntos los que alcancemos las conclusiones.

«Maldito el día en el que se me ocurrió decir esas palabras, cuando le desvelé la verdadera naturaleza del árbol judío», pensó Jero. «Ahora me voy a tener que tragar todas sus deducciones».

Tanto Johan como Jero permanecieron en silencio, esperando que Batiste comenzara su razonamiento conjunto.

—Va a ser muy sencillo. Os voy a hacer tan solo tres preguntas. De sus respuestas dependerá que comprendáis la verdadera realidad de los hechos, que no es la que creemos. Ya os adelanto que nada es lo que parece ser. Necesitamos abrir los ojos, que ahora mismo, los tenemos cerrados.

Jero, en su interior, sintió una punzada. Él tenía la misma desagradable sensación que Batiste. Algo estaba nublando su entendimiento, aunque no sabía qué.

—Venga, empieza de una vez —le emplazó Johan.

—Allá va la primera. Se supone que Amador está castigado por todo el asunto del pozo, por el que le tocó pasar una noche en la temida Torre de Sala. Él mismo, desde su ventana, nos confirmó que iba a estar una semana encerrado en su habitación, castigado. También nos comentó, que supongo que Jero lo recordará, que esperaba que su padre no atara más cabos con respecto a la desaparición temporal de su despacho de los papeles de Blanquina. Es decir, el propio Amador estaba asustado y daba por bueno su castigo. Se conformaba y no había puesto ningún impedimento.

—Eso es cierto, fue exactamente lo que nos dijo aquel día —confirmó Jero, mirando a Johan, que no estuvo presente en ese momento.

—Con estos antecedentes —continuó Batiste—, ¿os parece normal que sea enviado a su finca de recreo, en el monte, junto con su madre y el servicio doméstico? ¿Eso se parece en algo a un castigo?

—¿Cómo sabes que se han llevado a todo el servicio? —preguntó Johan.

—¡Vaya pregunta que me haces, padre! ¿Quién nos ha abierto la puerta de su residencia, hace un momento? ¿Crees que don Cristóbal se encontrará cómodo en casa, teniendo que cocinar y realizar las labores domésticas? ¿Crees que a un *pavo real* le apetece abrir la puerta de su casa, en persona? Estoy seguro de que, nada de lo anterior, lo habrá hecho en su vida. Pero no perdamos de vista la pregunta original. ¿Os parece un castigo para Amador irse a una finca de recreo, con su madre y todo el servicio doméstico? Más bien parece un castigo para don Cristóbal, quedarse solo en su residencia, teniéndose que valer por sí mismo para las tareas ordinarias de la casa.

—No sé... —titubeó Johan.

—No, desde luego eso no se puede considerar un castigo para Amador, y es un hecho que don Cristóbal no se encontraba nada cómodo en nuestra presencia —respondió Jero, con contundencia.

—¡Eso es! —exclamó Batiste—. Primera respuesta correcta. Ahora pasemos a la segunda pregunta. Esta tiene algo más de enjundia. ¿No notasteis nada raro en la actitud y las palabras de Bernardo, cuando lo visitamos?

—Yo no noté nada extraño. Es lógico que no nos diera más información que la que nos facilitó. Incluso creo que comentó que nos había contado demasiado —dijo Johan.

Jero permanecía callado. Ante ese silencio, Batiste se dirigió a él.

—¿Y tú? ¿No tienes respuesta a mi pregunta? Te recuerdo que fuiste tú quién interrogaste al justicia criminal.

—La tengo, pero no sé interpretarla. Hemos hablado dos veces con Bernardo. La primera, en la misma puerta de su casa. Ahí me dio la sensación de confianza. Sin embargo, en esta segunda reunión, dentro de su casa, no sentí lo mismo que la primera vez.

—Ni yo —dijo Batiste—. Pero demos un paso adelante. Vamos a intentar encontrar las diferencias entre la primera y la segunda entrevista con Bernardo, que son muy significativas. Por eso Jero, que es muy intuitivo, las «siente», aunque, ahora mismo, no sea capaz de interpretarlas, como nos acaba de decir.

—¿Y cuáles son esas diferencias? —preguntó Johan—. Lo único distinto que encuentro es el momento en que se produjeron, pero el fondo de la conversación era el mismo.

—Te equivocas, padre. Y creo que eso es, precisamente, lo que le causa a Jero esa sensación de inquietud, que se refleja de forma clara en su rostro.

—Es cierto —confirmó Jero—. Tengo esa incómoda sensación, pero no sé por qué.

—Luego volveremos con esta pregunta, cuya respuesta es muy importante, pero ahora vamos a pasar a la tercera.

—¿No nos aclaras la segunda? —preguntó Johan, que no entendía adónde quería llevarles su hijo, con sus preguntas y razonamientos.

—Por supuesto que lo haré —le respondió Batiste—, pero dejad que lleve el ritmo de la explicación.

—Bueno, pues adelante —aceptó Johan.

—Todos nuestros razonamientos han estado basados en premisas que partían de hechos incorrectos. Esa es la sensación incómoda que tiene Jero, desde hace algún tiempo, pero que no ha sabido identificar por completo. Soy perfectamente consciente que piensa que, en toda esta historia, algo está fundamentalmente mal. No la estamos mirando desde el punto de vista adecuado.

—¿Cómo sabes eso? —le preguntó.

—Te lo veo en la expresión de tu rostro y en tus palabras. No hace falta ser un lince para ello.

«Sí que debe hacer falta, porque yo no me estoy enterando de nada», pensó Johan.

—Es cierto. Esa es exactamente la impresión que tengo —confirmó Jero.

—Vamos a dar una vuelta a todos los hechos que conocemos, y, entre todos, veremos las contradicciones. Para empezar, os lanzo una pregunta previa. ¿Por qué creéis que se presentó Bernardo en la escuela? Según Jero, dijo que el motivo había sido que había sido encontrado el cuerpo sin vida de un alumno, ¿no?

—Sí, así fue —contestó Jero.

—El siguiente razonamiento que todos hicisteis es que tan solo una persona no estaba asistiendo a las clases sin justificación. Ese era Arnau.

—Claro —respondió Jero—. Toda la escuela lo dio por supuesto, aunque yo me preocupara por ti.

—Esa es la palabra clave, lo distéis por supuesto, porque Bernardo no nombró a nadie, ¿verdad?

—Eso es lógico —intervino Johan—. Si solo había un candidato posible, ¿qué necesidad tenía de nombrarlo? Además, ya sabemos de qué familia procede y que le pidieron expresamente discreción en sus pesquisas.

—¡Perfecto! Aunque no lo sepas, acabas de resolver el misterio —le dijo Batiste a su padre.

—Cada vez te entiendo menos. No tengo ni idea de haber resuelto nada.

—Ahora es el momento de volver a la segunda pregunta. En casa de Bernardo, ¿en algún momento nombró a Arnau? En la primera visita que le hicimos, no tuvo ningún inconveniente en hacerlo en multitud de ocasiones, sin embargo, en esta segunda entrevista, aunque fue más extensa, no lo hizo ni una sola vez. ¿No os llamó la atención?

—Pues no. Eso era obvio, porque todos sabíamos de lo que estábamos hablando —respondió Johan.

—Te equivocas de nuevo. O sea, el justicia criminal acude a la escuela y no nombra a Arnau. Se reúne con nosotros y tampoco lo hace. Y ahora viene la cuestión clave, que creo que es lo que provoca el desasosiego de Jero, aunque tan solo lo intuya. ¿Os disteis cuenta de la expresión que empleó Bernardo para excusarse y no darnos más información, en su casa?

—Claro —contestó Johan—. Que ya conocíamos quién era su familia. Te vuelvo a recordar que habían pedido discreción en todo este desagradable asunto.

Jero se levantó de la mesa, como si tuviera un muelle en su culo. Ahora, por fin, parecía que comprendía adónde se dirigía Batiste. Estaba blanco.

—Veo que lo has entendido —dijo Batiste, mirando a Jero. Ahora se giró hacia su padre—. Bernardo no nos dijo exactamente las palabras que tú has empleado. Literalmente dijo que «comprended que no os pueda revelar ningún detalle más, sobre todo siendo su padre quién es». Sin embargo, cuando se refería a Arnau, nos decía que «su familia había pedido discreción» ¿No entiendes la sutil diferencia?

—¿Qué quieres decir con ello? —preguntó Johan—. ¿Acaso insinúas que no estaba hablando de la misma persona?

—¡Pues claro! Recordad que nos llamó la atención que el justicia criminal, en persona, acudiera a la escuela. Jamás lo había hecho con anterioridad. Hace dos años, en la anterior desaparición y muerte de un alumno, Martín, lo hicieron los simples alguaciles. Bernardo fue a la escuela porque era el segundo alumno que fallecía asesinado, en muy corto espacio de tiempo, y este hecho ya era muy preocupante.

—¿Te has vuelto loco? ¿Pero qué otro alumno? —dijo Johan, escandalizado—. Nadie más se ausentó de la escuela ese día. No existen más candidatos posibles.

—Te equivocas de nuevo padre. Y ahora viene la tercera y definitiva pregunta: ¿cuántos alumnos faltaron aquel día?

Jero estaba llorando.

44 EN LA ACTUALIDAD, LUNES 22 DE OCTUBRE

—¡Arriba, perezosa! Hace un día magnífico —dijo Carlota, mientras descorría las cortinas de las ventanas de la habitación de Rebeca.

—¡Qué raro en Valencia! —le contestó su hermana, medio dormida—. ¿Pero qué hora es?

—Las ocho, ¡tardísimo!

—Quizá tardísimo para un día que tuviera que trabajar, pero de madrugada para un día que no tengo nada que hacer —le contestó Rebeca, desperezándose—. Te recuerdo que hoy no tengo que ir ni a la radio ni a *La Crónica*.

—¿Y eso que tiene qué ver para disfrutar de la ciudad y de su clima?

—¿Pero a qué hora nos acostamos ayer hablando?

—¿Y eso qué importa? Ayer ya es el pasado. Hoy es el presente. Y el futuro viene detrás de nosotras.

—¡Qué prisas por alcanzar el futuro! Pues me parece que voy a quedarme, en el pasado, media horita más, aquí, en la cama, que se está de fábula.

—¡Ni se te ocurra! —dijo Carlota—, ¿No ves cómo voy vestida?

Ahora, Rebeca se incorporó de la cama, y con sus ojos de china habituales de la mañana, recién despertada, le pareció que su hermana iba con equipación deportiva.

«No puede ser, debo de estar soñando», se dijo, mientras se volvía a echar en la cama y taparse por completo. «Vaya pesadilla más curiosa».

Carlota cogió el edredón, lo estiró y tomó a su hermana por un pie. Como pudo, logró que se incorporara.

—Venga, vamos a correr. Ahora es el momento ideal. La Malvarrosa está vacía, aún no se ha llenado de turistas.

Rebeca estaba aturdida.

—¿De turistas, un lunes de octubre?

—No te lo puedes ni imaginar. La luz y el mar son vida.

—Además, ¿a correr? ¿Me estás despertando un día que me dan libre en el trabajo para correr, a las ocho de la mañana? ¡Satanás, yo te invoco! ¡Abandona el cuerpo de Carlota de inmediato!

Su hermana se rio.

—¡Ni Satanás ni leches! Ahora invocaremos a un buen desayuno energético, y nos vamos a hacer deporte.

—Definitivamente el fin del mundo se acerca, esta es la primera señal —dijo Rebeca, que, entre tanta conversación, ya se había despertado del todo.

—Déjate de tonterías y levántate de una vez, que aún se nos hará tarde.

—No, eso no. Para un día que te lanzas a hacer deporte, ¡cómo para desaprovecharlo! —dijo Rebeca, que ya se había animado, mientras abría su bolsa de viaje en busca de su equipación deportiva, que siempre la acompañaba a todas partes.

Desayunaron frugalmente, y salieron a correr por el paseo de la playa de La Malvarrosa. Llegaron hasta el final y entraron en La Patacona, que ya pertenecía al término municipal de Alboraya,

—No me cuentes nada de la luz de los cuadros de Sorolla ni de la casa de Blasco Ibáñez que acabamos de pasar, que ya me sé tus rollos —dijo Carlota, sonriendo.

—No lo pensaba hacer —le contestó Rebeca—, que te veo muy concentrada en el deporte. ¡Vivir para ver! La última vez que pasamos por aquí no podías ni con tu alma.

Llegaron al final del paseo de La Patacona y siguieron por el paraje de *Els Peixets*. Cruzaron el puente sobre el barranco del Carraixet, dejando a un lado la ermita, y siguieron por la dársena interior de la marina de Port Saplaya, esa preciosa villa marinera junto a la ciudad.

Rebeca estaba alucinada. Jamás había llegado tan lejos corriendo con su hermana. Cuando alcanzaron el final de la playa norte de Port Saplaya, ya en el término municipal de

Meliana. Rebeca miró su reloj deportivo. Habían corrido seis kilómetros y medio sin parar, en un tiempo más que aceptable para Carlota. Aquello era muy extraño.

—¿Qué es lo que está ocurriendo aquí? —preguntó mosqueada.

—No te entiendo —le respondió Carlota, mirando el mar Mediterráneo, en todo su esplendor.

—¡Tú has estado entrenando a mis espaldas, sin decirme nada!

—¿Por qué crees eso?

—¡Venga! Si hace nada corrías tres kilómetros por el paseo marítimo, y ya estabas buscando desesperadamente un bar, para meterte con urgencia una caña y unos calamares de playa. Y de eso no hace tanto, no me he olvidado.

Carlota se rio.

—Bueno, sí, lo confieso. Algo he entrenado, pero poco. No sé, quizá sea el espíritu *rebequiano* que se ha apoderado de mi alma, estilo *La invasión de los ultracuerpos* —haciendo referencia a la película basada en el libro de ciencia ficción de Jack Finney de 1955, del cual se habían hecho hasta cuatro adaptaciones cinematográficas. Ambas hermanas habían visto, en el cine, una de ellas.

Pero eso sí, no se lo cuentes a nadie, ¡menuda vergüenza si se enteran!

—O sea, ¿qué tienes vergüenza porque la gente sepa que haces deporte y no la tienes por pasar del «Plan A» al «Plan C» directamente?

—Por supuesto, ¡dónde va a parar! Es mucho más grave lo del deporte —respondió Carlota, que continuaba riéndose—. Pero no creas que has conseguido anular mi personalidad por completo.

—¿Aún queda algo de la Carlota original?

—Queda casi todo. Por ejemplo, porque es demasiado pronto, si no, nos plantábamos en la terraza de *La más preciosa,* en La Patacona, y un par de cañas y unas sepias caían tranquilamente. Has conseguido que me enamore de esa playa y de este paraje. Antes los veía con otros ojos, de otra manera. Ahora los adoro.

—No me extraña, quizá sea lo más bonito en muchísimos kilómetros alrededor, junto con la huerta de Alboraya. Algún día tenemos que hacer algo de *running* por esa zona, ahora que veo que estás en forma. Es una auténtica maravilla.

—Anda, volvamos a casa —dijo Carlota, que se había puesto a correr ya.

Rebeca estaba boquiabierta. Apenas habían descansado un par de minutos. «Lo que está claro que la petarda, cuando se propone algo, lo consigue. Siempre ha sido así», pensó divertida e impresionada. Al mismo tiempo estaba orgullosa. Aunque le había costado muchos años, alguna influencia buena le había trasmitido a esa caja de sorpresas llamada Carlota. No dejaba de asombrarla.

Llegaron de un tirón hasta la casa. Ahora sí que Rebeca la veía cansada, pero era normal. Habían corrido, en total, algo más de trece kilómetros, con tan solo una breve parada al final de Port Saplaya. Hasta Rebeca había sudado, y eso que hacía una mañana muy agradable.

—Me tienes sorprendida, y mira que eso es difícil viniendo de ti, pero lo has conseguido —dijo Rebeca.

—¿Crees que llegaré en forma para el maratón de Nueva York?

Rebeca no pudo evitar reírse.

—Mujer, te va a venir un poco justo. Ten en cuenta que se suele correr los primeros días de noviembre. Quedará menos de dos semanas, pero estando tú de por medio, todo es posible.

—¿Dos semanas? Entonces me sobra tiempo —le contestó Carlota—. Anda, vamos a ducharnos y luego seguimos hablando, que aún tenemos muchas cosas que contarnos.

Una vez aseadas, subieron a la habitación de Carlota. Se sentaron en dos sillas del siglo XIX, por lo menos.

Rebeca rompió el hielo y fue directamente al grano.

—Carlota, sé que Álvaro te gustaba, y mucho. No me puedo creer tu pose, no concibo que, no solo no estés triste, sino que parezcas estar hasta contenta —le preguntó Rebeca.

—No lo parece, lo estoy en la realidad.

—No sé si creerte.

—Sabes perfectamente que no te estoy mintiendo, que te conozco de sobra— hizo una pequeña pausa—. A ver cómo te lo explico para que lo entiendas. El hombre perfecto, supongo que como la mujer perfecta, no existen, por supuesto si te descontamos a ti. Eres la excepción que confirma la regla.

Rebeca no pudo evitar reírse. La situación le parecía un tanto extraña, pero a la vez cómica. Carlota continuó hablando.

—Álvaro Enguix, o cómo quiera que se llame, me gustaba, ¿cómo no lo va a hacer? Tenía todas las cualidades que le pueden gustar a una mujer como yo. Por eso precisamente, en secreto, recelaba de él. Me lo tomé como un experimento de laboratorio. Puse todas mis neuronas al servicio de la causa científica de la disección de su personalidad real. Tenía que encontrarle el truco.

—¿El truco? —preguntó Rebeca—. ¿Qué truco?

—Mujer, los hombres así no existen. Era tan galante y caballeroso que rozaba lo *cursi*. Supongo que tú también te darías cuenta. Esa subespecie de homínido se extinguió con Cyrano de Bergerac en el siglo XVII, y tampoco es que a él le fuera demasiado bien que digamos.

Rebeca se volvió a reír con la radiografía que había hecho de Álvaro, pero no le faltaba razón. Era encantador, aunque quizá en exceso.

—Ya te estás yendo por las ramas, como es habitual en ti. Céntrate.

—No, me viene al pelo esa cita. Quién sabe, quizá, aunque de forma inconsciente, ya me había dado cuenta de su impostura, por eso no me sorprendió en absoluto lo que averiguamos el otro día, cuando nos enteramos de que Sergio Enguix no había tenido hijos. Ahora que lo pienso un poco, creo que, en mi interior, hasta lo sospechaba con fuerza.

Rebeca no le había contado lo que había descubierto con la inspectora Sofía Cabrelles. Consideró que no era el momento adecuado. No quería desviar la conversación, ahora que se ponía interesante.

—Sí, la verdad es que ese día, también secretamente, admiré tu saber estar y compostura, en todo momento. Pensaba que estabas enamorada de él.

—Por supuesto que no, ¿por quién me has tomado, por una colegiala con coletas? Eso del enamoramiento es un estado de imbecilidad transitoria.

Rebeca no pudo evitar reírse de nuevo, porque ella pensaba muy parecido.

—¡Qué poco romántica!

—¿Romántica? La idiotez del enamoramiento no tiene nada que ver con eso, y la mejor prueba es que se cura con el tiempo. Pues para eso, para perder el tiempo, me lo ahorro y no hago la idiota durante una temporada. No me gusta tener mi capacidad intelectual mermada por esas sandeces de quinceañera con acné.

Rebeca no podía para de reír.

—Para ya, que me va a sentar mal el deporte —dijo, con lágrimas en los ojos—. Insisto, ¡qué poco romántica que eres! Con la historia de amor tan bonita que vivieron nuestros padres, no sé cómo te atreves a decir esas palabras.

—Nuestra madre no estaba enamorada. Es cierto que lo podría parecer, ya que colarse en la embajada rusa de Londres para invitar a un funcionario soviético a cenar, arriesgándose a acabar en un *gulag* en medio de la estepa siberiana, además para regalarle medicinas, fue una imbecilidad, perfectamente compatible con el estado del enamoramiento. Pero sabes que no lo fue, como así se demostró poco después. Fue una decisión racional de su privilegiado cerebro, aunque los simples mortales, en ese momento, no la entendieran. Por eso, insisto, para vivir una historia de amor bonita no hace falta estar enamorado, por lo menos tal y como lo entiendo yo, y creo que tú también.

En ese momento alguien llamó a la puerta. Era la otra hermana no biológica de Carlota, Rocío. Entró en la habitación sin esperar su contestación. Rebeca lo agradeció secretamente, ya que no sabía qué contestarle a Carlota.

—Solo venía a saludar a Rebeca, y a felicitarla por su gran triunfo. Seguimos la gala por televisión. Fue emocionante. Cuando nos dimos cuenta que habías ganado, porque mira que lo hicieron enrevesado, abrimos una botella de cava para celebrarlo —dijo, mientras se daban un abrazo—. Me he pasado hace un rato, pero no estabais.

—Sí, hemos salido a correr —respondió Carlota.

—No sé qué le has hecho a mi hermana —comentó Rocío, dirigiéndose a Rebeca, con una sonrisa en la boca—, pero ahora hace deporte a diario. No parece ella. Le ha poseído un ente extraño. Cualquier día la sorprendo bebiendo batidos energéticos, en lugar de una buena caña con calamares y de la manita con un novio formal de verdad.

Lo cierto es que la situación era entretenida y hasta un poco hilarante.

—Por lo menos le he causado una buena influencia —contestó Rebeca, que todavía seguía sorprendida y divertida por su metamorfosis.

—Por cierto —dijo Rocío dirigiéndose a Carlota—, no me había dado cuenta del póster que te acabas de colgar en la pared.

«¿Qué póster?», pensó Rebeca, que tampoco se había percatado. Cuando se giró y lo vio, casi se cae de la silla.

—Es precioso —siguió hablando Rocío, mientras se acercaba a verlo con más detalle. Se situó a pocos centímetros de él.

«¡La mato!», pensaba Rebeca, mientras le lanzaba una mirada asesina a su hermana. «¿Cómo se le ocurre?», pensó, encolerizada.

—Sí que es bonito, sí... —dijo Rebeca, por rellenar la conversación. No sabía ni qué contestar, ante el silencio de Carlota.

De repente, el rostro de Rocío cambió por completo, y se echó a reír. Carlota seguía sin decir nada, así que Rebeca tuvo que seguir la conversación.

—¿Qué es lo que te hace tanta gracia, Rocío? —le preguntó con cierto temor, esperándose la respuesta.

—Dos cosas. La primera, que sois vosotras, aunque parezca un póster profesional.

Rebeca se hizo la sorprendida.

—¿Cómo sabes que somos nosotras, si estamos completamente de espaldas y no se nos ve la cara? ¿No me digas que conoces nuestros culos?

—Por la otra cosa que me hace gracia. No lo sabía y, la verdad, es que me ha sorprendido, y mucho.

—¿Qué es lo que no sabías?

—Qué teníais el mismo tatuaje en el culo. Eso no me lo esperaba jamás. De ti no lo sé, pero mi hermana siempre ha odiado los tatuajes.

Ahora parece que Carlota se despertó de su letargo.

—¿Qué tonterías dices, Rocío? Yo no llevo ningún tatuaje en mi cuerpo ni lo tendré jamás, no como tú, que llevas cuatro o cinco. Entiéndeme, no tengo nada en contra de ellos, tan solo no me gustan.

—Además —intervino Rebeca —lo que estás viendo no es un tatuaje, son dos marcas de nacimiento idénticas y minúsculas. Te confundes.

Rocío se quedó mirando a Carlota y a Rebeca, con cara de no comprender nada. Volvió a mirar el póster.

—No. Es un tatuaje —les respondió con absoluta firmeza—. Creedme, de eso entiendo algo.

—¿Cómo puedes afirmarlo con tanta rotundidad? —le preguntó Rebeca—. Si son dos marcas de nacimiento apenas perceptibles.

—Ya os he dicho que algo entiendo del tema. Mi pareja se dedica a ello, es uno de los tatuadores de más prestigio en España. Estoy harta de verlos a diario, de todos los tipos y formas.

—¿Tienes novio? —se asombró Carlota—. No lo sabía, no me cuentas nada.

—Porque somos pareja desde hace apenas un mes, pero como casi nunca estás en casa, tampoco tenemos tiempo de hablar.

—No nos dispersemos —interrumpió Rebeca— y vayamos a lo importante. A mí me sigue pareciendo una marca de nacimiento. No tengo ningún tatuaje en mi cuerpo, jamás me he hecho uno, pero me espanta la simple posibilidad. Hablas con tanta seguridad que creo que deberíamos salir de dudas de una manera definitiva.

—Desde luego —contestó Carlota, que ahora parecía descolocada e intrigada—. Ya que te has echado un novio tatuador, ¿por qué no le hacemos una visita?

—Claro, no hay ningún problema. Precisamente esta tarde he quedado en su gabinete, para estar un rato con él y luego dar una vuelta y tomarnos algo. Tiene el local en la calle Ramón Llull, cerca de la Universidad, del *Campus dels Taronjers*. Si queréis, quedo allí con él y luego ya hacemos marcha cada uno.

—Sería estupendo, aunque me sabe mal molestarle en una cita con tu pareja —dijo Rebeca—, además, por una simple marca de nacimiento.

—Ya sé por qué sois hermanas. ¡Igual de tozudas! —se rio Rocío—. No te preocupes por eso, nos vemos casi a diario, a pesar de que trabaja mucho, ya que lo suyo es pasión. Luego os confirmo la hora.

Salió de la habitación, dejándolas solas de nuevo. Carlota se esperaba la explosión de Rebeca.

—¡Te mato! —dijo, dirigiéndose al póster—. ¡Cómo se te ocurre ampliar la dichosa foto, mandarla enmarcar y colgarla en tu habitación!

—Yo jamás me he hecho un tatuaje —contestó Carlota.

—Ni yo, pero no me cambies de tema. Tu hermana nos ha reconocido hasta de espaldas, por la marca. Cualquier otra amiga o amigo que entre aquí puede llegar a la misma conclusión. ¡Mi culo expuesto al mundo!

Carlota no pudo evitar reírse.

—Si yo tuviera tu culo, hubiera colgado el póster en la entrada de la casa, pero por la parte de afuera, a la vista de todos. Debería ser declarado monumento nacional.

Rebeca se echó de inmediato encima de su hermana, cayendo las dos al suelo y riéndose, aunque no pudo evitar fijarse en los ojos brillantes de Carlota. Ya sabía lo que significaban. Miedo a que Rocío tuviera razón, porque las consecuencias de aquello eran completamente inciertas.

45 | 11 DE MARZO DE 1525

—No te entiendo hijo —dijo Johan—. Tan solo faltó un alumno sin justificación, aquel día en el que Bernardo acudió a la escuela.

Estaban Batiste y Johan sentados alrededor de la mesa de su comedor, mientras Jero estaba apoyado en una pared, de pie, llorando sin consuelo.

—Jero lo ha comprendido —dijo Batiste—. En realidad, faltaron tres alumnos. De esos tres, me puedes eliminar a mí, porque, obviamente, estoy vivo. ¿Quién queda?

—¿No estarás insinuando que el muerto al que se refería Bernardo, cuando acudió a la escuela, era Amador?

—¡Claro que sí, padre! Arnau desapareció hace días, y por expreso deseo de la familia, no se hicieron públicas sus circunstancias. Sin embargo, Amador desapareció hace tan solo dos días. Eso justifica la presencia del justicia criminal en la escuela.

—¿No te parece una suposición un tanto aventurada?

—Te voy a hacer una pregunta, y quiero que me la contestes sin vacilar ni mentirme. Te anticipo que ya conozco la respuesta. ¿Quién lleva, en realidad, los negocios, en la familia Ruisánchez?

Johan se quedó mirando a su hijo.

—No debería hablar de estos temas con un joven de apenas trece años, pero, dadas las circunstancias, lo haré. Siempre los ha llevado Jimena. Ella es el verdadero cerebro de la familia, no su esposo.

—Entonces, ¿cómo te explicas la frase literal de Bernardo, acerca de que no nos podía dar más información, «sobre todo siendo su padre quién es»? ¿No debería haber dicho, «siendo su madre quién es», o el más genérico que empleaba, cuando hablaba de Arnau, «la familia»?

Johan se quedó en silencio. No sabía qué contestar. Batiste siguió preguntando.

—¿No comprendes que estaba hablando de dos personas diferentes?

Johan seguía reflexionando. «Desde un punto de vista puramente teórico, podría tener razón», pensó. «Pero desconoce un detalle que echa por tierra su teoría».

Batiste insistió.

—¿No te encaja más la expresión «sobre todo siendo su padre quién es» con don Cristóbal, receptor del tribunal del Santo Oficio de la ciudad, que con el esposo de Jimena, que no sé ni cómo se llama?

—No sé qué contestarte —respondió, al fin, por decir algo y no quedarse callado.

—No hace falta que lo hagas. Une todas las piezas y se te revelará la verdad. Como intuía Jero con acierto, hasta ahora no hemos estado observando la situación desde el punto de vista adecuado. Las cosas no son como parecían.

—Entonces, ¿cuál es tu conclusión final?

—Desde luego, que Amador está muerto. Fue a él al que encontraron entre los cañizos de la desembocadura de la acequia que trascurre por debajo del Palacio Real. No se ha ido, así, de repente, a su finca de recreo. Recuerda lo que nos dijo su padre. Nos mintió, porque nosotros estuvimos hablando con Amador cuando se suponía que, según don Cristóbal, ya estaba en esa residencia en el monte. Claro que él desconocía que habíamos hablado con su hijo.

—Entonces, ¿qué pasa con Arnau? ¿Está muerto de verdad? Preguntó asombrado Johan.

Jero se separó de la pared y se volvió a sentar, junto a ellos, alrededor de la mesa. Tenía los ojos rojos. Se notaba que estaba haciendo esfuerzos por no seguir llorando.

—Lo que dice Batiste debe ser cierto. Encajan todas las piezas. No estábamos sabiendo ver la realidad —dijo, con un hilo de voz. Se le notaba muy afectado.

«A veces nos olvidamos que, a pesar de su madurez, tiene tan solo nueve años, y estas cosas le afectan mucho más que a nosotros», pensó Johan. Se dirigió a Jero.

—No es necesario que participes en esta conversación, si no te encuentras con ánimos para hacerlo. Te comprendemos perfectamente.

—Quiero participar, porque, precisamente, esa es la molesta sensación que llevo teniendo desde hace algún tiempo. Que algo no estaba bien. Nada bien.

Durante un momento, todos se quedaron callados. Johan continuó.

—Entonces, dando por buena vuestra teoría, que no lo hago, ¿qué pasa con Arnau? —repitió la pregunta.

—No sé qué pensar. Su familia es muy poderosa —contestó Batiste.

—¿No volverás a tu vieja teoría de que, en realidad, está vivo y escondido en su casa? —le preguntó Jero.

—Ahora no la puedo descartar, aunque no tenga respuesta a esa pregunta —respondió Batiste.

Johan decidió que había llegado el momento de desmontar aquellas elucubraciones.

—Hay algo que quizá no sepáis, El entierro de vuestro amigo Arnau se produjo justo ayer, para vuestra información —dijo Johan—. Está muerto y bien enterrado.

—¿Qué? —preguntó Batiste, sorprendido—. ¿Cómo puede ser, si nadie se ha enterado? ¡El entierro del único hijo de la familia Ruisánchez debería haber sido todo un acontecimiento en la ciudad! Ha pasado desapercibido.

—Es cierto —le respondió Johan—. Pero, por expreso deseo de su familia, se produjo en la más estricta intimidad. No se hizo público. Yo me he enterado de verdadera casualidad, por mi trabajo.

—¿Y lo ves normal? ¿No te parece extraño? —le preguntó Batiste.

—Quizá en otras circunstancias me lo hubiera parecido. Pero habiendo sido asesinado, sin conocer los detalles concretos, quizá escabrosos, la familia lo haya preferido así. Cuanto menos publicidad, mejor. Al fin y al cabo, esa fue su decisión, tan respetable como cualquier otra.

A Batiste le había cambiado la expresión. Ahora parecía enfadado.

—Pues ahora sí que no me lo creo. Esa familia no desperdicia oportunidad de hacerse publicidad. Ya sabes que su actividad no está muy bien vista, aunque sea popular. Un acontecimiento como este, la desgraciada muerte de su único hijo, un entierro con ese dolor en el corazón, genera simpatías en la gente. ¿Esconderlo y enterrarlo de forma clandestina? ¡Venga ya! Eso no se lo cree nadie, y menos viniendo de la familia Ruisánchez. Tú tampoco deberías de hacerlo —dijo Batiste, dirigiéndose a su padre.

—Sin que sirva de precedente —intervino Jero—, creo que no le falta razón a Batiste. Jamás he creído en su teoría de que pudiera estar vivo, escondido en su casa, pero esto del entierro clandestino, me da que pensar. Yo tampoco lo veo nada normal. Una cosa así no se esconde, aunque tu hijo haya muerto de forma violenta.

—Entonces, ¿qué conclusión sacáis de todo este embrollo? —les preguntó Johan.

—Tan solo una —dijo Batiste.

—¿Y sería usted tan amable de explicárnosla? —preguntó, en tono burlón, Johan.

Lo hizo. Jero y Johan casi se caen de la silla.

46 EN LA ACTUALIDAD, LUNES 22 DE OCTUBRE

Ni Carlota ni Rebeca eran de echarse una siesta después de comer, pero hoy era un día extraño. Lunes y no habían trabajado, sino salido a hacer deporte. Hasta la tarde no tenían nada que hacer, así que se tumbaron en sus respectivas camas.

Rebeca se levantó se dio una buena ducha. Se vistió y bajó las escaleras hasta la cocina. Carlota y Rocío ya estaban esperándola.

—Buenos tardes, bella durmiente —le dijeron ambas, casi a coro.

Se sentaron a merendar. En apenas media hora deberían salir hacia el estudio de tatuaje del novio de Rocío. Pensaban ir andando y estaban a unos veinte minutos.

—No habíamos tenido ocasión de hablar después de la fiesta de cumpleaños —dijo Rebeca, dirigiéndose a Rocío—. Soy una maleducada, ni siquiera te he preguntado cómo estás.

—¿Lo dices por enterarme de que Carlota no es mi hermana biológica?

—Sí, claro.

—Ya lo habíamos hablado antes del cumpleaños —contestó Rocío—. Carlota me lo explicó todo.

—¡Ah! ¿sí? No lo sabía, no me había dicho nada.

Carlota intervino.

—Mujer, no iba a permitir que mis hermanos, porque lo siguen siendo y lo serán hasta la muerte, se enteraran de una noticia así, en medio de aquel *sarao* alocado —contestó—. De hecho, nada más volver de Madrid se lo conté todo. No omití ningún detalle de todas las cosas casi increíbles de las que nos enteramos.

—Menuda sorpresa te llevarías, ¿no? Parecida a la mía, supongo, cuando lo deduje y se lo conté a tu hermana Carlota —dijo Rebeca, dirigiéndose a Rocío.

—No te creas. Fue una sorpresa a medias —respondió—. Ya hacía años que algo me imaginaba. Carlota y yo no nos parecemos en nada, ni físicamente y todavía menos intelectualmente. Y si miras a nuestro hermano, entonces la confirmación es definitiva. Además, esa separación del colegio cuando ella tenía tan solo ocho años, con el pretexto de no sé qué prueba de inteligencia, siempre me pareció muy extraña y fuera de lugar. La sorpresa verdadera fue lo otro.

—¿Qué otro? —preguntó extrañada Rebeca—. ¿Qué hay todavía más?

Rocío se giró hacia Carlota.

—¿No se lo has contado? —le preguntó.

—No, ¿para qué?

Rebeca no sabía de qué estaban hablando.

—¡Pues de qué va a ser! ¡De lo del dinero!

—Sigo sin pillarlo, Rocío —dijo Rebeca.

—Ya te he dicho que se lo conté todo, y cuando digo todo me refiero a todo —intervino Carlota—, sin omitir ningún detalle.

—Pues que Carlota repartió la fortuna con la que volvió de Madrid en tres partes. Una me la dio a mí, otra fue para nuestro hermano y la tercera se la quedó ella —explicó.

Rebeca no sabía absolutamente nada. Rocío continuó hablando.

—Eso sí que nos supuso una verdadera conmoción. Entiéndelo, tantos años, no voy a decir que de penurias porque tampoco fue eso, pero sí de apretarnos el cinturón hasta el último agujero posible, de ver cómo mi madre tiraba para adelante echándose la familia a sus espaldas, trabajando de sol a sol, sin quejarse en ningún momento, deslomándose para que nosotros pudiéramos estudiar, no sé... —a Rocío se le escaparon unas lágrimas—. De repente, de un día para otro, te levantas millonaria. Solo pienso en que ella se merecía haber estado aquí, con nosotras, ahora mismo, para poder gozar de este dinero y de la vida. Solo hizo que trabajar para nosotros, sus hijos, y ahora que hubiera podido disfrutar de verdad de un buen retiro en nuestra compañía... ¡Puñetero bicho! —Rocío estaba melancólica y triste.

Rebeca se fijó en que a Carlota también se le escapaba alguna lagrimilla. «La petarda tiene un corazón que no le cabe en el pecho, en eso se parece a Tote», pensó. Sin darse cuenta, también ella tenía los ojos húmedos.

—¡Venga, que nos tenemos que ir! —interrumpió las reflexiones Carlota, que no le gustaba esa conversación—. Si no salimos ya, no llegaremos a tiempo a nuestra cita con el novio de mi hermana, y tengo verdadera curiosidad por conocerlo.

—¡No me líes ninguna! —le advirtió Rocío—, que te conozco y eres perfectamente capaz.

—¿No me puedo divertir? ¿Ni un poquito solo?

—¡Ni se te ocurra, que Nacho me gusta de verdad! —le contestó Rocío, aparentemente seria, pero con una sonrisa debajo de aquella máscara de severidad.

—¡Por favor! ¿Has visto el culo que tiene Rebeca? Se lo va a tener que enseñar a tu novio tatuador. Tú misma, yo no lo dudaría ni un segundo y eso que soy mujer y *hetero* —dijo Carlota, que estaba claro que quería dar un tono de humor al asunto, olvidándose de su madre adoptiva, recientemente fallecida.

—Porque yo sé cómo eres y lo que pretendes, pero Nacho no te conoce. No te pases ni un pelo, que igual no entiende tu sentido del humor —le volvió a advertir Rocío —, aunque quizá te lleves una sorpresa.

—¿Qué quieres decir?

—Que también tiene su manera de ser y su sentido del humor, aunque un tanto peculiar. No sé si chocaréis u os caeréis bien, pero una de dos, eso está claro. Indiferentes no os quedaréis. Por eso te pido que no te pases de la raya. Intento ayudaros, no que rompáis nuestra relación.

—Intentaré contenerme, pero no garantizo nada —contestó Carlota—. Entiende que la situación va a ser muy divertida. Tu pareja viendo el culo de tu hermana y el de un *pibón* como Rebeca. ¿Es o no es para reírse?

Mientras Carlota intentaba justificar sus maldades futuras, se pusieron de camino. Sin apenas darse cuenta, llegaron al local de Nacho Frías, tatuador. Estaba con la persiana medio bajada, habían llegado antes de la hora de apertura. Rocío se aproximó, y la terminó de subir.

—Adelante —les dijo a Carlota y Rebeca.

Ninguna de las dos hermanas habían estado jamás en un estudio, salón, gabinete o como fuera que se llamasen los locales de los tatuadores.

—¡Caramba! La decoración es muy bonita —dijo Carlota.

—¿Qué te esperabas? —le preguntó Rocío—. ¿Algo parecido al pasaje del terror de *Halloween*?

—No, la verdad es que no me esperaba nada. Quizá por eso me ha sorprendido. Está todo muy limpio y aseado.

—Sí, los lunes a mediodía, Nacho acostumbra a limpiar las telarañas. ¡Por favor! ¡Qué prejuicios tenéis algunas hacia esta cultura! —saltó Rocío, algo indignada.

—Reconozco que sí, quizá tenga algunos prejuicios, pero llamar a esto cultura, me parece que es pasarse un poco —insistió Carlota.

—No tienes ni idea de este mundo —terminó la discusión Rocío.

En ese momento apareció una persona del interior del local. No aparentaba más de veinticinco años, casi como ellas.

—Buenos tardes, soy Nacho —se presentó, mientras le daba un abrazo a Rocío y dos besos a Rebeca y Carlota, mientras se presentaban.

—Antes que nada, lamentamos haberos fastidiado vuestros planes para esta tarde, aunque tan solo sea por un breve momento —dijo Rebeca, con educación.

—Venga Nacho, que vas a ver dos culos, y te aseguro que uno de ellos es para enmarcarlo y exponerlo en el Museo del Prado —dijo Carlota, que no se pudo aguantar a lanzar su pulla, nada más conocerlo.

Rocío le dirigió una mirada asesina a su hermana, pero para sorpresa de todos, Nacho se echó a reír.

—Estoy harto de ver culos y otras cosas más curiosas, así que no creo que, a estas alturas, nada me pueda sorprender.

—No hagas caso a mi hermana —dijo Rocío—. Disfruta con este tipo de situaciones, y si consigue fastidiarme, mejor todavía.

—Pues conmigo pincha en hueso —le contestó Nacho, que seguía con una sonrisa en su rostro—. Anda, ¿veis esas dos camillas de ahí? Pues bajaros los pantalones y dejaros los culos al aire —dijo, mirando sobre todo a Carlota—. Me encanta decir esta frase a dos chicas tan guapas como vosotras.

—Vaya, parece que me he encontrado con la horma de mi zapato —dijo Carlota, también riéndose—. ¿Sabes? Me caes bien.

—Pues qué alivio, no sabes lo preocupado que estaba con caerte bien —le contestó con evidente ironía—. ¡Anda, subiros a las camillas ya!

«¡Caramba con Nacho!», pensó Rebeca, riéndose para ella. «Me parece que la petarda no lo va a tener fácil para fastidiarle».

Así lo hicieron, se subieron a dos camillas, dejando sus traseros completamente descubiertos. Disponían de algunos brazos articulados y uno de ellos parecía una gran lupa, con lo que parecía una minicámara instalada.

—Voy a empezar contigo, Carlota. Te voy a enfocar con esta cámara de aumento y te vas a poder ver tu propio culo ampliado en ese monitor —le dijo, mientras manipulaba el instrumental y señalaba la pared.

—No me lo amplíes mucho más, que ya viene de serie con un buen tamaño —le respondió Carlota—. A ver si no te cabe en el monitor.

Nacho no pudo evitar reírse.

—¡Pero qué dices! Tú no sabes lo que tengo que ver. Es mi trabajo. Tú piensa en mí como si fuera tu ginecólogo, igual de aséptico. Estoy acostumbrado a todo, pero tengo que reconocer que tienes un culo magnífico. ¿Le puedo hacer una foto y colgarla de la pared?

—¡Idiota! ¡Me la estás devolviendo!

—Pues sí, un poco de tu propia medicina no te vendrá mal —dijo Nacho—. Así, de paso, te relajas, que te noto algo tensa. Muy chulita de entrada, pero todo es fachada.

Rebeca y Rocío contenían la risa a duras penas, mientras miraban el culo de Carlota en el monitor, que era muy grande, de unas cincuenta pulgadas. No el culo, el monitor.

—No hace falta que lo amplíes tanto —se quejó Carlota, cuando ella también vio la imagen.

—Es su tamaño natural, aún no lo he ampliado,

—¡Qué dices! —respondió indignada Carlota— ¡Me sigues tomando el pelo!

—Sí, lo reconozco, un poquito —rio Nacho—, pero voy a ampliar mucho más la sección donde tenéis esa supuesta marca de nacimiento.

Así lo hizo.

—Ahora haré la misma operación con el trasero de Rebeca, y pondré en el monitor ambas imágenes a la vez, así podremos estudiar de qué se trata en realidad.

Manipuló uno de los brazos articulados de la camilla de Rebeca, y repitió la operación que había hecho con Carlota. Ahora el monitor mostraba dos imágenes, una al lado de la otra.

Nacho se quedó mirando fijamente, con una lupa, la marca en el culo de Rebeca. Estuvo al menos un par de minutos. Luego hizo lo mismo con Carlota.

—¿Ya nos has mirado lo suficiente los culos? —preguntó Carlota—. Y no te creas que no me he dado cuenta. Has observado con más detenimiento y durante más tiempo el de Rebeca que el mío.

—Sí, lo reconozco —contestó Nacho—. Es sorprendente. Incluso más que eso,

—Eso ya te lo había dicho yo antes —le replico Carlota—. Si existiera un museo de culos, el de Rebeca estaría en la misma entrada, en una posición privilegiada, como está *La Victoria de Samotracia* en el Museo del Louvre de París. Subes las escaleras y te la encuentras allí enfrente, con toda su grandiosidad. Pues imagínate lo mismo, pero con el culo de Rebeca. Sería algo glorioso.

—Anda, deja de decir tonterías —dijo Rebeca, sonriendo, ante las ocurrencias y extravagancias de su hermana.

—Cuando decía que era sorprendente, no me refería a eso —intervino Nacho, que ahora estaba serio. Le había cambiado el semblante.

—¿Qué es lo sorprendente exactamente?

—La marca que tenéis.

—Entonces, ¿se confirma que es una marca de nacimiento? ¿Estabais los dos equivocados?

—No, son dos tatuajes, eso lo tenía claro desde el primer momento que los vi. No hay duda posible.

—Entonces, ¿por qué los has mirado con la lupa con tanto detenimiento y dices que es sorprendente?

—Porque lo son. Jamás había visto un trabajo igual, y mira que, a pesar de mi juventud, ya llevo años dedicado a esto. Estos tatuajes son muy especiales.

—¿Por qué?

—Para empezar, pretenden simular una marca de nacimiento, y están hechos con una precisión y maestría al alcance, a lo sumo, de tres personas en toda España. Pero eso no es lo más sorprendente.

—¿Y qué es? —siguió preguntando Carlota, que se empezaba a impacientar.

—¿No os habéis dado cuenta?

—No sé de lo que nos hablas. —respondió Rebeca—, por lo menos yo, que estoy alucinada de tener un tatuaje que desconocía.

—Pues más que lo vas a estar. Girar un poco la cabeza y mirad bien las imágenes del monitor. Los tatuajes están muy ampliados. Ahí los tenéis. No me digáis que, ahora, con la lupa sobre ellos, no lo observáis.

Cuando las dos cayeron en la cuenta de lo que Nacho pretendía que comprendieran, se incorporaron de golpe de las camillas, con una cara de sorpresa monumental.

«¡Eso no puede ser!», pensó Rebeca.

11 DE MARZO DE 1525

—¿Te has vuelto loco? ¡Ese es uno de los pecados que más odio! —dijo Jero, que había pasado del llanto al profundo enfado, en apenas unos segundos.

—Jero tiene razón, es una locura que nos podría llevar incluso a la prisión. ¿Piensas en lo que dices antes de hablar? —le preguntó Johan.

—Lo que vosotros queráis, pero no me negaréis que es la única manera de salir de dudas, de una manera definitiva.

—¡Pero a qué precio! El fin no justifica los medios, jamás. No pecaré de esa manera tan terrible —insistió Jero.

—Insisto, dejando de lado los temas religiosos, ¿no te das cuenta de que nos estás proponiendo cometer un delito? No sé si eres consciente de tus palabras —dijo Johan.

—Lo soy, pero mi religión es la Verdad. Nada está por encima de ella —replicó Batiste.

—No te reconozco —intervino Jero—. Me estás demostrando que no eres un verdadero cristiano.

—¿Y en qué consiste ser un verdadero cristiano? ¿En dejarse engañar, y lo que es peor, en engañar a toda una ciudad? ¿Eso es ser cristiano?

—Ese argumento es una falacia —dijo Jero, que seguía indignado.

—No lo es. La Palabra de Dios es la Verdad. Jesús de Nazareth jamás hubiera permitido que la mentira triunfara sobre la verdad.

—No me vais a convencer con frases estúpidas.

—¿Es estúpido defender la verdad?

—¿Sabes que lo que propones supone correr la misma suerte que Judas Iscariote? Es la peor condena a la que un cristiano se puede enfrentar. En el *Evangelio de San Mateo*, se afirma que después de que Judas traicionara y entregara a su maestro Jesús por treinta monedas de plata, se arrepintió, tiró las monedas a un templo, y se ahorcó. Pero este episodio es narrado aún de forma más tétrica en el *Libro de los Hechos de los Apóstoles*, en concreto en el capítulo 1, versículos del 16 al 18. Me lo sé de memoria. El apóstol Pedro escribe que Judas «con el salario de su maldad se compró un campo, se tiró de cabeza, su cuerpo se reventó y se desparramaron sus entrañas». Según este mismo texto, desde entonces, todos los habitantes de Jerusalén conocen esas tierras malditas como el *Campo de Sangre*.

—¿No crees que estás exagerando un poco? —le dijo Batiste a su menudo y creyente amigo—. Aunque no lo creas, yo también soy cristiano, y trato de vivir de acuerdo con sus dictados. Y uno de ellos es la verdad.

—¿Te lo tomas a broma? ¿Sabes qué hay tumbas fechadas hace siglos, con inscripciones que corroboran lo que te estoy diciendo?

—¿Qué tumbas son esas? Jamás he oído hablar de ellas, ni entiendo la relación con Judas Iscariote.

—Te voy a poner un par de ejemplos, el primero es muy fácil de entender. En el cementerio de Córdoba existe una lápida fechada en el siglo VI, que reza «Si alguien removiera este sepulcro, sea partícipe de la suerte de Judas». Debajo de esta inscripción, aparece la figura de un ahorcado. ¿Comprendes la relación?

—¿Acaso me quieres asustar? —le preguntó Batiste.

—Espera a escuchar el segundo ejemplo, tan real como el primero. En el cementerio de Mérida se encuentra la lápida de un clérigo confesor llamado Eulalio. ¿Sabes lo que está inscrito en ella?

—Anda, intenta asustarme de nuevo.

—Pues la lápida reza lo siguiente, y es textual, me lo sé de memoria «si alguien quisiere de hecho y de verdad inquietar este monumento mío sea herido con el rayo del anatema, infestado de lepra como Giezi, se complazca en ella; encuentre la suerte de Judas el traidor, y no tenga entrada en la iglesia, y apartado de la comunidad santa sea consorte del diablo y sus ángeles en el daño de los suplicios eternos».

—Impresionante, de verdad.

—No te burles. ¿Sabes acaso quién era Giezi? Como supongo que no, te diré que era el servidor del Profeta Eliseo. Es nombrado en muchas ocasiones en el Antiguo Testamento. Acabó contrayendo la lepra, que era considerada una enfermedad maldita.

—A pesar de tus burdos intentos por ponerme al mismo nivel que Judas, no lo has conseguido. Reconoce que te has excedido en tus comparaciones.

—De eso nada. Es un pecado gravísimo, no se te ocurra ni por un momento menospreciarlo.

—No lo hago, simplemente antepongo el conocimiento de la verdad sobre él.

—Encomiables tus esfuerzos, pero sigo pensando lo mismo. Además, ¿te crees que solo tú conoces las Sagradas Escrituras? A modo de réplica, ¿sabes lo que dejó escrito el apóstol San Juan? «Si afirmamos que tenemos comunión con él, pero vivimos en la oscuridad, mentimos y no ponemos en práctica la verdad». Poner en práctica la verdad, ¿te suena de algo?

—San Juan no se refería a esto y lo sabes.

—Se refería a la Verdad con mayúsculas. Te pongo otro ejemplo más claro, a ver si te atreves a refutármelo. Y este también se lo dedico a mi padre, aquí presente. Es otra cita literal de San Juan: «Nada me produce más alegría que oír que mis hijos practican la verdad».

Johan ya se estaba cansando de esta absurda competición acerca de quién conocía mejor las sagradas escrituras. No conducía a ningún lugar.

—Seamos prácticos y dejaros de monsergas. No se puede hacer, Batiste. ¿No lo comprendes? Por muchas citas que os sepáis de memoria, el cementerio está cerrado y vigilado. Ni siquiera podríamos entrar. Y en el caso que se nos ocurriera la descabellada idea de saltar su enorme muro, acabaríamos en la cárcel.

—Hay una posibilidad que no hemos previsto —dijo Batiste, en un tono de misterio—, pero antes tengo que hacerte una pregunta, Jero. ¿Conoce alguien en la ciudad, además de nosotros, quién eres, en realidad?

—¿A qué viene esa pregunta? No la entiendo.

—Contéstame, por favor.

—Sí. Por mi seguridad, y dados los preocupantes acontecimientos que habían sucedido, en el último viaje, mi padre me dijo que había informado de mi filiación al arzobispo de Valencia, Érard de la Marck, de origen flamenco. Él sabe quién soy. Me dijo que si necesitaba cualquier cosa urgente, que en su ausencia, acudiera al arzobispado. Tienen instrucciones expresas de ayudarme en lo que fuera, pero jamás he acudido.

—Pues ha llegado ese momento. Se puede desenterrar a un muerto con una bula papal. Su representante en la ciudad es el arzobispo.

—El arzobispo casi nunca está en la ciudad, viaja mucho. Además, ¿pretendes que le pida una bula para eso? Ni siquiera sé si el arzobispo tiene competencias para hacerlo.

—Claro que puede, el cementerio pertenece al arzobispado. En caso de conseguirlo, dejaría de ser pecado de forma instantánea. Todos esos horrores que me has contado acerca de la terrible muerte de Judas Iscariote, desaparecerían en un instante de tu conciencia. Además, no tendríamos que entrar furtivamente en el cementerio. Los alguaciles nos facilitarían el acceso.

—¿Y qué diría la familia Ruisánchez? ¿Se te ha ocurrido pensar cuál sería su reacción cuándo se enteren?

Para sorpresa de todos, Batiste se echó a reír.

—En el caso de enterarse, cosa que dudo mucho porque no son unos fervientes católicos por lo que tengo entendido, te aseguro que no dirían nada.

—No estoy convencido de todo esto —dijo Jero, que ya había cambiado su actitud claramente hostil al inicio de la conversación, por otra dubitativa.

—Además, Dios quiere que lo hagamos —dijo Batiste.

—¿Cómo pretendes arrogarte la Palabra de Dios, blasfemo? —le replicó inmediatamente Jero, indignado.

—Porque mañana hay luna llena.

48 EN LA ACTUALIDAD, LUNES 22 DE OCTUBRE

—Ya veo que os habéis dado cuenta. Anda, volveros a tumbar en las camillas, que os podéis caer, y aún no hemos terminado —dijo Nacho Frías.

—¡Los dos tatuajes no son exactamente iguales! —casi gritó Carlota, mirando fijamente el monitor, con muchísimo aumento.

—Efectivamente, no son iguales. En realidad, son dos tatuajes diferentes, pero son dos trabajos tan magníficos que, con su difuminado excelente y su minúsculo tamaño, supongo que pretendían que lo parecieran. Si no llegáis a acudir a mí, a simple vista apenas se distingue, Probablemente no os hubierais dado cuenta jamás.

Ambas hermanas estaban asombradas.

—Vamos a ver Nacho. Ahora no estoy bromeando ni persigo ofenderte. Entiéndelo, nunca nos hemos hecho ningún tatuaje en nuestra vida, y nos estás diciendo que tenemos uno cada una, y además diferentes, que pretenden simular marcas de nacimiento. ¿No serán realmente eso y te estarás confundiendo, por simple deformación profesional? —insistió Carlota, intentando buscarle algún sentido a esta historia, que le parecía fantástica.

—¿Qué insinúas? —dijo Nacho, con un tono de claro enfado—. ¿Qué cómo me dedico al mundo del tatuaje los veo por todas partes?

Carlota se dio cuenta de que quizá, aunque sin querer, lo había ofendido.

—No, no pretendía menospreciar tu profesionalidad, pero comprende nuestra confusión —se excusó Carlota—. Todo esto es muy extraño.

—No te lleves a engaños con mi juventud. Soy un experto y no me equivoco en temas de mi especialidad. Son tatuajes. Eso está muy claro y fuera de toda duda razonable. ¿Por qué te crees que he estado mirando tanto tiempo vuestros culos con la lupa?

—El mío no sé —dijo Carlota—, ahora, el de Rebeca sí que lo tengo claro.

Nacho estaba perdiendo la paciencia con las constantes bromas de Carlota.

—Dejémonos de tonterías, que este es un tema serio —le cortó Nacho—. Lo he hecho porque quería observar con claridad las trazas del dibujo. Os repito, no hay ninguna duda. Aunque a simple vista ya lo tenía claro, he averiguado hasta el tipo de tinta utilizado, para estar completamente seguro.

Rebeca no comprendía nada.

—¿Es posible que nos los hicieran de bebés? Porque, conscientemente, jamás lo hemos hecho ni recordamos nada de ellos —preguntó.

—No es nada habitual ni siquiera recomendable —contestó Nacho—, pero como mera posibilidad, podría ser. Si no los recordáis...

—No —contestaron a coro ambas hermanas.

—Además, en eso coincidimos. No te lo tomes a mal, pero a ninguna nos gustan los tatuajes, así que jamás, de forma consciente, nos haríamos uno —dijo Rebeca—, y creo que hablo por Carlota también.

—Por supuesto —contestó su hermana, que ahora estaba igual de seria que Nacho.

—¿Por qué nos has dicho hace un momento que nos tumbáramos, que aún no habíamos acabado? ¿No tienes ya claro que son dos tatuajes? —preguntó Rebeca.

Nacho hizo una pequeña pausa, como eligiendo las palabras. A ninguna de las dos hermanas Rivera Mercader se les escapó ese detalle. Estaba claro que había algo más que preocupaba a Nacho.

—Así es. No hemos terminado, ni mucho menos. Os he contado lo sorprendente, pero aún me queda por contaros lo verdaderamente extraño, y que hace de este tema algo único y extraordinario —dijo Nacho, que estaba muy serio desde hacía un buen rato.

—Esto ya parece el circo. ¿Y a qué esperas para soltarlo? —le dijo Carlota, que no solo no comprendía nada, sino que estaba impacientándose.

«Allá va la segunda bomba», pensó Nacho.

—En realidad, no son dos tatuajes diferentes.

—¡Me vas a volver loca! ¡Pero si lo estamos viendo en el monitor! —continuó Carlota—. ¡Está muy claro que no son iguales!

Ahora, la que lo comprendió fue Rebeca, pero se quedó callada, a la espera de la aclaración de Nacho.

—Déjame que me explique. Tengo la fuerte sensación, fruto de mi experiencia profesional, de que es un mismo tatuaje dividido en dos partes.

—¿Para qué? —preguntó Carlota.

—Eso no lo sé, pero si los juntamos, parece que forman una unidad —dijo Nacho.

—¿Estás seguro? —dijo Carlota, que ahora se había girado a mirar a Rebeca—. Por tu expresión, ¡tú lo sabías!

—Me acabo de dar cuenta —respondió Rebeca—. Para una vez que me anticipo a ti, no te quejes.

—¿Podríamos verlos unidos? —insistió Carlota.

—Vamos a intentarlo. Tengo un programa de tratamiento de imágenes. Voy a tratar de juntarlos por la parte más lógica, a ver cómo queda el tatuaje en su totalidad.

Nacho se puso a manipular el ordenador. Le llevó cerca de cinco minutos encontrar un posible encaje de los tatuajes. No era sencillo, ya que había varias posibilidades y tenía que elegir la que mejor acoplara.

—Mirad, una vez unidos y aplicadas técnicas de manipulación y ampliación de imagen, para que se vea con formas geométricas lo más nítidas posibles, podría quedar algo así.

—¡Atiza! —exclamó Carlota.

—No os toméis la imagen de forma literal. Tan solo me he guiado por mi instinto profesional para unirlas, y ha sido tratada digitalmente por mi *software*, añadiendo un fondo, para que destaquen sus rasgos. Podría no ser exactamente así, no es un procedimiento sencillo.

—Parece que tienes razón. Es cierto, unidos los tatuajes de esa manera, guardan cierta armonía —reconoció Rebeca.

—¿Y qué significa esa imagen tan extraña? —preguntó Carlota, que aquello no le hacía ni pizca de gracia.

—Ni idea. Esta forma, que parece un insólito símbolo, es único. No figura en ningún libro ni catálogo de profesionales.

—¿Cómo puedes saber eso? Habrá miles de tatuadores por todo el mundo —preguntó Carlota.

—¿Acaso has viajado por todo el mundo? —le replicó Rebeca.

—Pues después de esto, ya no sé qué pensar.

—Dejar de discutir. Los tatuadores tenemos catálogos de imágenes universales. No dudéis de mi palabra. Ese tatuaje, sea lo que sea, es único. Si queréis, os presto mi ordenador e intentáis buscar alguno que se asemeje. Ya os anticipo que vais a perder el tiempo.

—No creo que sea necesario, te creemos —dijo Rebeca, cortando la discusión.

—No lo hace nadie —insistió Nacho—. No se trata tan solo de la forma, que es única. Ya os he dicho antes que, un trabajo de estas características, tan refinado, tan solo está al alcance de tres personas en España. Nadie más lo podría hacer, por su complejidad, dificultad y técnica necesaria. Pensar que esa imagen que estáis viendo, está ampliada cincuenta veces. En vuestro culo apenas se aprecia una pequeña peca.

—¿Y quiénes son esos tres? —preguntó Carlota.

—El tatuador más conocido de Barcelona, una compañera de Madrid y yo mismo. Os aseguro que yo no os he tatuado vuestro culo, así que me podéis descartar.

—Entonces, ¿podríamos contactar con los otros dos? Igual lo recuerdan, si los hicieron ellos —aportó Rocío, que hasta ahora había permanecido en silencio.

Rebeca hizo un gesto negativo con la cabeza.

—Vamos a ver, pensemos con cierta lógica —dijo—. Esos tatuajes nos los debieron hacer de bebés, hace veintidós años. Conscientemente jamás lo hubiéramos permitido, además lo recordaríamos, y no es el caso.

Nacho le dio la razón a Rebeca.

—Si es así, no os puedo ayudar más. Hace veintidós años tan solo tenía cuatro años de edad. No conozco a los tatuadores de aquella época —respondió Nacho—, además, con toda probabilidad, ya estén todos jubilados.

—¡Pues vaya fastidio! Al final, los tatuajes han resultado una vía muerta.

—¿Nos puedes imprimir todas las imágenes que estamos viendo en el monitor? —preguntó Rebeca.

—Claro, ya lo estoy haciendo. De todas maneras, no es por ser pretencioso, pero si yo no reconozco ese tatuaje, ningún colega lo va a hacer. Ya sé que queda mal que lo diga, pero quizá sea el mejor tatuador de España, o, al menos, uno de los cinco mejores, y no lo digo yo, sino la crítica y los expertos. Entender muy bien mis palabras, no os lo cuento para darme autobombo, sino para que no perdáis el tiempo preguntando a otros, que no os van a poder ayudar. Podríais acudir a Miguel Bohigues, que lo tenéis cerca, en Aldaia, y os diría lo mismo que yo —comentó Nacho, que seguía muy serio. Su actitud jovial inicial se le había pasado hacía un buen rato.

Les dio las imágenes impresas y se despidieron, agradeciéndole que les hubiera atendido. Rebeca, Carlota y Rocío salieron a la puerta del local a despedirse, mientras Nacho entraba en su interior.

«Hay algo fundamental en esta historia que no tiene sentido», se decía Nacho. «No puede ser».

Estaba intranquilo, sus temores crecían cada vez que pensaba más en ello. Decidió compartir sus sospechas con María Cabañas, del estudio *Costomizarte* de Majadahonda, en Madrid. Tenía que salir de dudas y se fiaba mucho de la opinión de su colega y amiga tatuadora. Buscó su móvil y mantuvieron una breve conversación.

—¿Estás completamente segura, María? ¿Comprendes lo que me estás diciendo? —insistió Nacho. En el fondo no creía creerlo y deseaba una respuesta negativa. No la obtuvo.

—Nacho, te lo estoy diciendo todo el rato. Tu sospecha se corresponde con la realidad —le respondió.

Cuando se despidió y terminó la llamada, estaba pálido.

«¿Y ahora qué hago?», pensó. No sabía cómo debía proceder. Desde luego lo que acababa de confirmar lo cambiaba todo. Después de darle vueltas al asunto durante unos minutos, decidió no hacer nada. Vista la personalidad de las hermanas Rivera-Mercader y, sobre todo, de Carlota, no sabía cómo se lo podrían tomar. Tampoco iba a cambiar nada, o al menos eso creía. Decidió no contarle tampoco nada a su pareja, Rocío.

Toda la historia era mentira, desde el mismo principio.

49 12 DE MARZO DE 1525

Se habían citado a las ocho de la noche, en casa de Johan y Batiste. Hasta que no acudiera Jero, no sabrían si había conseguido el permiso arzobispal para desenterrar el cadáver de Arnau.

—Esta incertidumbre me mata —dijo Batiste.

Faltaban quince minutos para las ocho.

—Tranquilo. Si alguien lo puede lograr, ese es Jero. Otra cosa es que el arzobispo no tenga competencias para poder ordenar una cosa así. Las bulas papales las concede el papa de Roma para casos extraordinarios. No veo que este lo sea.

—¡Venga padre! Seré católico, pero no idiota. Sé que las bulas se compran y se venden. El mercantilismo esta muy extendido en la Iglesia, expresado en primera persona en el Santo Oficio de la inquisición, que es un puro negocio. Ya nos explicó Arnau cómo funcionaba. Parece más un despacho de un tendero, que simplemente busca ganar dinero, que una cuestión de fe. A veces pienso que Jesús Nuestro Señor, si estuviera vivo, repudiaría ese tipo de actos.

—Aunque no te falte razón, no deberías pronunciar esas palabras, ni siquiera entre las paredes de esta casa.

—Me molesta que Jero me considere un mal cristiano, porque no lo soy, pero, al mismo tiempo, soy consciente de todo lo que hay alrededor de la Iglesia. Tú también lo sabes. Tu amigo Luis Vives y los seguidores de Erasmo de Rotterdam lo tienen claro y lo manifiestan con evidente claridad, en cada una de sus obras, cartas y escritos.

—Es cierto, pero tarde o temprano, caerán en desgracia. Hasta el propio don Alonso Manrique, el padre de Jero y defensor de esa corriente ideológica dentro de la Iglesia, lo tiene claro. Les quedan quince o veinte años como mucho, hasta que los machaquen. Son conscientes de ello.

—Al margen de todo lo que estamos hablando, lo importante es que Jero haya conseguido la bula. Así os podré demostrar mi teoría.

—Tanto hablar de tu teoría, pero yo aún no la tengo clara. En caso de que Jero lo logre, ¿qué esperas encontrar?

—Es evidente. El muerto y enterrado es Amador.

—¿Amador? ¿Y qué pasa con Arnau? —preguntó Johan, asombrado.

—Ese extremo no lo tengo claro, pero supongo que mi teoría inicial era cierta. Estará vivo y sus padres lo tendrán oculto. Disponen de multitud de propiedades y recursos para ello.

—¿En qué te basas?

—En el secretismo en su entierro y las nulas muestras de dolor en público de la familia Ruisánchez. No es nada normal, piénsalo. Fallece tu único hijo y no reaccionas. Además, en el caso de Amador ha sucedido justo lo contrario, que es lo esperado. La repentina ausencia de la ciudad de doña Isabel, madre de Amador, obedece a que, probablemente, esté destrozada, y haya preferido dejar a don Cristóbal solo y sin servicio doméstico, cuestión extraordinaria. No me cabe duda que estará en su residencia de descanso, en el campo. Entiéndela, preferirá pasar el dolor alejada del ajetreo de la ciudad. Con toda probabilidad, no querrá ni que la vean en semejante estado.

—No lo tengo tan claro como tú. Lo que es evidente es que todo este asunto esconde un misterio. Ojalá hoy lo podamos desvelar. Tan solo por dejar de oírte merecerá la pena, que cuando se te mete una idea entre ceja y ceja, eres de un pesado que espanta —dijo Johan, mientras su hijo le arrojaba un paño de cocina a la cabeza, riendo.

Entre las risas de ambos, escucharon el sonido de la aldaba golpeando a su puerta. Ya eran las ocho. Johan se levantó y fue a abrir la puerta. Como esperaba, era Jero. Entró en la vivienda y se sentó alrededor de la mesa de la cocina, donde lo esperaban con ansia.

—No traes buena cara —observó Batiste—. ¿Nos has conseguido el permiso?

—Es sorprendente —contestó Jero—. En cuanto me identifiqué, todo fueron atenciones hacia mi persona. ¿Os creéis que me ha gustado? Acostumbrado a la indiferencia y la ignorancia total que me profesan los inquisidores del Palacio Real, me ha parecido toda una fiesta.

—No te desvíes del tema. Dices que te ha gustado el recibimiento, pero tus gestos no denotan alegría, precisamente.

—Si queréis una respuesta rápida, esa es no. El arzobispo no puede conceder bulas papales. Como su nombre indica, es una competencia exclusiva de Roma. En ese aspecto no puede hacer nada.

Batiste se quedó mirando a su amigo.

—Pero... —dijo, y se quedó callado.

—Pero ¿qué? —preguntó Jero.

—Que te conozco, Tu respuesta negativa tiene truco.

—No tiene ninguno, te lo aseguro.

—¡Venga, suéltalo de una vez! No nos tengas en ascuas.

—No hay bula.

—¿Entramos en bucle otra vez? Me creo lo de que no hay bula, pero...

Jero se rio. Ahora se daba cuenta de que hacía tiempo que no lo hacía. Le gustó.

—Tienes razón, Batiste. No hay bula porque el arzobispo no tiene competencias para ello, pero sí que las tiene para facilitarnos el acceso al cementerio y abrir la tumba de Arnau, siempre y cuando, después, la volvamos a dejar tal cual estaba.

—¡Eso son magníficas noticias! —grito Batiste, levantándose del banco de la cocina. Su alegría era evidente.

—Espera, no te precipites. El arzobispo se ha limitado a darnos permiso para el acceso al cementerio y a la exhumación, pero sin bula, sigue existiendo el pecado. Para que lo entiendas, nos ha facilitado el permiso administrativo, como propietario del camposanto, pero no el religioso. Si fuéramos al cementerio, la maldición de Judas Iscariote caería sobre nuestras cabezas, Y ya os conté lo de las lápidas y la Palabra de San Pedro. Las maldiciones y eso.

—¡No me fastidies, Jero! Pareces más ortodoxo que el propio papa de Roma. ¿No te basta con el permiso del arzobispo? Es la máxima autoridad eclesial en la ciudad.

—No, no me basta —contestó Jero, muy serio.

Batiste se quedó observando a su amigo. No lo había hecho cuando había entrado. Se fijó especialmente en su vestuario. Iba demasiado abrigado.

—¡Has venido arreglado para ir al cementerio esta noche, bandido! —se rio Batiste.

Jero también se rio.

—Tenías que haberte visto tu cara. Tan solo por eso ha merecido la pena esta pequeña broma.

—¿Pequeña? Cuando te arranque la cabeza sí que parecerás pequeño —dijo Batiste, mientras se abalanzaba sobre Jero.

Ambos se estaban riendo. Quizá fuera una válvula de escape para toda la tensión acumulada. Y lo que faltaba por venir, que no iba a ser nada agradable, fuera cual fuese el resultado.

—Vamos a prepararnos, antes de que me arrepienta. Aunque ahora quizá no me creas, hasta hace apenas dos horas no he tomado la decisión definitiva. No hay bula, solo permiso. Haré como si una cosa fuera equivalente a la otra, aunque sepa que no lo es.

—Por si te sirve de consuelo, a mis efectos, es lo mismo —dijo Johan, que hasta ahora había permanecido en silencio.

Abrieron el armario donde guardaban las herramientas. Tomaron dos palas, un cincel y un martillo de generosas proporciones. No sabían lo que se iban a encontrar, así que más valía prevenir.

Dejaron la casa a las ocho y media, y llegaron al cementerio quince minutos después. Le enseñaron a los alguaciles el permiso, con la firma y lacre del arzobispo y, de inmediato les franquearon el acceso. Se mostraron muy obsequiosos con ellos, por lo visto no era nada habitual ese tipo de autorizaciones, y más viniendo firmada por el propio arzobispo en persona. Se ofrecieron a ayudarles.

—Lo único que necesitamos de vosotros es que nos indiquéis dónde está el enterramiento que buscamos —dijo Jero, con esa voz de autoridad que había aprendido de los inquisidores del palacio—. Después, vuestra función será impedir la entrada a cualquier otra persona, sea quien sea. Tengo plenos poderes de su excelencia reverendísima, como ya habéis comprobado. Estas son mis órdenes y espero que las cumpláis estrictamente.

—Lo que usted mande —le dijo un alguacil, que tan solo le faltó hacer una reverencia.

A Batiste no dejó de hacerle gracia la situación. Un renacuajo de nueve años ordenando, con esa autoridad natural, a todos unos alguaciles que le quintuplicaban en edad. Recordó el incidente en la Torre de la Sala, cuando pretendieron visitar a Amador, aunque, en aquella ocasión, no tenían ninguna clase de autorización.

Los alguaciles cumplieron las instrucciones. Con presteza y eficacia les acompañaron al enterramiento de Arnau y, después, les dejaron a solas.

La situación era sobrecogedora. Rodeados de lápidas y de noche, aquello daba algo más que respeto. El propio Batiste tenía el vello de punta y Johan un gesto en la cara que lo decía todo.

—Aún estamos a tiempo de echarnos atrás —dijo Jero, mirando a sus compañeros de aventura—. Lo comprenderé.

—¡Ni hablar! —dijo Batiste—. No niego que todo esto vaya a ser muy duro, vamos a ver un cadáver de un amigo. Pero, de una vez, se esclarecerá todo.

—¡Y tan duro! —le contestó Jero.

—Si quieres, no participes en las labores de desentierro. Tan solo tenemos dos palas, y tú eres el más pequeño. Quédate sentado, tranquilo.

Jero lo agradeció, en secreto. Se apoyó en una lápida y observo como Batiste y Johan excavaban la tierra. No les costó mucho trabajo, la tierra estaba recién movida y fue fácil de retirar. Encontraron una pequeña caja. La sacaron a la superficie.

—Última oportunidad para dejarlo —insistió Jero—. No sé si nos va a gustar lo que vamos a ver ahí dentro, ni siquiera si estamos preparados para ello.

Mientras Jero hablaba, Batiste ya estaba con el cincel y el martillo rompiendo los clavos que impedían abrir la caja. En apenas unos minutos terminó el trabajo.

—Bueno —dijo, en tono triunfal—. Ha llegado el momento clave. Ahora saldremos de dudas y conoceremos la verdad.

Batiste se retiró hacia atrás y miró a su padre. Aunque quisiera abrir esa caja como nada en el mundo, sabía que no le iba a gustar lo que iba a ver.

Johan leyó, con la vista lo que su hijo le estaba pidiendo. Se acercó, levantó la tapa e, inmediatamente, apartó la mirada de su interior.

Jero se alejó del grupo y se puso a vomitar.

Batiste se quedó con la boca abierta, sin reaccionar. Aquello no entraba en ninguno de sus posibles escenarios. No se lo podía esperar jamás. Estaba como en trance.

Johan se dio cuenta y se dirigió a su hijo, cogiéndole por el hombro.

—Me temo que, de esto, no puedes sacar ninguna conclusión, como pretendías. Nada en claro.

—Te equivocas. Ahora tengo miedo, mucho miedo. Ahora sé que estamos en riesgo de muerte inminente. Eso es lo que he sacado en claro.

50 EN LA ACTUALIDAD, LUNES 22 DE OCTUBRE

Rebeca y Carlota volvieron a casa de esta última, dejando a Rocío con su novio, Nacho Frías, en su local. Se notaba que ambas le estaban dando vueltas a la cabeza, intentando encontrar algún sentido a toda la información que acababan de conocer. No solo la minúscula marca que tenían las dos en el culo era un tatuaje, sino que además eran diferentes entre sí.

—Diferentes pero iguales a la vez —reflexionó en voz alta Carlota, pensando en la unión de ambos.

—Eso parece una contradicción —le contestó Rebeca.

—Todo es una contradicción en este asunto. Para empezar, no nos gustan los tatuajes, y resulta que tenemos uno en el culo. ¡A ver qué explicación se te ocurre!

—Ese es el problema. No se me ocurre ninguna que tenga el más mínimo sentido —reconoció Rebeca.

Llegaron a casa de Carlota, y se sentaron en el corral. Ahora estaban solas en casa y no hacía falta que se ocultaran en la habitación.

—Lo que no entiendo es que nos tatúen algo que no tiene sentido, un símbolo que ningún tatuador conoce, que no aparece en ningún catálogo con su correspondiente explicación y tan complejo de realizar, según nos ha contado Nacho —decía Rebeca, mientras intentaba buscar alguna luz—. ¿Para qué?

Carlota se quedó un momento en silencio, con esos ojos brillantes que ya conocía de sobra. Rebeca le preguntó.

—Te veo tu típica cara de estar estrujándote el cerebro. ¿A qué conclusión has llegado? Porque estoy segura de que lo has hecho.

Ahora fue Carlota la que se quedó mirando a Rebeca.

—A veces me olvido de que eres tú, porque eres la única que se da cuenta de esas cosas.

—Por algo será, soy tu hermana inteligente —aprovechó Rebeca para pincharla.

—Si tan inteligente te crees, a ver, demuéstramelo ¿qué explicación le encuentras?

—Te lo acabo de decir. Ninguna.

—Pues te equivocas. Creo que tan solo hay una explicación posible para esos tatuajes, que pretenden simular marcas de nacimiento.

—¿Y cuál es? —le preguntó Rebeca, ahora con mucha curiosidad.

—En realidad, es muy sencilla.

—Pues ilumíname.

—Piensa en la situación en la que se encontraban nuestros padres. Habían decidido, no solo separarnos al nacer, sino que una de nosotras desapareciera del mundo, como si nunca hubiera existido. Ya te expliqué, delante de tu tía, que el parto tuvo que ser una operación de los servicios de inteligencia ejecutada a la perfección. La gente ordinaria no puede hacer esas cosas ni los expedientes desaparecen solos.

—Sí, recuerdo esa teoría tuya.

—Es más que una teoría, fue la realidad, pero bueno, no quiero volver sobre aquello. Ahora quiero que pienses en nuestros padres. Sabemos, por nuestra tía Tote, que estaban arrasados de pena por la situación. Ya habían tomado la decisión de separarnos, pero eso no quiere decir que la aceptaran de buen grado. Simplemente creían que hacían lo que debían. Ya nos contó que nuestro padre perdió el poco pelo que le quedaba y que nuestra madre estaba muy deprimida, no podía dejar de llorar.

—Sí, también lo recuerdo.

—Pues quédate con eso. Ellos sabían que debían hacer lo que hicieron, pero, en el fondo, no querían. Éramos sus primeras hijas, y además gemelas. Imagínate la situación, la decisión debió de ser durísima.

—Eso nos dijo Tote.

—Además, no se pudieron aguantar sin verme. Mantuvieron cierta relación conmigo, en calidad de mis tíos. Si lo piensas bien, aquello fue una auténtica imprudencia por su parte, impropia de su inteligencia. De hecho, a consecuencia de esa relación que mantuvieron conmigo y el fatal accidente que ocurrió después, yo salí a la luz. Si no llega a ser por eso, ni siquiera tu tía, que era y ahora todavía lo es más, un mando muy importante de la Policía Nacional, no hubiera averiguado jamás ni mi existencia ni mi identidad. Aún estaría todo oculto y ni siquiera nos hubiéramos conocido.

—De acuerdo, pero no sé dónde quieres ir a parar —respondió Rebeca, que empezaba a impacientarse. Toda esa información ya lo conocía.

—¿Sabes una práctica algo habitual de los programadores informáticos?

—No tengo ni idea de eso.

—Pues dejarse lo que ellos llaman una *backdoor*, es decir, una puerta trasera. Es una secuencia, dentro del código de programación, mediante la cual se saltan el método de acceso o los algoritmos de seguridad. Es decir, acceden al sistema sin que el propio sistema se entere. Se puede hacer con fines maliciosos, como entrar en corporaciones para el robo de información sensible, datos de tarjetas de crédito y todo eso, pero también se puede hacer con fines no maliciosos, como facilitarles el trabajo de mantenimiento a los programadores o, incluso, por petición expresa de los propietarios del sistema informático.

—¿Qué me quieres decir con todo ese rollo, que no lo pillo?

—Que nuestros padres tomaron su decisión, pero se reservaron una *backdoor*, probablemente sin que nadie lo supiera más que ellos dos. Nos separaron inmediatamente después del parto. Yo desaparecí, oficialmente nunca existí, pero nos marcaron.

—¡Qué dices!

—Reflexiona. Nosotras éramos sus hijas. Piensa en nosotros en términos informáticos, como si fuéramos su propio sistema. No sabían lo que les podía deparar el futuro, y decidieron dejarnos una *backdoor*.

—No te entiendo, pero aun así, ¿para qué iban a hacer esa cosa tan extraña?

—Muy sencillo. Si, por cualquier circunstancia, como, por ejemplo, que dejaran de ser las dos undécimas puertas y quedaran fuera del foco de atención, quisieran reunirnos de nuevo, recuperarnos y formar una familia, siempre tendrían la seguridad de quiénes éramos. Podrían localizarnos por la marca y no confundirnos con otras personas —se explicó Carlota—. Con este tatuaje que llevamos, nos convertíamos en únicas. Por eso no existe otro igual.

—Es decir, lo que estás insinuando es que nos marcaron, como si fuéramos vulgares vacas de la ganadería Rivera-Mercader.

—Bueno, es una analogía que podría servir, aunque llamarme vaca no me haga mucha gracia —dijo Carlota, sonriendo.

—Pues es exactamente lo que acabas de contar —le contestó Rebeca, que estaba seria.

—Insisto, piénsalo bien. Eso explica todo lo que nos ha contado, hace un momento, Nacho Frías, el novio tatuador de mi hermana. Se trata de un tatuaje que pretende no parecerlo. No lo conoce nadie ni figura en ningún libro ni catálogo. Es decir, la marca de nuestro culo, en realidad, es un identificador único en el mundo. Nadie más, en todo el planeta, lo tiene. Una *backdoor*, una puerta trasera en nuestro culo. No me niegues que tiene su punto de gracia añadida —dijo Carlota, que seguía risueña.

Rebeca estaba pensativa. En un principio le había parecido disparatada la teoría de su hermana, pero ahora que la pensaba con más profundidad, podría ser. Las piezas encajaban. Además, no tenían otra hipótesis.

En ese momento le sonó el móvil. Era un mensaje. Lo miró y era de su amiga Carol.

—Mira, Carol nos envía la grabación del momento estelar de nuestro cumpleaños, cuando anunciamos que éramos hermanas. Viene con un texto de la propia Carol, «disfrutadlo juntas».

—¿Cómo sabe que estamos las dos juntas ahora? —preguntó sorprendida Carlota—. ¿Acaso tiene poderes?

Ahora Rebeca se rio.

—Mira que te gustan las historias enrevesadas, cuando las explicaciones más simples suelen ser, casi siempre, las correctas. Lo sabe porque se lo conté yo misma. Me mandó un mensaje para salir a correr, y le contesté que pasaríamos unos días juntas en tu casa ¿A qué así pierde el encanto de lo misterioso?

—Ni un ápice. ¡Ese vídeo lo quiero ver ya! —le contestó de inmediato Carlota—, pero no en el móvil, que es pequeño. Puedo enviar la imagen directamente a la televisión. Vamos a observarnos en tamaño cincuenta pulgadas, como nuestros culos —se rio Carlota, recordando el monitor de Nacho.

Se fueron al salón de la casa y conectaron el móvil de Rebeca a la televisión de Carlota. Inmediatamente se reprodujo la pantalla del teléfono en la *tele*. Se sentaron en el sillón.

—Ahora ya puedes poner el vídeo en marcha.

Rebeca manipuló su móvil y empezó la reproducción. Vieron como la propia Carol subía al pequeño escenario situado en el centro de la sala, acompañada, supuestamente, por su compañero del colegio Koke Valdeolmillos, al menos eso pensaban ellas, en ese momento de la celebración.

Carol dijo «buenas noches».

—¡Ostras! ¡Si estaba más nerviosa que nosotras! —observó Carlota, sonriendo.

«Siempre habéis sido especiales, aunque no lo supierais. Siempre habéis sido únicas, aunque no lo supierais. Siempre habéis sido iguales, aunque no lo supierais. Para vosotras, una fotografía».

Vieron como Carol rompía a llorar. Ellas también se emocionaron con la escena, rememorándola.

—Recuerdo que, antes de esas palabras, ya me esperaba una encerrona, por los tres micrófonos en el escenario —dijo Carlota—. ¿Te acuerdas?

—Sí, me lo dijiste —le contestó Rebeca—. También recuerdo que te comenté que habían sido unas palabras preciosas por parte de Carol, aunque no entendía la última frase, esa de «para vosotras, una fotografía». Luego todo se aclaró cuando Ed Sheeran empezó a tocar su tema *Photograph*.

En ese momento comenzaban a sonar los primeros acordes de la canción. De repente, Carlota se levantó de la silla y apagó la televisión. Rebeca se sorprendió de la repentina e incomprensible acción de su hermana.

—¿Qué haces? ¿Qué paranoia se te ha ocurrido ahora, después de eso de la puerta trasera?

—«Para vosotras, una fotografía» —repitió Carlota, como hipnotizada.

—Sí, lo acaba de decir Carol. Nos disponíamos a escuchar ese *temazo* ahora mismo, antes de que te diera este *ataquito* de no sé qué.

—¡La fotografía! —dijo, mientras salía corriendo hacia su habitación. Al minuto ya estaba de vuelta.

Rebeca estaba más que asombrada.

—¿Te importa explicarte?

Carlota comenzó.

—¿Te acuerdas de que te conté que mi madre adoptiva, antes de morir, me dio un libro muy grueso y muy viejo? Pues las palabras de Carol me han recordado que, dentro de ese libro, había una fotografía, eso sí, en muy mal estado de conservación.

—Recuerdo que me lo contaste —le dijo Rebeca— ¿Y qué tiene que ver con todo esto?

—Desde que ella falleció, no he vuelto a abrir ese libro ni ver esa fotografía, pero, en su momento, cuando mi madre adoptiva me lo entregó, me dio la sensación de que era de mi padre biológico, no del adoptivo, al que apenas conocí ni guardo ningún recuerdo.

—¿De nuestro padre?

—Eso creo. Si así fuera, la fotografía sería de Julián Mercader, tu padre también, y el que yo creía que era mi tío. No lo reconocí por el lamentable estado de conservación de la foto, pero llevo tiempo pensando en enseñártela, para ver si conseguíamos reconocerlo entre las dos. Las palabras de Carol, «para vosotras, una fotografía» me lo han recordado de repente, por eso he parado el vídeo.

—Me has asustado —dijo Rebeca.

—Luego lo seguiremos viendo, que tengo ganas, pero ahora quiero que mires con detenimiento esto, no quiero que se me vuelva a olvidar —se explicó Carlota, mientras sacaba la foto de una funda de plástico y la dejaba encima de la mesa.

En este momento fue Rebeca la que se levantó de golpe del sillón.

—¿Ahora qué es lo que te pasa a ti? ¿Nos turnamos en levantarnos de un salto del sillón, una vez cada una? —preguntó Carlota—. Anda, siéntate. Por tu reacción, deduzco que sí es nuestro padre.

Rebeca le hizo caso, aunque aún tenía la cara marcada por la sorpresa.

—Sí, es Julián Mercader, nuestro padre. Pero mi sorpresa no es por eso —respondió Rebeca, haciendo una pequeña pausa. No tenía buena cara.

—Entonces, ¿a qué se debe?

—A que tengo una foto idéntica a esa, en el álbum familiar que conservaba nuestra madre, y que me dio Tote. La única diferencia es que estoy yo en ella, pero el escenario y el fondo son el mismo, hasta nuestras poses son clavadas. Mi foto está bastante mejor conservada que la tuya, por eso reconozco a nuestro padre.

Carlota permanecía en silencio, pero sus ojos delataban que su cerebro estaba a pleno rendimiento.

Carlota no contestaba.

—¡Carlota! — le gritó Rebeca.

Volvió en sí, aunque con una voz extrañamente sosegada, para todos los sobresaltos que estaban ocurriendo.

—Quizá ahora cobre más sentido que nunca la última frase coherente de mi madre, antes de morir, «une lo separado». Demasiadas cosas que unir, demasiadas coincidencias y demasiadas casualidades. Ni tu ni yo creemos en ellas, ¿verdad? —preguntó Carlota.

Rebeca miraba a su hermana sin comprenderla. Estaba como ida.

—No te entiendo. Si te refieres a las casualidades, es cierto, yo no creo en ellas, pero ¿adónde quieres ir a parar? —le respondió con otra pregunta.

Carlota tenía cara de asustada. Esa actitud no era nada habitual en su hermana. Rebeca se preguntó si se debía preocupar.

—Me temo que los acontecimientos se van a precipitar, y no sé si estamos preparadas —dijo, al fin, Carlota. Su semblante era muy serio.

Ahora, Rebeca se quedó pensativa. En el fondo, ella opinaba lo mismo, aunque no se había atrevido a decírselo a Carlota. Quizá hubiera llegado el momento. Si los acontecimientos se iban a precipitar, debía de tomar la decisión ya. La estaba posponiendo, pero no podía aguantar más. Probablemente no encontrara otro momento más apropiado que este, así que se lanzó.

—Yo también creo que se acercan tiempos difíciles. Por eso, tengo que contarte una cosa muy importante —dijo Rebeca, mirando a los ojos a su hermana

—¿Me tengo que preocupar?

—Eso lo tendrás que decidir tú, pero es un tema muy serio. No estoy bromeando.

—Lo veo en tu rostro. Me tienes en ascuas. Anda, dime lo que tengas que decirme.

—No sé muy bien cómo comenzar esta conversación, así que voy a ir al directamente grano. ¿Quieres ser mi duodécima puerta, mi protectora? —le preguntó así, de sopetón Rebeca, sin ninguna introducción previa al asunto. No le gustaba ser tan directa, pero las circunstancias eran las que eran.

Carlota se quedó mirando a su hermana con un extraño gesto en su rostro. Estaba claramente sorprendida. No se lo esperaba.

Se tomó su tiempo para responder.

—No te lo tomes a mal, pero yo no podría protegerte como Tote o Joana. Hay muchos días en que no nos vemos. ¡Por favor! Ni siquiera vivimos juntas, ¿cómo lo iba a hacer? Además, no puedo hacer eso, yo no tengo su fortaleza.

Rebeca se dio cuenta de que su hermana no estaba siendo totalmente sincera con ella. Por ejemplo, cuando le contó lo de su agresión, a Carlota se le escapó que hubiera machacado a Álvaro Enguix en menos de cinco segundos y, en ese momento, supo que le estaba diciendo la verdad. Sabía que, en ese extremo, le estaba mintiendo, pero desconocía el motivo. Decidió insistir.

—Eres mi único familiar vivo, aparte de Tote, por eso te lo estoy pidiendo —se justificó—. No hay ninguna persona en el mundo en la que confíe más que en ti.

—Me halagas, pero ¿qué pasa con nuestra tía? ¿No es ella la duodécima puerta?

—Si quieres que te diga la verdad, ahora no lo tengo nada claro.

—Pero ¿de eso se puede dimitir?

—Joana lo hizo, aunque en su caso, estaba todo preparado y su causa estaba más que justificada. Se sacrificó por mí, anteponiendo incluso su propia vida privada. Fue un gesto que jamás olvidaré.

—En todo este contexto, ¿No crees que sería mejor que hablaras con tu tía antes de tomar ninguna decisión precipitada?

—Ya viste lo mal que se tomó la conversación que mantuvimos ayer, en el microbús, de vuelta de Barcelona. Ni siquiera se despidió de nosotras. Conozco muy bien a Tote y no me esperaba esa reacción. Me temo que los acontecimientos también se van a precipitar por ese frente, y para mal.

—¿Qué quieres decir exactamente? —preguntó Carlota, intranquila.

—Sé que va a ocurrir algo, aunque en respuesta a tu pregunta, no sé qué exactamente. Pero lo que tengo muy claro es que Tote ha tomado una decisión importante, aunque, ahora mismo, no sepa cuál es. Lo vi claramente en sus ojos. Créeme, me preocupa mucho. Y, en parte, puede que sea culpa mía.

—¿Por qué dices eso?

—Porque, en el autobús le dije que quizá fuera mejor que abriéramos un paréntesis temporal entre nosotras. Imagínate la expresión de su cara, después de escuchar de mi boca, de su propia sobrina, casi se podría decir que su propia hija, esas palabras.

De nuevo, Carlota se quedó en silencio un instante, antes de reanudar la conversación. Parecía que estaba estudiando con detenimiento su respuesta, como eligiendo las palabras exactas que decir.

—Lo siento de verdad, Rebeca, pero tengo que declinar tu ofrecimiento. No te lo tomes a mal. No sería una buena duodécima puerta, creo que ya me conoces lo suficiente y lo sabes. No tengo madera para ello.

—Eso no es cierto. Eres la persona ideal, eres mi clon. Además, te lo confieso, no tengo plan «B» ni «C». No existen más candidatos posibles —insistió Rebeca, que pensaba que su hermana iba a aceptar.

—No me entiendes. No es que no quiera, que también, es que aunque quisiera, no podría.

—¿Por qué? ¿Por el rollo ese de que no vivimos juntas y no me podrías proteger? ¿Me quieres obligar a quedarme a vivir contigo, de forma permanente, para aceptar ser mi duodécima puerta? ¿Es esa la condición que me pones?

—Podría ser una causa, pero no. No es por nada de eso.

—¿Entonces?

—No puedo ser tu protectora porque...

—Eso, ¿por qué? —le interrumpió Rebeca.

—Porque, en realidad, yo soy la segunda undécima puerta.

Fin del libro 7
Espera lo inesperado

Continúa en el libro 8
El enigma final
Volumen doble

"El enigma final" te va a dejar
sorprendido de verdad.
Ni te imaginas su final.
Nada es lo que parece.

NOTA FINAL DEL AUTOR

Supongo que os habrá llamado la atención que, en la celebración de los Premios Ondas, haya hecho referencia a un asistente virtual de voz, desarrollado por Amazon, **Alexa**.

Lo sorprendente es que los hechos ocurrieron en la realidad. **Alexa** fue la encargada de nombrar al ganador del premio al mejor *podcast* del año, en esa edición, desde el mismo escenario de *El Gran Teatre del Liceu* de Barcelona.

Incluso reproduzco frases y discursos literales y reales. Evidentemente, hay otros que no lo son.

CLUB VIP

Si has leído alguna de mis novelas, creo que ya me conoces un poco. **Siempre va a haber sorpresas y gordas.**
Si quieres estar informado de ellas y no perderte ninguna, te recomiendo apuntarte a mi club, llamado, cómo no, **Speaker's Club**.

Es gratuito y tan solo tiene ventajas: regalos de novelas y lectores de ebooks, descuentos especiales, tener acceso exclusivo a mis nuevas novelas, leer sus primeros capítulos antes de ser publicados, etc.

Lo puedes hacer a través de mi web y no comparto tu email con nadie:

www.vicenteraga.com/club

REDES SOCIALES

Sígueme para estar al tanto de mis novedades

Facebook
www.facebook.com/vicente.raga.author

Instagram
www.instagram.com/vicente.raga.author

Twitter
www.twitter.com/vicent_raga

BookBub
www.bookbub.com/authors/vicente-raga

Goodreads
www.goodreads.com/vicenteraga

Web del autor
www.vicenteraga.com

COLECCIÓN DE NOVELAS «LAS DOCE PUERTAS» Y BILOGÍA «MIRA A TU ALREDEDOR»

Todas las novelas pueden ser adquiridas en los siguientes idiomas y formatos en ***Amazon y librerías tradicionales***

ESPAÑOL

Formato eBook
Formato papel tapa blanda
Formato tapa dura (edición para coleccionistas)
Audiolibro

ENGLISH

eBook
Paperback
Hardcover (Collector's Edition)
Audiobook (coming soon)

Las doce puertas (Libro 1)
The Twelve Doors (Book 1)

Nada es lo que parece (Libro 2)
Nothing Is What It Seems (Book 2)

Todo está muy oscuro (Libro 3)
Everything Is So Dark (Book 3)

Lo que crees es mentira (Libro 4)
All You Beleive Is a Lie (Book 4)

La sonrisa incierta (Parte V)
The Uncertain Smile (Part V)

Rebeca debe morir (Libro 6)
Rebecca Must Die (Book 6)

Espera lo inesperado (Libro 7)
Expect the Unexpected (Book 7)

El enigma final (Libro 8)
The Final Mystery (Book 8)

BILOGÍA / DUOLOGY
«MIRA A TU ALREDEDOR»
"LOOK AROUND YOU"
(Forman parte de «Las doce puertas»)

Mira a tu alrededor (Libro 9)
Look Around You (Book 9)

La reina del mar (Libro 10)
The Queen of the Sea (Book 10)
Fin de la serie «Las doce puertas»
End of «The Twelve Doors» series

SERIE DE NOVELAS «ÁNGELES»

Formato eBook
Formato papel tapa blanda
Formato tapa dura (edición para coleccionistas)
Audiolibro

El misterio de nadie (Libro 1)

El faraón perdido (Libro 2)

Las puertas del cielo (Libro 3)

Para vivir hay que morir (Libro 4)

CONTINUARÁ...

TRILOGÍA EN UN SOLO VOLUMEN DE VICENTE RAGA «JAQUE A NAPOLEÓN»
"CHECKMATE NAPOLEÓN"

Jaque a Napoleón, la trilogía: apertura, medio juego y final

ESPAÑOL
Formato eBook
Formato papel tapa blanda
Audiolibro
INGLÉS
eBook
Paperback
Audiobook (coming soon)